ARMELLE GUILCHER

Retraitée, Armelle Guilcher vit et écrit en Bretagne.
Pour l'amour d'une île est son premier roman, paru
en 2014 aux éditions Nouvelles Plumes.

POUR L'AMOUR
D'UNE ÎLE

ARMELLE GUILCHER

POUR L'AMOUR D'UNE ÎLE

ROMAN

ÉDITIONS NOUVELLES PLUMES

© Éditions Nouvelles Plumes, 2014.
ISBN : 978-2-266-26569-0

Novembre 1971

La traversée s'était effectuée dans des conditions plutôt idéales pour la saison. En dépit d'un temps maussade, la mer était calme.

On était fin novembre.

Ce n'était pas la période rêvée pour venir s'établir sur cette île hostile, perdue dans les brumes, au milieu des écueils. À peine arrivée, elle allait devoir affronter les tempêtes de l'hiver, les plus rudes, celles qui vous mettent l'angoisse au cœur, avec en supplément l'appréhension de démarrer une carrière de médecin en se heurtant à la défiance probable des habitants à son égard.

Marine n'avait pas choisi son moment. Son installation était programmée au début de l'été et puis des circonstances imprévues (la maladie de François, son grand-père) avaient bouleversé ses plans. Il n'existait sur l'île aucune structure hospitalière susceptible de recevoir le vieillard en cas d'aggravation de son état et, dans ce contexte, ne sachant comment évoluerait la santé de son aïeul, Marine avait préféré se montrer prudente en demeurant sur le continent. Finalement, le vieil homme s'était éteint sans avoir assouvi son rêve : retourner vivre sur son île en compagnie de sa petite-fille.

La douleur ressentie par Marine à la mort de son grand-père avait été immense. Elle avait d'ailleurs failli abandonner tous ses projets. Et puis les blessures se refermant, elle s'était persuadée que François lui-même n'aurait pas souhaité une pareille conclusion, après tant d'années d'efforts et de persévérance pour mener ses études à leur terme. Elle avait donc confirmé au docteur Le Guen qu'elle reprenait sa clientèle, juste le temps pour elle d'expédier quelques affaires courantes. Ce qu'elle appelait « affaires courantes » était le règlement de la succession de son grand-père. Il n'avait pour toute richesse que sa petite maison du continent, au bord de la falaise, et Marine ne voulait en aucun cas s'en séparer malgré les exhortations de son frère Yves, toujours à la recherche de plus de moyens pour entretenir dans un confort que lui-même n'avait jamais connu, sa femme et ses deux petites filles, des gamines pleurnichardes et capricieuses.

Elle avait alors proposé à Yves de lui racheter sa part et celui-ci avait ironisé :

— Avec quel argent ? Ce n'est pas ta clientèle de marins ivrognes et miséreux qui va t'enrichir.

— Ma clientèle miséreuse assurera ma subsistance, n'aie aucune inquiétude à ce sujet. Et puisque tu négliges la maison de grand-père, tu ne discuteras pas de son prix en prétendant qu'elle vaut plus cher que ce que je t'en offre.

Effectivement, Yves avait accepté le montant fixé. Et c'est le notaire de famille qui, après avoir établi les documents, lui prêta la somme nécessaire au rachat de la résidence familiale.

— J'aurai peut-être quelques difficultés à vous rembourser mais j'honorerai ma dette.

— J'ai confiance en toi, avait répondu le notaire. En souvenir de François, mon ami, je ne peux me résoudre à ce que cette demeure, obtenue grâce à un labeur de tous les instants, parte entre les mains du premier venu. Pour lui et pour toi. Et je suis peiné qu'Yves s'en dessaisisse avec une si grande désinvolture.

Comment lui expliquer qu'Yves n'était plus le même, le grand frère chaleureux et protecteur, depuis le suicide de Marie-Anne ? Yves était le père de l'enfant qu'elle portait, Marine en avait toujours été convaincue et il avait feint, par facilité, de croire en la parole de Marie-Anne lorsque celle-ci avait nié le fait. Plutôt qu'Yves l'épousât par devoir, elle avait opté pour l'option la plus courageuse mais aussi la plus stupide qui fût, celle de sacrifier son propre bonheur.

Depuis ce jour fatal, plus rien n'avait été comme avant. Yves s'était éloigné de leur famille dès le décès de Marie-Anne, en allant résider au centre d'équitation où il était employé. Plus tard, il s'était marié à une sorte de femme-enfant, frivole et fantasque, avec qui il avait eu deux filles qui ressemblaient, selon l'opinion de Marine peu indulgente, à leur mère.

Le bateau manœuvra pour accoster. Marine essaya de repérer le docteur Le Guen dans la foule massée sur la digue. Le vieux médecin lui laissait sa clientèle et également le logement qui abritait son cabinet, lui-même se retirant chez sa sœur à l'autre bout de l'île. Elle avait décidé que, si le docteur Le Guen n'était pas au débarcadère, elle irait coucher cette nuit chez sa tante Lucie, remettant au lendemain la passation de pouvoirs. Mais il était là, au milieu des badauds, guettant son successeur, impatient. À ses côtés, une petite remorque pour le transport des bagages. L'île ne possédait en effet aucun véhicule à moteur et l'acheminement des biens et des personnes s'effectuait par les moyens du bord.

Marine se présenta à son confrère.

— Je vous remercie de m'accueillir.

— Voyons, c'est normal, bougonna-t-il. N'est-ce pas vous qui venez me délivrer du fardeau de mes malades ?

— Arrêtez. Vous allez m'effrayer. Je suis prête à croire que c'est une tâche si lourde que je ne parviendrai pas à l'assumer !

— Ta, ta, ta… Ne jouez pas les modestes. Et puis, je suis là et je serai heureux de vous épauler dans les premiers temps. Où sont vos bagages ?

Marine lui désigna le sac à ses pieds.

— Vous voyagez léger ! s'exclama le docteur Le Guen. Pour une femme, c'est plutôt rare.

Marine rit de bon cœur. C'est vrai que tout ce qui avait trait au paraître était pour elle secondaire. Adolescente, elle courait la campagne en pantalon, pull et bottes éculés. Plus tard à la fac, elle avait consenti à des efforts vestimentaires mais sans grand enthousiasme. Ce n'était pas son truc. Et puis Jean-Marie, son ami d'enfance et de cœur, l'aimait telle qu'elle était, naturelle, sans artifices, alors pourquoi se forcerait-elle à être une autre ?

Marine et le docteur Le Guen marchèrent de concert en direction du cabinet médical, situé sur le quai, à proximité du débarcadère. Ce quai était en même temps la rue principale et on y trouvait les rares commerces de l'île : un hôtel-restaurant, un café-épicerie, une mercerie-bazar. À l'intérieur du bourg, les habitants disposaient encore d'un autre café-épicerie, et avec la pharmacie, l'église et la mairie-école-bureau de poste, l'inventaire des lieux publics de l'île était clos.

— Vous ne serez pas surprise, dit le docteur en entrant dans une petite maison à deux étages, les jours de tempête, les vagues qui se cassent sur le parapet éclaboussent la façade. Cela déconcerte un peu au début, puis on s'y fait.

On accédait d'abord à un couloir. À gauche, la salle d'attente, meublée de chaises disparates et d'une table basse encombrée de revues, à droite, le cabinet de consultation qui communiquait avec une cuisine plutôt vaste dans laquelle régnait une température agréable.

— La pièce est chauffée par cette cuisinière à bois sur laquelle je cuisinais également. Ici, l'électricité est fournie par le groupe électrogène du phare. Chacun est obligé d'en tenir compte. Pour l'eau potable, nous avons une petite usine de dessalement d'eau de mer jusqu'à ce qu'une conduite nous relie au continent, et nous traitons sur place les eaux usées. Nous sommes loin de tout mais pas sans équipements, commenta le docteur Le Guen avec une pointe d'orgueil.

S'attendait-il à ce que Marine s'extasiât sur les commodités de l'île ? Il dut être déçu car elle n'eut pas de réaction.

— Et de quelle manière sont chauffées les autres pièces de la maison ?

— Dans la salle d'attente, les gens restent habillés…

Le docteur Le Guen eut un geste vague qu'elle traduisit par « ils n'ont qu'à bien s'emmitoufler ».

— La nuit, j'ouvrais toutes les portes du rez-de-chaussée pour que les pièces profitent de la chaleur du poêle de la cuisine. Quand le vent du nord souffle, j'avoue, c'est insuffisant. Néanmoins les cheminées fonctionnent et j'ai d'autres poêles à bois relégués au grenier qui peuvent encore servir.

— Il y en a dans les chambres, je présume ?

— *La* chambre. Au premier, vous n'avez qu'une chambre, plus un grenier sous les combles.

— Pas de salle de bains ?

— Un cabinet de toilette, attenant à la chambre. Un conseil : la cuisine est idéale pour se laver. C'est la pièce la plus confortable de la maison.

— Et le bois ?

— Il nous arrive du continent.

Question stupide. Il n'y avait pas un seul arbre sur l'île et elle le savait. Des galets, des rochers, petits, grands, deux menhirs dans un champ, des bateaux, des goélands, des tempêtes et du vent, beaucoup de vent, de la pluie aussi, des marins saouls, des femmes en coiffe, des gamins insolents, des hortensias, encore des hortensias mais aucun arbre. Pas d'animaux non plus, pas de vaches, pas de chevaux, ni moutons ni chèvres, juste quelques chiens et des chats.

Marine vit dans ce constat un peu brutal rappelé par son confrère, au moins un aspect positif : en Bretagne, et qui plus est au bord de la mer, le thermomètre descendait rarement en dessous de zéro. De cibler ainsi les inconvénients majeurs, mais connus d'elle, de ce lieu hors normes n'entama donc en rien sa sérénité.

Son grand-père, homme simple, l'avait accoutumée à se satisfaire de l'essentiel et même si par la suite, étant étudiante, elle avait parfois joui du superflu (profitant des largesses d'autres étudiants plus aisés), des

14

goûts modestes et des envies modérées lui permettaient d'espérer ne pas avoir à souffrir de la rusticité de la demeure. Ils montèrent au premier, dans la chambre à coucher meublée d'un lit, de chevets et d'une armoire en bois massif enrichi de sculptures, contrastant avec le mobilier usuel et sans grâce du rez-de-chaussée. Sur le lit, une couverture en macramé souleva l'admiration de Marine.

— C'est la chambre de mes noces, un cadeau de ma belle-famille, dit le docteur Le Guen.

— Dans ce cas, elle serait plus à sa place chez vous !

— Je ne suis guère attaché à ce genre de choses et ma femme encore moins… elle est décédée, précisat-il… Si vous le permettez, je vais prendre congé. Remettez un peu de bois dans le poêle de la cuisine avant de vous coucher. Il y a des œufs et de la salade sur la table, quelques fruits. D'ici lundi, je pourvoirai aux urgences. Vous avez samedi et dimanche pour vous organiser.

Le docteur Le Guen se retira, emportant sa remorque. Marine, livrée à elle-même, jeta autour d'elle un regard perdu. Que dire, que faire dans ce lieu anonyme où elle n'avait pas encore ses repères ? Elle sortit sur le quai. La mer était partout. Elle percevait son murmure. Un volet s'entrebâilla dans la maison contiguë à la sienne. Épiée, jaugée, tel serait désormais son quotidien. En venant sur cette île, elle se doutait que sa vie personnelle serait particulièrement exposée. Elle s'y était préparée et était fermement résolue à ne pas s'en formaliser. Que la certitude d'être surveillée, d'avoir ses paroles et gestes étudiés et interprétés, surtout, ne l'amène pas à renoncer à sa spontanéité qui était sa vertu première.

En rejoignant son cabinet, elle s'adressa à la personne qui l'espionnait derrière le volet.

— Bonne soirée !

Le volet claqua aussitôt et Marine crut entendre le « tsss » de mépris tandis qu'elle visualisait le haussement d'épaules de la femme car elle en était sûre : ce ne pouvait être qu'une femme qui se cachait ainsi.

Elle eut du mal, le lendemain, à recouvrer ses esprits. Ses yeux contemplaient un environnement différent de celui auquel elle était habituée, et il lui fallut faire un effort de mémoire pour assimiler le changement de décor : les grosses fleurs marron de la tapisserie, l'abat-jour en dentelle au plafond, l'armoire cirée, l'odeur d'humidité et les bruits, différents, plus présents, plus sonores, plus... maritimes, le flux et reflux de la marée qui lissait le temps.

La veille, au moment de s'endormir, des idées sombres l'avaient assaillie dans la perspective de ses nouvelles responsabilités. Puis elle s'était rassérénée en se répétant que le docteur Le Guen était là pour la conseiller, fort de ses quarante ans de pratique des îliens et de cette terre si fruste.

Elle avait ensuite plutôt bien dormi, tel un oiseau dans son nid, à l'abri malgré tous les dangers extérieurs, réels ou supposés, prêts à balayer ses illusions, bousculer ses croyances.

Marine émergea de sa somnolence au fur et à mesure que les bruits du dehors s'épaississaient. Elle jeta un coup d'œil au réveil. Sept heures. L'activité sur l'île débutait tôt.

Elle descendit à la cuisine, rajouta du bois dans la

cuisinière. Puis elle inspecta les placards les uns après les autres pour en inventorier le contenu. Elle finit par exhumer une boîte en fer qui contenait quelques sachets de thé. Elle remplit une bouilloire d'eau, la posa sur le cercle de fonte sous lequel grondait le feu.

La fenêtre de la cuisine donnait sur le jardin, un carré d'herbe, un arbuste rachitique, un appentis adossé au mur d'enceinte en pierres sèches. Au-delà, les toits des maisons d'alentour. Elle traversa la cuisine pour venir dans le cabinet de consultation rabattre les volets. On avait une vue directe sur la rue composée d'une chaussée, sans aucun trottoir, et elle faillit, en poussant les persiennes, assommer une vieille dame qui passait. Elle comprit qu'elle devrait désormais procéder à ce rituel avec une grande prudence si elle ne voulait pas s'attirer les foudres de ses concitoyens.

Elle demeura un instant derrière les carreaux à observer l'animation du dehors. La maison était édifiée en plein centre de l'île, là où battait son cœur, c'est-à-dire le port.

Il bruinait, mais cela n'empêchait pas les gens de vaquer à leurs occupations.

Des femmes en costume traditionnel se dirigeaient vers la ruelle qui menait à l'église. Des hommes pressaient le pas et elle ignorait si c'était pour rentrer chez eux ou regagner leur bateau amarré le long du quai.

Elle revint à la cuisine où la bouilloire sifflait avec insistance. Elle versa l'eau sur le sachet de thé, regrettant que son infusion ne fût pas accompagnée d'un morceau de baguette croustillante ou d'une part de far. Affamée, elle enfila un manteau par-dessus son pyjama et se rendit au café-épicerie voisin.

Une sonnette aigrelette retentit lorsqu'elle pénétra dans la boutique et les conversations des chalands cessèrent aussitôt. Derrière le comptoir, une femme assez âgée la détailla des pieds à la tête, le visage dur, tandis que les deux ou trois marins qui consommaient du vin blanc au bar eurent un étrange sourire à sa vue. « Moquez-vous, songea-t-elle. Lorsque vous serez devant moi, malades, craignant pour votre existence, vous ne serez plus aussi fanfarons. » La pensée qu'un jour elle aurait l'avantage sur ceux qui aujourd'hui se gaussaient d'elle, lui fit relativiser la situation.

Sur le côté de la pièce, des cageots de fruits et de légumes reposaient sur un présentoir en aluminium tandis que derrière, un pan de mur supportait des étagères sur lesquelles s'alignaient des boîtes de conserve et de nourriture variée. Dans un panier, elle avisa des baguettes de pain d'aspect peu engageant. D'où provenait ce pain ? Il n'y avait pas de boulangerie sur l'île.

— Vous n'avez que ce pain ? Et des crêpes ?

— Des crêpes j'ai, dit la commerçante avec ce langage typique des bretonnants lorsqu'ils s'expriment en français.

Elle contourna le comptoir, fouilla dans ses étagères et lui tendit un paquet de crêpes sous cellophane.

— Elles sont fraîches ? s'informa Marine.

— Si elles sont fraîches ! Vous n'avez qu'à vérifier la date sur l'emballage, s'offusqua la femme. De toute manière, c'est ça ou j'ai rien d'autre.

Elle avait déjà la main sur le paquet pour le ranger quand Marine s'en empara.

— Je les prends… et une plaquette de beurre salé.

La commerçante leva les yeux au ciel.

— Ici, il n'y a que du beurre salé ! lâcha-t-elle d'un air catastrophé.

Marine eut un rire nerveux. Elle se sentait ridicule. Ne pouvait-elle se ressaisir et considérer que ces gens n'étaient simplement pas aimables et que cela n'avait rien à voir avec elle ?

— Je suis la remplaçante du docteur Le Guen, crut-elle bon de souligner.

Quel était son but en claironnant son statut ? Le « eh bien ! » laconique d'un des marins, chargé d'irrespect, de sarcasme, lui indiqua que, quel que fût ce but, il n'était pas atteint.

Elle ne se laissa pas impressionner et salua à la ronde.

— *Kénavo*.

Elle n'obtint en réponse qu'un silence dédaigneux.

Marine n'était plus trop certaine d'avoir fait le bon choix en venant sur l'île. Elle réalisait brusquement que la clientèle du docteur Le Guen ne lui était pas acquise. Peut-être les jeunes mères de famille n'hésiteraient-elles pas à recourir à ses compétences professionnelles, encouragées par une espèce de solidarité féminine ou l'instinct de protection de leurs rejetons si la santé de ceux-ci était en jeu. Mais le reste de la population ?

Après avoir déjeuné, Marine fit le tour du cabinet de consultation, contrôlant que chaque objet, chaque instrument dont elle aurait besoin lundi matin, lors de la première consultation, étaient en place. Son prédécesseur n'ayant rien emporté ou presque, c'était comme si elle assurait un intérim, sauf que cet intérim s'inscrivait dans la durée.

Entre eux, il n'y avait pas eu de contrat. Elle lui louait le cabinet meublé pour un prix dérisoire et le suppléerait lundi matin à la consultation, avec ou sans l'assentiment des îliens.

— Soyez sans illusions, mon enfant. Vous gagnerez de quoi me payer votre loyer, rembourser votre emprunt (elle lui avait raconté cette partie de sa vie) et en prime, vous ne mourrez pas de faim car les îliens partagent volontiers le produit de leur pêche.

Marine avait choisi de s'installer au fil des jours, c'est-à-dire de rapporter au fur et à mesure du continent, les objets ou meubles qui lui manqueraient trop. Pour lundi, tout étant en ordre, elle avait juste à se préparer psychologiquement.

Et cela ne pouvait mieux se faire que par une visite à sa tante Lucie.

Il bruinait toujours. Elle eut à nouveau un choc en découvrant la mer si proche. Quelques mètres de bitume seulement la séparaient d'elle. Marine ne s'étonnait plus qu'en cas de forte marée ou de tempête, les vagues vinssent s'écraser sur la façade des immeubles. Au bout du quai, elle emprunta la route du phare et longea une grève. Les galets arrondis lui évoquèrent Yann, le fils de Marijanig, la *karabassen*[1], dont l'amusement de prédilection était alors le jeu de ricochets pour lequel il montrait une habileté diabolique. Il y avait quelques années, sa présence discrète et son charme irrésistible l'avaient aidée à surmonter la mort de son amie Marie-Anne.

La maison de tante Lucie n'avait pas changé. Les pierres apparentes résistaient à l'usure du temps, se patinaient. Le jardin était toujours aussi aride, rocailleux. Marine cogna à la porte et entra. Dans la grande

1. Bonne de presbytère.

pièce unique du rez-de-chaussée, une vieille femme, de dos, balayait les dalles en granit. Elle se retourna au moment même où Marine se demandait comment l'aborder sans l'effrayer.

— Ma Doue ! C'est toi.

Elle n'avait pas revu sa grand-tante depuis janvier, c'est-à-dire près de onze mois. Cette dernière, trop âgée pour braver une navigation souvent agitée, ne s'était pas déplacée pour l'enterrement de son frère.

— Ton pauvre grand-père. J'ai tellement de peine.

— Moi aussi tantine.

Tante Lucie essuya furtivement les larmes qui emplissaient ses yeux.

— Qu'est-ce qui t'amène sur l'île ?

Et puis aussitôt, toute chamboulée, elle proposa :

— Tu veux un café ?

— J'ai déjà déjeuné.

— Mais si. Il est encore chaud. Assieds-toi.

Marine ne résista pas. Le café était bon et agrémenté de crêpes succulentes, d'une autre qualité que celles vendues par sa voisine l'épicière.

— Mange, petite, et tu me diras pourquoi tu es venue.

— Je suis le nouveau médecin de l'île, tantine, lui annonça fièrement Marine.

— Oh ! C'est pas vrai ! s'extasia tante Lucie en battant des mains. C'est ton grand-père qui serait heureux.

Puis elle s'avisa :

— Tu loges où ?

Marine dut lui expliquer qu'elle avait « hérité » du cabinet médical mais aussi de l'appartement de son prédécesseur.

— Sur les quais. Tu vas être bien là-bas.

Marine termina son second petit déjeuner de la journée, sous l'œil attendri de la vieille îlienne.

— Et Marijanig ? demanda Marine.

— Elle est toujours aussi active.

— Et ses enfants ?

— Ils sont tous sur le continent.

— Yann aussi ?

— Yann aussi… Tu n'avais pas le béguin pour lui à l'époque ?

— Possible. Il était si beau !

Les deux femmes se sourirent, complices. C'était sa tante Lucie qui avait prodigué à Marine, enfant puis adolescente, douceur et caresses que son grand-père, par pudeur ou maladresse, n'avait pas pu extérioriser. Elles en avaient gardé, dès qu'elles étaient ensemble, le réflexe de se prouver leur affection d'une manière très tactile, en s'enlaçant, se cajolant, se respirant presque.

Sur le chemin du retour, Marine s'arrêta à l'épicerie. Un des marins qu'elle y avait rencontrés le matin était encore là. Était-il parti puis revenu ? ou le bistrot incarnait-il son unique lieu de vie ?

La jeune femme examina les rayonnages de l'échoppe. Elle n'arrivait pas à déterminer quels ingrédients, sur le maigre approvisionnement offert, seraient à même de lui fournir les bases d'un repas correct et elle s'interrogea : « De quoi se nourrissent-ils ici ? ».

Elle mangea peu le midi, l'estomac calé par ses deux petits déjeuners, se souvenant de son grand-père. Comme sa sagesse et son bon sens lui faisaient défaut ! S'il l'avait accompagnée sur l'île ainsi que c'était prévu, elle serait aujourd'hui pourvue de plus d'énergie pour affronter ses premiers pas de médecin.

L'après-midi, elle entreprit le tour de l'île par l'est, le côté opposé à celui où habitait sa tante Lucie. La côte, à cet endroit, plus sauvage, était ininterrompue. Pas de plage, pas de grève pour ponctuer ses roches déchiquetées. Les constructions y étaient rares et on finissait de toute façon par rejoindre la route du phare.

Elle croisa quelques promeneurs qui, tous, la dévisagèrent avec, sous-jacent, le même questionnement muet : qu'est-ce qui pouvait bien attirer une touriste sur l'île hors saison ? Son grand-père n'étant plus avec elle pour leur donner l'illusion d'une personne de connaissance, elle était rejetée de la mémoire collective.

Le soir, après avoir bourré le poêle pour la nuit, elle s'assit à petite distance pour profiter de la chaleur. En répertoriant le mobilier de la salle d'attente, elle avait eu un coup de cœur pour une chaise à accoudoirs. Elle décréta que ce serait désormais son siège attitré, celui qu'elle glisserait près du feu, dans lequel elle se prélasserait le temps de boire une tisane.

Demain, elle commencerait une nouvelle existence, celle qu'elle avait appelée de ses vœux depuis une certaine année, riche en événements, et dont le point de départ avait été le réveillon de Noël.

Tout ce qui s'était déroulé les mois suivant cette fameuse nuit : paroles prononcées, émotions ressenties, actes accomplis, même les plus infimes, les plus anecdotiques, y compris ceux qui paraissaient n'avoir aucun lien entre eux, étaient inscrits dans sa chair et avaient participé de son histoire.

PREMIÈRE PARTIE

1

25 décembre 1960

Les derniers fidèles avaient quitté l'église depuis déjà un bon quart d'heure quand François eut fini de ranger la sacristie. Une heure du matin. La messe de minuit avait réuni une cinquantaine de dévots, des vieilles femmes pour la plupart. La désaffection des plus jeunes pour cette célébration religieuse chagrinait le sacristain.

Il ne connaissait, quant à lui, rien de plus émouvant que le silence s'établissant dans l'assemblée dès que retentissaient à l'orgue les premières notes du *Minuit, Chrétiens*, la procession conduite par le curé de la paroisse escorté des enfants de chœur en aube rouge et surplis blanc, et qui amenait l'enfant nouveau-né, poupée de cire naïve et potelée, depuis le chœur jusqu'au fond de l'église, dans la crèche maladroitement décorée par les abbés et les enfants du catéchisme.

Désormais, les adolescents préféraient, plutôt que de participer à la messe de minuit (ses propres petits-enfants en étaient l'illustration), réveillonner entre copains.

François regarda autour de lui. La sacristie, morne et froide, semblait figée dans un décor suranné. Sur la crédence, les habits sacerdotaux étaient déjà disposés dans l'ordre où l'officiant les revêtirait le lendemain matin, à la faveur de la première messe.

Le plancher disjoint émit une longue plainte discordante quand François se dirigea vers la porte en ogive qui séparait la sacristie de l'église. Au passage, il abaissa quelques interrupteurs sur le tableau électrique, noyé dans une niche du mur en pierre. Il avança le buste pour contrôler les résultats de son geste. La grande nef s'était assoupie dans une demi-obscurité. Seul un lustre au-dessus du chœur diffusait une clarté suffisante pour que François pût effectuer sa ronde traditionnelle avant de bénéficier d'un repos bien mérité.

Il traversa le chœur, manifesta son respect à Dieu par une génuflexion un peu mécanique et débuta son inspection en s'assurant tout au long du parcours que les confessionnaux ne recelaient aucune ombre suspecte de pilleur de tronc ou de quelque clochard en quête d'un gîte. Arrivé au bas du sanctuaire, il ferma à clé la double porte donnant sur le porche, rabattit les contrevents intérieurs munis d'énormes verrous, dernier gage contre d'éventuels rôdeurs.

Il poursuivait sa ronde en rêvassant au vin chaud qui mitonnait chez lui sur un coin du fourneau et qu'il savourerait dans un court instant, lorsque brusquement un froncement de sourcils vint animer sa physionomie. Une forme confuse se dissimulait derrière la chaire. Il s'approcha, le corps en alerte. Mais son émoi fut bref car il identifia rapidement la silhouette agenouillée.

— Madame Gonidec, on ferme !

Madame Gonidec émergea de la prostration dans laquelle elle était plongée. Le sacristain, martelant chaque syllabe, lui répéta en souriant.

— On-fer-me !

La femme se mit alors debout hâtivement, ramassa le missel qui traînait sur sa chaise et s'excusa.

— Je suis désolée. J'ai oublié l'heure.

Elle allait sortir par la porte principale, honteuse du désagrément occasionné, quand François la retint.

— Passez par la sacristie.

Madame Gonidec obtempéra, l'air navré.

« Quelle figure de misère, songea François. Je comprends pourquoi son mari va chercher ailleurs du réconfort. »

La femme trottinait devant lui, les épaules basses. Elle était l'image même de la résignation. François avait envie de la secouer pour faire jaillir de ce corps passif un simulacre de révolte. Ils s'inclinèrent tous les deux en direction du tabernacle et rejoignirent la sacristie.

François coupa l'électricité, précipitant l'église entière dans une pénombre propice aux mystères divins. Madame Gonidec prit congé du sacristain.

— Bonsoir, monsieur Le Guellec. Joyeux Noël !

— Bonsoir. Joyeux Noël !

La pieuse paroissienne s'éloignait sans poser la question à laquelle François s'attendait depuis déjà quelques minutes, lorsqu'elle se ravisa.

— À quelle heure monsieur Jaouenn dit-il sa messe demain ? demanda-t-elle enfin.

— Votre présence à la messe de minuit vous dispense d'assister à celle du jour de Noël, vous le savez ? insista François.

— Le jour de Noël, tout de même !

— C'est très bien, madame Gonidec. Quel exemple !…

« Quelle hypocrisie, oui… » bougonna François en son for intérieur.

Il s'en voulut d'être aussi peu charitable et implora aussitôt la clémence divine.

— Monsieur le curé célébrera la grand-messe et l'abbé Jaouenn celle de onze heures trente, lâcha-t-il enfin à regret.

Madame Gonidec se remplit de la précieuse indication et, comme pour maintenir ce trésor en son sein, elle pressa ses deux mains sur sa maigre poitrine. Ce n'était un secret pour personne qu'elle nourrissait pour l'abbé Jaouenn des sentiments qui s'avéraient plus complexes que ceux censés lier prêtres et fidèles, beaucoup plus humains surtout et aptes à germer dans l'esprit aigri d'une femme bafouée par un mari volage, reportant sur son confesseur des aspirations refoulées.

Enfin libéré de ses obligations après le départ de madame Gonidec, François verrouilla la sacristie et s'apprêta à regagner son logis situé de l'autre côté de la place qui s'étendait derrière l'église. Demeurer si près de son lieu de travail était une vraie bénédiction, en particulier quand les devoirs de sa charge le contraignaient à rentrer tard.

La température au-dehors était exceptionnellement clémente. Dans la profondeur des ténèbres, faisant écho à la voûte étoilée, les fenêtres illuminées résonnaient telles les notes d'un poème symphonique. Partout on humait un relent de gaieté, de pardon. Même la mer, proche, chantait d'une façon qui ne lui était pas coutumière. Cela s'apparentait à un murmure vaguement ensorceleur. Le village aussi distillait un air unique. À tel point que François n'eût pas été surpris d'entendre sonner en cette nuit de Noël les cloches de la cité d'Ys, appelant à un repentir général les habitants de la ville engloutie.

Il se moqua de lui. De pareilles élucubrations étaient le lot quotidien de sa petite-fille, mais ne correspondaient pas à ce que l'on était en droit d'exiger de lui, vieillard équilibré, avec la tête solidement implantée sur les épaules et les pieds aussi d'aplomb et inébranlables que le granit de sa bonne terre bretonne.

Parvenu à destination, le sacristain poussa le portillon du jardin et le referma aussitôt soigneusement, usant à son profit des mesures de sécurité qu'il appliquait à l'église.

Il suivit l'allée gravillonnée, contemplant, satisfait, le fouillis sympathique des pommiers velus, blanchâtres, tordus dans une sorte de révérence courtoise envers un chêne majestueux, lequel se dressait plus loin, solennel, au centre d'une pelouse taillée au cordeau.

Dans le vestibule, carrelé de losanges noirs et blancs, François accrocha à la patère sa casquette de marin, relique d'un passé défunt, son pardessus et effleurant d'une main machinale les rares cheveux, semblables aux ultimes feuilles d'un arbre dénudé, qui se bagarraient sur le sommet de son crâne, pénétra dans la cuisine.

— Tu es déjà là ?

2

Je m'appelle Marine. C'est un prénom qui évoque la mer. J'aime mon prénom. C'est grand-père qui me l'a choisi, sans se douter alors que la mer serait ma passion ; à moins que la mer ne soit devenue ma passion à cause de mon prénom. Qui peut le dire !

Grand-père prétend que la mer et moi, nous sommes pareilles. Comme elle, j'ai des moments de calme souverain. Puis, de la même façon qu'imperceptiblement de multiples frissons annonciateurs de tempête frisent la surface de l'onde, des indices, un plissement de front, un œil assombri, sont sur mon visage les signes avant-coureurs d'une proche colère.

Je *suis* la mer, légère, enjôleuse, mais également fougueuse et parfois déchaînée. Seul grand-père me comprend comme il comprend la mer. Rien de moi ni d'elle ne lui échappe. Forcément. C'est un ancien marin et il m'a élevée depuis cette année funeste où, à quelques mois d'intervalle, je perdis mes deux parents. Quelle infortune les a ravis à ma tendresse ? Je ne sais trop ou plutôt je *sais* des choses (des petites choses), et je *sens* que ce que je sais, n'est pas tout. Pourtant je n'ai jamais été tentée de franchir la frontière entre la connaissance et l'ignorance de qui je suis. Je crois qu'il y a un temps pour appréhender chaque étape de son histoire et qu'aujourd'hui, le flou qui nimbe les raisons de mon statut d'orpheline me convient, d'autant que grand-père restant muet sur le chapitre, je n'ai pas la tentation de l'approfondir.

Ah ! Oui. Si je n'ai plus de parents, plus de grands-parents à part grand-père, j'ai par bonheur un frère, Yves, de six ans mon aîné. Notre différence d'âge fait qu'il a souvent à mon égard des attitudes protectrices qui m'agacent mais, dans l'ensemble, nous sommes très solidaires.

Je coule donc mes jours en leur compagnie, paisiblement. D'aucuns supposeraient avec ennui. Non, je ne m'ennuie jamais grâce à cette merveilleuse capacité que j'ai de rêver à volonté. Dans mes rêves, je bâtis un univers en harmonie avec mes désirs les plus enfouis et dans lequel tout est parfait.

— M'expliqueras-tu enfin pourquoi tu es rentrée si tôt ?

Je ne peux pas esquiver les questions de grand-père. Si j'entreprends de détourner la conversation d'un thème qui me déplaît et me met mal à l'aise, il y revient avec une patience qui m'en impose à chaque fois.

Depuis mon retour à la maison, j'avais échafaudé mille excuses pour justifier le fiasco de la soirée à laquelle j'avais participé, dans l'éventualité, justement, où grand-père solliciterait des détails. Pourtant il était inutile de mentir. Grand-père s'aperçoit quand je mens et assure qu'il vaut mieux m'en tenir à une stricte vérité, si blessante soit-elle pour moi ou pour quiconque.

— C'était pas terrible.

J'avais préparé un petit en-cas en l'honneur de Noël. Grand-père se servit des huîtres et parut sourd à ma déclaration.

— Le citron, s'il te plaît.

Il avait écarté provisoirement l'objet de notre entretien. Pourtant il n'abandonnerait pas la partie, c'était garanti d'avance.

— Ensuite, il y a de la bûche… C'est moi qui l'ai faite, ajoutai-je.

Grand-père mangeait avec la même lenteur ou gravité, qu'il employait à accomplir et surtout *bien* accomplir chaque geste de son quotidien, comme s'il disposait de l'éternité pour cela. Un instant la danse du couteau s'arrêta. Mon cœur battit plus fort, sans accélération mais plus fort. Grand-père me regardait. Les regards de grand-père valent que j'en dise quelques mots. Mon aïeul ne regarde jamais rien ni personne d'une façon distraite. Ses regards reflètent les émotions qui le traversent, avec d'autant plus de conviction qu'il ne possède pas cette culture orale qui caractérise ma génération. Grand-père, homme de cœur, tourné vers les valeurs essentielles, est ce que l'on dénomme un « taiseux ».

Donc, grand-père me regardait et ce regard était perçant. Il semblait vouloir sonder mon âme.

— Tu as prévu une boisson ?

Sa requête, étonnamment, n'avait pas le moindre rapport avec l'expression que j'avais cru lire précédemment dans ses yeux.

J'allais chercher la bouteille de vin blanc dans le placard et grand-père la déboucha.

C'est toujours grand-père qui débouche les bouteilles des jours de fête. Il y déploie un soin particulier. Il examine d'abord soigneusement l'étiquette, en étudie la moindre ligne. Avec un canif qu'il tire d'une des poches de son pantalon, il découpe ensuite une rondelle dans le capuchon de papier tuyauté, sans la détacher complètement, enfonce le tire-bouchon à petits gestes précis, cale la bouteille entre ses cuisses. Puis d'un coup sec, il extrait le bouchon, le renifle et enfin se verse une gorgée du liquide.

En le voyant exécuter son cérémonial, je me demandai si grand-père testait ainsi le vin de messe. Je réalisai combien mes pensées étaient indignes quand mon aïeul eut pour moi un coup d'œil que je qualifierais de réprobateur, et cette fois, je ne me trompais pas sur la teneur de son regard.

— Du vin, fillette ?

— Une lichette.

Je ne suis autorisée à boire de l'alcool qu'en de rares circonstances. Mes seize ans probablement !

Grand-père acheva de déguster ses huîtres puis, alors que je changeais son assiette pour la suite du repas, il s'informa.

— Et ton frère, où est-il ?

Grand-père, conformément au contrat de confiance qui le liait à Yves, s'inquiétait rarement de lui. Mon frère avait terminé son service militaire depuis quelques semaines et organisait son existence sans avoir à rendre de comptes, même si par déférence envers notre aïeul, il ne s'absente jamais sans lui spécifier le but de ses sorties et leur durée approximative.

— Vous ne devriez pas être ensemble ?

Je déchiffrai dans sa voix un soupçon de sévérité.

— Il raccompagne Marie-Anne, énonçai-je précipitamment.

J'étais fascinée par le va-et-vient des mâchoires de grand-père mastiquant la nourriture.

— Et toi, il t'a raccompagnée auparavant ?

— Non.

— Ce n'est pas ce qui était convenu !

— Je sais, mais Marie-Anne avait trop bu.

— Trop bu, Marie-Anne ? Et qu'est-ce qui a motivé ce comportement inhabituel ?

Grand-père me poussait dans mes derniers retranchements. Il m'avait interrogée et se tairait désormais jusqu'à ce que j'apporte une réponse à ses légitimes préoccupations. Et il était suffisamment rompu à l'exercice pour patienter ainsi, bien au-delà de mes propres capacités à temporiser.

— Rien de spécial.

C'était plutôt l'inverse. Le fait qu'elle eût trop bu, avait occasionné la suite des événements, ceux que j'avais du mal à relater à grand-père. L'incident qui s'était produit dans la soirée, embêtant, n'en était pourtant pas au stade de révolutionner le monde. Mais le sujet était délicat et je craignais qu'il ne déclenchât le courroux de mon aïeul.

« Marie-Anne a ou plutôt aurait un amant. » Voilà ce que j'hésitais à lui avouer. Surtout le nom de cet amant. C'était tellement énorme !

Jusqu'ici, pour définir mon amie plus âgée que moi de deux ans, je lui aurais attribué, sans méchanceté, le surnom de « Marie-Anne l'effacée ». Dans notre cercle de copains, elle passait même pratiquement inaperçue, tant elle s'ingéniait à être invariablement de l'avis général, ceci afin de ne pas avoir à défendre en public des arguments contraires, beaucoup plus par timidité d'ailleurs que par manque de personnalité.

Alors qu'avait-elle dit ou fait aujourd'hui pour concentrer sur elle l'attention générale ? Nous devions nous réunir entre copains pour une soirée tranquille. Et puis, l'un des garçons était venu flanqué d'un ami, à l'esprit visiblement plus retors que le nôtre. Cet ami avait apporté avec lui une bouteille de whisky, bien que nous ayons proscrit l'alcool de notre fête. S'en prenant à Marie-Anne qu'il avait immédiatement jugée la plus fragile, il l'avait mise au défi, alors que la soirée était déjà avancée, de goûter au breuvage, « au moins une fois dans ta vie », avait-il ricané. Je n'ai effectivement pas le souvenir de mon amie consommant des boissons fortes et j'aurais juré qu'elle allait décliner la proposition. À la stupéfaction de tous, elle ne s'était pas dérobée. Elle avait avalé une large rasade de whisky à même la bouteille, puis une autre et une autre encore. Nous étions en cercle autour d'elle, la fixant, incrédules. Marie-Anne était partie pour ingurgiter la bouteille entière sans qu'aucun de nous ne songeât à l'en empêcher.

C'est alors que mon frère Yves était intervenu. Il avait arraché le goulot des lèvres de mon amie. Marie-Anne était blême, avec des pommettes très rouges et c'était un spectacle curieux que ces deux taches cramoisies au milieu d'un visage aussi blanc.

Nous étions tous éberlués. Le même garçon, Gwenaël je crois, avait susurré.

— Ben mince, cette sainte-nitouche !

L'épithète, peu élogieuse, n'avait pas échappé à Marie-Anne. Elle qui ne pouvait communiquer que devant un auditoire restreint, avait oublié sa réserve.

— Ça vous épate hein ! Pour vous, je suis une oie blanche et pourtant...

La phrase, délibérément suspendue, avait eu pour effet de piquer au vif Gwenaël dont la voix moqueuse s'était élevée, fredonnant en boucle la ritournelle : « Marie-Anne a un amant. »

Marie-Anne s'était tournée vers lui et ce faisant, elle avait perdu l'équilibre.

— Oui j'ai un amant. Et alors ?

Je ne me rappelais plus par quel jeu idiot nous en étions arrivés à citer le nom de l'abbé Jaouenn. Peut-être, après avoir épuisé les possibilités offertes par l'entourage familial ou amical de chacun, l'un de nous avait-il eu l'idée grotesque d'énumérer la liste des sommités de notre village. Je dis « nous », car même si à l'origine le fauteur de troubles était bien Gwenaël, je découvrais combien l'effet de groupe pouvait être désastreux. Yves et moi, nous aurions dû mettre un terme à cette farce dès l'évidence établie que la situation dégénérait et voilà que, par notre silence et nos sourires gênés, nous cautionnions et pire ! concourions au lynchage de notre amie.

À l'énoncé du nom de l'abbé Jaouenn, celle-ci avait tressailli. Avec le recul, je ne saurais affirmer si c'était ce nom ou la prise de conscience de Marie-Anne d'être le point de mire de dizaines d'yeux qui l'avait fait sursauter.

Gwenaël, encore lui, avait insisté.

— C'est lui ?

Marie-Anne avait alors affiché une telle détresse qu'Yves, cette fois, avait pris l'initiative de congédier tout le monde. Nul n'avait protesté. D'ailleurs, le cœur n'était plus à la fête.

— Je reconduis Marie-Anne chez elle, tu viens ?
s'était enquis Yves.

J'avais refusé et c'est ainsi que mon retour à la maison avait précédé celui de grand-père.

J'avais servi à mon aïeul un morceau de la bûche que j'avais confectionnée dans l'après-midi et je guettais son verdict. Grand-père n'omet jamais de me complimenter mais aussi de me critiquer si nécessaire, arguant que c'est le seul moyen pour moi de me corriger si je commets des erreurs.

— Très bon ton gâteau, fillette. Te voilà une excellente femme d'intérieur !

La louange me procura un plaisir certain. Pourtant, la deuxième partie de sa phrase ne cadrait pas avec mes aspirations. Le terme de femme d'intérieur est lié pour moi à la notion de femme au foyer, de couple, et j'admets que cette vision du futur ne me tente guère. Pour le moment !

Je revins à l'abbé Jaouenn.

De mémoire d'ancien, de tous les ecclésiastiques qui s'étaient succédé dans la paroisse, il était le plus jeune mais aussi le plus dynamique et celui qui avait développé la plus grande proximité avec les ados de notre communauté catholique. La plupart de ceux qui partageaient avec lui des activités dans le cadre du patronage s'étaient autorisés à le désigner par son prénom, Jean-Claude, puis par ses initiales, J. C. Grand-père ne supportait pas cette appellation et me tançait dès qu'il m'entendait le nommer ainsi. « J'apprécierais que tu aies un peu plus de respect pour nos prêtres. » « Monsieur Jaouenn ne se plaint pas de notre familiarité, et cela ne nous empêche pas de le respecter », lui rétorquais-je à chaque fois. Mais grand-père se retranchait derrière ses croyances, celles qui lui commandaient de ne pas traiter les membres du clergé de la même façon que l'on traite n'importe qui.

Et si je confiais à grand-père, là, tout de go : « Marie-Anne est la maîtresse de J. C. », quelle serait sa réaction ? Me dirait-il : « Quel crédit accordes-tu aux allégations de Marie-Anne ? » Et que répondre ? Que jusqu'à présent je n'avais vu en l'abbé Jaouenn qu'un religieux et que je n'avais, par conséquent, aucune opinion en la matière.

J'en étais là de mes réflexions, lorsque grand-père et moi tendîmes l'oreille au crissement d'un pas sur le gravier de l'allée. On marchait dans le jardin. Grand-père m'interpella.

— *Piou eo*[1] ?

Il faut qu'ici j'ouvre une parenthèse. Grand-père, il en est très fier, est issu d'une longue lignée de pêcheurs bretonnants. Plus tard, il apprit également à s'exprimer en français, langue qu'il maîtrise d'ailleurs plutôt bien. Mais il raisonne d'abord en breton, ce qui explique son élocution trébuchante et la construction parfois bizarre de ses phrases lorsqu'il converse en français. Donc, quand il est sous le coup de la surprise ou de l'émotion, grand-père retrouve naturellement l'usage de sa langue natale qui nous est devenue, de fait, à Yves et à moi, familière.

— Ce doit être Yves.

J'allai au-devant de lui.

— Motus sur les soi-disant révélations de Marie-Anne, grommela-t-il en suspendant son manteau à la patère.

1. Qui est-ce ?

40

— Je crois que tu devrais tout raconter à grand-père dès ce soir. Demain, la nouvelle aura fait le tour de la ville.

— Que complotez-vous, les enfants ?

Grand-père s'irritait de nos chuchotements. Yves abandonna son expression mécontente pour affronter notre aïeul.

— Vous n'êtes pas encore couchés, vous deux ! s'exclama-t-il.

Grand-père lui avança une chaise et proposa.

— Tu manges un morceau avec nous ?

Yves accepta une part de bûche.

— Hmm ! Excellent. Est-ce ton œuvre, Marine ? Je reviens de la salle des fêtes. Il y avait un fest-noz. Très réussi, ma foi !

— Pas comme notre réveillon alors ! remarquai-je.

Devant l'air furieux de mon frère, j'en déduisis que j'avais gaffé. J'étais au bord des larmes. Était-ce la beauté de cette nuit qui m'avait à ce point affectée ? Brusquement l'envie me prit d'une balade nocturne.

— Grand-père, je peux sortir ?

Yves s'opposa avec vigueur à cette lubie de dernière minute.

— Tu as vu l'heure. Va dormir.

Mais je savais déjà que j'avais l'approbation de grand-père.

— Pas longtemps ! précisa-t-il.

Sans doute Yves profiterait-il de mon absence pour reprocher à grand-père sa trop grande indulgence à mon égard. Mais je m'en fichais.

Tout de suite derrière la maison, un sentier partait de guingois vers la falaise, en traversant une vaste étendue de lande désertique. De-ci, de-là, un pin déchirait la nuit de ses doigts crochus aux offrandes de verdure et son ombre bienveillante, un peu insolite, chuintait doucement dans le vent.

On aurait cru l'étrange appel d'un être irréel, le souffle de quelque esprit impalpable ou plus simplement la respiration de la nuit. La nuit vivait et par la magie d'une secrète alchimie, j'étais entraînée au cœur de cet univers fantastique.

À quelques mètres de là, le sentier s'arrêtait brusquement et surplombait l'océan. Je discernais à peine l'étendue liquide qui se mouvait à mes pieds. Seuls, de brefs éclats de lune se reflétant par instants dans ce miroir insoupçonné, attestaient de sa présence. Je m'assis sur une des pierres qui hérissaient la lande et bientôt je me fondis dans les ténèbres. J'avais chaud, j'étais bien. Je ne parvenais pas à concevoir qu'une pareille température fût possible un 25 décembre. Il fallait s'attendre à payer cette douceur par un retour du froid plus avant dans la saison.

Quelle paix et quelle magnificence à la fois se dégageaient de cette nuit de Noël. Pour un peu je serais restée là, jusqu'au lever du jour. J'aurais aimé être la première à voir s'éveiller l'océan. Quelque chose d'autre, quelque chose de plus aurait, à mon sens, resserré nos liens.

Mais là-bas, vers notre village, vers notre maison, une silhouette se découpait dans le rectangle lumineux d'une fenêtre. Grand-père, sans avoir à formuler le moindre mot, m'invitait à rentrer. Je m'exécutai.

3

J'avais résolu le lendemain de me rendre à la messe de onze heures trente, celle assurée par monsieur Jaouenn. Je n'avais jamais prêté à ce dernier une quelconque attention. Ainsi, je n'aurais pas su décrire la forme de son visage ou la couleur de ses yeux. Était-il brun, était-il blond ? Depuis hier, son image m'obsédait et je voulais comprendre pourquoi quelqu'un qui, jusqu'alors, m'était indifférent, envahissait soudainement mes pensées.

Je fus prête bien avant le début de la messe et rejoignis grand-père à la sacristie. J. C. finissait de s'habiller pour l'office. Il était en aube et ce long vêtement blanc, incrusté de dentelle, le grandissait, le sublimait.

— Bonjour, Marine.

Il me souriait. Un sourire franc, un sourire sans aucune ambiguïté et ce sourire-là me persuadait, si besoin en était, des monstruosités que nous avions imaginées la veille. Mon regard obliqua vers grand-père qui semblait quelque peu mécontent de me voir là, revint à J. C. et remonta vers ses yeux, des yeux verts, couleur de mer un jour d'équinoxe. J'eus l'impression de me noyer dans un océan de tempête. Autant son attitude lisse, presque austère, suggérait un être sans mystère, autant ses yeux témoignaient des combats menés, gagnés, perdus contre cette dualité en lui, laïc, religieux, et au-delà, de désirs d'amour, d'innocence, d'exister aussi, homme ou prêtre, avec ses forces et ses faiblesses.

Bon, tout cela je l'inventais. Mais hier encore, J. C. ne m'aurait rien inspiré, en tout cas pas cette avalanche d'informations qui se télescopaient dans mon cerveau.

— Marine, ne traîne pas. La messe va bientôt commencer.

Je gagnai l'église et m'agenouillai au hasard, sur la première chaise vide. Que Dieu me pardonne, je n'ai pas suivi la messe avec la ferveur que méritait la célébration de Noël. Je me mettais machinalement au diapason des autres fidèles, me levant quand ils se levaient, m'asseyant quand ils s'asseyaient.

De l'endroit où j'étais placée, J. C. m'apparaissait de profil et ce profil me plut. Je distinguais l'intelligence dans le front très haut, la volonté dans la découpe du menton et la bonté dans le dessin de la bouche aux commissures légèrement retroussées comme dans une expression d'amusement permanent.

Je n'étais pas totalement stupide. Je savais que de temps à autre, dans les paroisses, des histoires passionnelles entre prêtres et paroissiennes éclataient au grand jour. J'avais toujours cru que ces histoires étaient rarissimes et que cela ne pouvait pas se produire chez nous. Pourquoi ? Après tout, nous n'avions rien de plus ni de moins que les autres. Nous portions en nous, à l'instar de chaque être humain, la semence d'actes blâmables, réprouvés par la morale ou sanctionnés par la loi, qui ne demandait qu'à germer.

La messe s'acheva. Je me mêlai à la foule qui s'engouffrait sous le porche, évitant la sacristie. Une fois dehors, je me dirigeai sans l'avoir prémédité vers le presbytère qui se dressait en retrait de la route, face à l'église. Ainsi que cela m'arrivait parfois (mais pourquoi spécialement ce matin-là ?), j'allais y saluer une nièce de grand-père, qui tenait, à ce que l'on prétendait, la cure d'une main de fer. C'était une vieille fille, bougonne et d'un abord revêche, qui se prénommait Françoise et que tout le monde appelait Soaz.

Aujourd'hui pourtant, elle était guillerette (monsieur le curé avait dû lui allouer une gratification supplémentaire en l'honneur de Noël) et elle m'accueillit un brin plus affable que d'ordinaire.

— Marine ! Quel bon vent t'amène ?

— Je voulais te souhaiter un bon Noël.

— C'est gentil. Bon Noël à toi aussi. Et Yves ? Il a trouvé du travail ?

Je m'apprêtais à satisfaire sa curiosité quand elle se désengagea de notre conversation pour héler l'abbé Jaouenn qui passait dans le couloir.

— Monsieur l'abbé ! Il faudrait que vous rappeliez Fanch Le Goff.

— Qui ? interrogea J. C. en pénétrant dans la cuisine.

— Fanch Le Goff. Vous avez réclamé un devis pour repeindre le patronage.

— Ah ! Exact.

Il ajouta, s'adressant à moi :

— Alors, Marine, ça va ?

— Euh ! Oui.

Que dire d'autre ? « Il paraît que vous couchez avec ma copine Marie-Anne. C'est vrai ? »

Je me moquais pas mal de connaître la vérité. Ce qui m'importait réellement, c'était de continuer à croire en lui parce que je n'aurais pas accepté que s'effondrent mes valeurs.

Avant que J. C. repartît vers ses occupations, je m'informai des cours de breton qu'il envisageait de créer dans le cadre des activités du patronage.

— Je cherche un professeur. C'est plein de bretonnants au village et personne ne veut s'investir.

Je compatis avec lui sur l'égoïsme des gens, tout en les absolvant au fond de moi. Difficile de renoncer à son bien-être, à sa tranquillité pour se dévouer à son prochain. Moi-même, je l'admettais, en dehors des obligations que m'imposait le contexte familial et scolaire, je détestais être sollicitée. J'entendais payer mon tribut à la société librement et sans contraintes, d'autant que si certains sont serviables et empressés auprès de leurs semblables, d'autres sont d'une nature plus individualiste sans qu'il faille pour autant leur en faire le reproche. J'étais ainsi, assez personnelle, non pas fière de l'être, juste ne me sentant pas coupable de l'être.

En bavardant avec J. C., je me focalisai sur ses mains qui exécutaient tandis qu'il me parlait, un ballet expressif. Les doigts étaient longs, nerveux, effilés, un peu comme des mains de pianiste. J'ai une préférence pour les mains d'hommes, carrées, solides, celles que l'on aspire à serrer dans le doute ou le chagrin. Un premier détail déplaisant dans la personne physique de J. C. se révélait ainsi à moi, à peine m'intéressais-je à lui. C'était très frustrant. J'avais pourtant eu l'intuition qu'il ne me décevrait pas.

M'avisant de l'heure, j'abrégeai ma visite.

— Je me sauve. *Kénavo, tante Soaz*[1].

Elle lâcha un instant ses fourneaux pour venir m'embrasser.

— *Kénavo*. Le bonjour à ton grand-père de ma part !

Dans le jardin, devant le presbytère, je me heurtai à monsieur le curé. C'était un homme petit, rondouillard, aux yeux globuleux et vifs, au teint rouge couperosé, et sous ce revêtement de bon vivant, une gentillesse sans limite frisant parfois la candeur. Il pratiquait son sacerdoce au village depuis une vingtaine d'années et m'avait vue grandir, jour après jour, de même que la plupart des filles et garçons de mon âge. Ce qui l'encourageait à nous interpeller sur un registre très paternel.

— Marine mon enfant, on n'a pas souvent le plaisir de te voir ici !

— Non… Au revoir monsieur le curé.

— Et les répétitions de la chorale ? me cria-t-il, alors que j'étais déjà loin.

— J'ai trop de boulot au lycée, affirmai-je avec aplomb.

En vérité, ces répétitions me pesaient et j'avais décidé de m'en affranchir. Il faut spécifier qu'il est de bon ton, pour la jeunesse catholique de notre village, d'être membre de la chorale. Nous nous réunissons pour chanter en chœur des hymnes grégoriens aux offices et des couplets plus légers dans les fêtes parois-

1. Au revoir, tante Soaz.

siales. Or, si, des années durant, je m'étais volontiers pliée à cet usage, depuis quelques semaines – était-ce le premier symptôme d'une évolution qui s'opérait en moi ? – je ne voulais plus m'y soumettre. J'entamais ainsi un rejet de l'ordre établi sans vraiment me révolter et cette sobriété garantissait à l'action que j'avais entreprise un maximum d'efficacité.

Lorsque je rentrai à la maison, grand-père avait déjà préparé le repas. Je m'excusai de mon retard, tablant sur des remontrances mais grand-père se borna à me regarder, un regard que j'eus du mal à cataloguer.

Durant le déjeuner, grand-père s'entretint avec Yves de son avenir. Je le répète, mon frère avait terminé depuis peu son service militaire et s'était mis en quête d'un emploi stable. À son âge, il ne pouvait plus dépendre de grand-père qui n'avait pour toutes ressources qu'une maigre pension de marin, complétée par son salaire peu substantiel de sacristain. Aux jours fastes, ce salaire était majoré par les pourboires qu'il est normal de verser au bedeau pour que celui-ci augmente la durée du carillon aux mariages et baptêmes. Hélas, depuis six mois les cloches de notre église ne sonnaient plus. Une panne assez grave du système électrique les avait muselées. Monsieur le curé, incapable de financer les travaux, avait lancé une souscription pour couvrir les frais de réparation. Mais ces frais étaient énormes, bien plus énormes que la générosité des paroissiens. Ce qui désolait l'homme de Dieu et plus encore grand-père, privé d'une partie de ses revenus.

Pour en revenir à Yves, se détournant d'une vocation de marin qui frappait les hommes de la famille depuis des générations, il avait opté pour la terre nourricière, en se spécialisant dans l'agronomie. Son rêve est d'exploiter une ferme, rêve difficile à concrétiser quand on ne naît pas fils de paysan.

Dans l'espérance d'un coup de pouce du destin, depuis qu'il était de retour parmi nous, Yves louait ses services à droite et à gauche pour de menus travaux de bricolage, des livraisons. Ce qui pourvoyait à son argent de poche, exonérant ainsi grand-père de ce poids.

Telles furent nos préoccupations pendant le déjeuner, enfin les préoccupations de grand-père et d'Yves. L'un et l'autre ne me jugeaient pas digne d'être associée à leurs débats d'adultes.

J'avais débarrassé la table et bâclé la vaisselle lorsqu'un visiteur s'annonça. C'était Jean-Marie.

J'ai grandi avec Jean-Marie dont les parents sont nos plus proches voisins. Voir Jean-Marie c'est dévider le film de mon enfance, en cinémascope et en stéréo : des rires d'enfants, des jeudis ludiques émaillés de virées à vélo, des baignades estivales, des pleurs aussi, des mots câlins destinés à consoler et des secrets échangés. Les parents de Jean-Marie et même grand-père, forts de notre affection réciproque, sont convaincus qu'un jour nous nous marierons. L'avenir leur donnera peut-être raison ; pour l'heure, Jean-Marie et moi étions bien ensemble et cela nous suffisait.

Très strict sur les règles de bienséance, Jean-Marie présenta ses civilités à grand-père, empoigna la main d'Yves en accompagnant son geste d'une grande claque dans le dos et d'un : « salut vieux ! ».

Puis il vint vers moi.

— On va au ciné ?

— Bof !

Jean-Marie quêta auprès de grand-père la confirmation d'une hypothétique mauvaise humeur de ma part. Mais mon aïeul, bien calé dans son fauteuil près de la fenêtre, fumait sa pipe, figé dans l'immobilité caractéristique des vieux loups de mer habitués à vivre en eux-mêmes, l'esprit perdu dans des infinitudes cosmiques. Jean-Marie fit une seconde tentative.

— Allons nous promener alors.

Je cédai.

À la douceur de la nuit avait succédé une non moins douce journée. La brume, qui avait persisté un pan de la matinée, s'était levée et un soleil prometteur, quoique peu efficient, égayait la nature. Nous suivions un sentier rocailleux qui décrivait à travers champs de larges courbes pour contourner des obstacles : là, une ferme frémissante de bruits d'animaux, plus loin, un lavoir avec sa source d'une pureté incomparable. Puis le chemin longea une prairie et nous convînmes d'une halte. Une souche de bois mort nous procura un siège qui, sans être confortable, n'en fut pas moins apprécié. De là où nous étions, le panorama, grandiose, filait jusqu'à l'horizon : baie découpée, animée par la blancheur des maisons côtières et déployant une profusion de plages de sable fin, de grèves et de criques, étendue mouvante de la mer se reflétant dans un ciel pur d'un bleu un peu délavé, ronde inlassable des mouettes. Ce tableau, sublime, magnifié par l'adoration que je voue à ma terre natale, m'amène toujours à croire que je suis née en un lieu dont la singularité, la mystique sauvagerie collent à ma personnalité, un lieu qui de toute éternité m'a été destiné.

— Est-ce que Yves et toi, vous avez reparlé de Marie-Anne ? demanda soudain Jean-Marie.

— Pas vraiment.

— À mon avis elle a menti, poursuivit Jean-Marie.

— Elle a menti sur quoi ? Sur le fait qu'elle ait un amant ou que ce soit J. C. ?

— Que ce soit J. C… ou peut-être les deux.

— Je serais assez d'accord avec toi. D'ailleurs Marie-Anne n'a jamais dit que J. C. était son amant. C'est nous qui l'avons interprété ainsi.

— Demeure néanmoins sa réaction quand le nom de J. C. a été prononcé !

— J'ai vu une Marie-Anne déstabilisée juste à ce moment, mais cela pouvait n'être qu'une coïncidence.

— Possible. D'autant que j'ai pensé à un truc. Tu te rappelles que Marie-Anne a correspondu avec ton frère durant toute la durée de son service militaire ?

— Je m'en souviens. J'ai même cru, à l'époque, que ça devenait sérieux entre eux.

— Marie-Anne aussi l'a cru. Elle a même bâti un roman autour de cette correspondance. Peut-être qu'Yves, loin de son village et des siens, s'est montré trop tendre dans ses écrits. Il en résulte que Marie-Anne aime Yves.

Ce n'était pas un scoop. J'avais toujours suspecté Marie-Anne d'être amoureuse de mon frère. Pour elle, Yves était le héros, le prince charmant, celui qui devait l'enlever sur son beau destrier blanc.

— Et alors ?

— Alors ? Depuis son retour, Yves manifeste peu d'intérêt pour Marie-Anne (ça, je l'avais remarqué), aussi me suis-je dit qu'elle avait pu s'inventer un amant dans le but d'attiser la jalousie de ton frère et réveiller ses sentiments. Sauf que les événements ont pris une tournure imprévue quand nous nous sommes bêtement prêtés au jeu de « qui est l'amant ».

Jean-Marie soupira et son visage s'assombrit.

— Ce qui m'ennuie, c'est que parmi ceux qui ont assisté à la scène d'hier, le nommé Gwenaël possède un fichu caquet et il se fera une joie d'ébruiter l'incident à sa façon.

Je réfléchissais. Cela, associé à l'admiration béate de madame Gonidec pour J. C. alors que celui-ci risquait d'avoir sa réputation entachée par des ragots sans fondement.

— On bouge ?

J'avais besoin de marcher, de m'entourer d'agitation, pour me débarrasser de l'évocation de cette funeste soirée.

Le sentier très rustique sur lequel nous cheminions, s'élargissait, se revêtait d'asphalte. Notre promenade champêtre s'achevait. Un escalier abrupt, protégé par une main courante en fer rouillé, assurait la transition entre la campagne proche et le port dont les quais étaient bordés d'estaminets. Dans un bassin aux eaux tranquilles, séparé du large par une digue massive, reposait la flottille de pêche, les sardiniers, la coque plus imposante des chalutiers.

Le port avait été en partie comblé, et sur cet espace s'élevaient désormais des constructions neuves : magasins, hangars, coopérative, ainsi qu'une criée, monument de béton sans aucune élégance. Si ces bâtiments récemment érigés avaient contribué à une meilleure rentabilité du port, leur réalisation avait malheureusement absorbé le caractère attrayant et carte postale du site.

Je le revoyais paré de son charme vieillot, quand

les marins étaient affublés de la même toile brune que les voiles de leurs bateaux. J'en gardais une image très nette qui contrastait de manière stupéfiante avec le modernisme actuel de l'endroit.

À l'évidence, mon village n'était plus un village mais un gros bourg, pis une ville ! Le paysage s'était modifié, les gens aussi visiblement et moi, enfermée dans ma carapace de solitude consciente et délibérée, j'avais fermé les yeux sur cette transformation. Ce n'était pas un mal en soi car le réveil, la confrontation avec la réalité, avait un goût amer. Tout ce qui avait façonné mon enfance disparaissait peu à peu au profit d'un monde qui m'était étranger.

Jean-Marie me proposa d'aller prendre un verre. J'acceptai et nous pénétrâmes dans un bistrot du port, point de rendez-vous de la jeunesse du pays. Les discussions se tarirent à notre arrivée et j'en retirai un profond malaise. Le serveur s'avança pour enregistrer notre commande.

— Chocolat, Marine ?

— Oui.

— Alors deux.

À peine étions-nous installés à une table, qu'un garçon surgit à nos côtés.

— Salut !

J'observai le nouveau venu qui arborait un sourire entendu.

— Salut ! répliqua Jean-Marie.

Il avait formulé son « salut » d'une voix froide et impersonnelle qui aurait découragé n'importe quel interlocuteur. Le jeune homme cependant ne tint pas compte de notre inimitié apparente et pouffa, émoustillé.

— On m'a répété que vous vous êtes bien amusés hier soir.

— Ah !

— Marie-Anne… Qui aurait cru ça d'elle !

— De quoi parles-tu ?

— Allez… Ne fais pas l'innocent !

Le garçon qui devait s'attendre à ce que nous plaisantions avec lui sur le sujet, était ébranlé par la fraîcheur de l'accueil. Il insista cependant.

— Gwenaël nous a raconté…

— Quel Gwenaël ?

— Gwenaël Créac'h.

— Je ne sais pas qui c'est. Un conseil. Ne te fie pas aux déclarations du premier venu.

Jean-Marie se détourna du personnage et celui-ci, dépité, s'en fut rejoindre sa bande de copains. Nous avalâmes prestement nos chocolats, puis Jean-Marie se leva.

— Inutile de s'éterniser ici.

Il jeta sur la table quelques pièces de monnaie en paiement de nos consommations et nous nous éclipsâmes, dans un silence de mort, épiés, scrutés, jaugés.

Après avoir parcouru quelques mètres, encore bousculé par la rapidité avec laquelle la nouvelle (ou la fable) s'était colportée, Jean-Marie commenta laconiquement :

— Ça commence !

4

Le lendemain soir, en rentrant d'une course, je vis de loin madame Gonidec qui sortait de chez nous. J'inclinai la tête dans sa direction en guise de bonjour, poliment mais sans aucune chaleur, tant elle m'est antipathique. D'ailleurs, j'ai l'intuition que l'animosité que je ressens pour elle est partagée, car dans son regard généralement résigné, lorsqu'il accroche le mien, s'allume une lueur que je ne définirais pas et qui est tout sauf amicale.

— Que voulait-elle ? demandai-je à grand-père.

Il répondit, sans lever les yeux du journal qu'il feuilletait :

— Tu ne devines pas ?

Je choisis de ne pas finasser.

— Marie-Anne ?

— Marie-Anne, oui.

Grand-père ne se livrerait pas davantage, à moins de l'y contraindre en continuant de le questionner.

— Que t'a-t-elle dit exactement ?

— Elle est venue m'informer des rumeurs qui se répandent en ville.

L'information selon madame Gonidec, devait res-

sembler à une cascade d'allusions assassines et perfides.

— Et pourquoi à toi ?

— Qu'est-ce que j'en sais, fillette !

— Elle avait bien une raison ?

— Si elle en avait une, j'ignore laquelle.

— Cette bonne femme est trop roublarde pour avoir
agi par hasard. Peut-être s'est-elle imaginé…

— Imaginé quoi ?

Tout. J'étais certaine que madame Gonidec était
capable de tout imaginer, même l'inimaginable !

— Que tu lui apprendrais bien plus qu'elle ne t'en
apprendrait elle-même, par exemple !

— Tu ne crois pas, fillette, énonça grand-père
sévèrement, qu'il y a assez de mauvaises langues au
village sans que tu t'en mêles ?

Une impression d'extrême injustice me submergea.
Voilà que grand-père me comparait aux pipelettes du
quartier. C'était plutôt vexant, voire humiliant. Car,
contrairement à la réflexion d'une madame Gonidec
qui devait s'interroger sur la culpabilité de J. C., ma
cogitation était autre. Je m'attachais plus à la cause
qu'à l'effet. Ainsi je prenais soudainement conscience
que notre abbé était un être de chair. Je me l'étais toujours représenté en mandataire d'une religion, autant
dire sans existence physique, et voilà qu'il m'apparaissait avec les défauts, les tentations, la fragilité d'un
homme. C'était une situation nouvelle qui éveillait en
moi un désordre inconnu et troublant.

Le soir après souper, je m'apprêtai pour une promenade. Le vent, la pluie, le froid, rien ne m'en dis-
suadait. J'allais ainsi chaque jour à la nuit tombée
au-devant de ma ration de rêve. Dans une nature

dépouillée, propice aux retours en soi, je ressassais ma journée, m'attardant surtout sur les moments de bonheur, moments si rares qu'il est parfois utile de les remâcher jusqu'à n'en plus pouvoir.

La température était toujours aussi clémente, à peine réduite par des bouffées d'air frais qui sévissaient par intermittence. Les lumières du port mettaient leur touche de confort dans la rigueur de la nuit. À moins de deux heures de bateau du rivage se détachait une ligne plus sombre, barrant la grisaille des ténèbres : une île, mon île, plate et nue, assaillie par les tempêtes, arrosée par les embruns, malmenée par les marées qui se jouent d'une proie facile face à leur fureur insatiable, terre ingrate, de plus en plus désertée par les jeunes. Seuls les anciens, moins exigeants, y survivent du produit de leur pêche et des quelques légumes résistant au vent et au sel marin.

C'est là que grand-père est né, que mon père est né, de même qu'Yves et moi. Île, mon sang, mes origines, mes blessures enfouies.

En revenant à pas lents vers la maison, je tombai sur Jean-Marie.

— C'est moi que tu cherches ? dis-je.

Si les visites de Jean-Marie durant l'année scolaire étaient peu nombreuses, par contre aux vacances leur périodicité avait tendance à s'intensifier. J'estimais trop Jean-Marie pour m'en plaindre.

— Je parie que tu ne veux pas prolonger ta balade.

— Bien vu !

J'invoquai un violent mal de tête pour aller me coucher, pendant que Jean-Marie s'engageait avec grand-père dans une partie de dames acharnée. Yves, quant à lui, s'était rendu à une assemblée du syndicat des exploitants agricoles dont la colère grandissait de jour en jour. Il était même à craindre que n'explosât dans un proche avenir, à travers le pays, l'immense mécontentement des paysans bretons.

En fermant les volets de ma chambre, je traînaillai pour humer les odeurs qui montaient de la mer, des odeurs âcres d'iode qui étaient pour moi comme le fil conducteur menant à des visions d'autrefois.

Je me figurais une famille bretonne, quand la pièce principale et souvent unique de la maison symbolisait l'âme du foyer : la cheminée monumentale dans laquelle s'asseyaient l'un ou l'autre des grands-parents, le père fumant une pipe de bruyère avec sur les genoux l'un de ses fils à qui il narrait la vie des saints et la mère, filant sa quenouille et fredonnant une berceuse pour endormir le dernier-né, tandis que sur le sol cimenté des poules picoraient les miettes éparses.

Ces incursions volontaires dans le passé m'exaltaient. En cela, je me différenciais totalement des jeunes de ma génération qui, considérant les us et coutumes de nos parents et grands-parents démodés, raillaient tout ce qui avait constitué le quotidien de nos ancêtres.

Avant de rabattre définitivement les volets, je lorgnai par-delà la clôture du jardin, vers le presbytère dont le toit et les fenêtres du premier étage se dessinaient entre les branches dénudées de notre vieux chêne.

Je déjeunai avec Yves le lendemain matin et entre deux gorgées de café, il m'annonça.

— Monsieur Jaouenn a solutionné son problème

d'enseignant. Le premier cours de breton aura lieu la semaine prochaine. Tu t'es inscrite ?

— Pas encore !

Yves s'impatienta.

— C'est bien toi, ça. S'il s'agissait de courir les bois, seule comme à ton habitude, là tu n'hésiterais pas !

Pourquoi ce reproche ? J'ai un penchant pour la solitude, c'est vrai. Mais en dehors de cela, je me plais aussi beaucoup en la compagnie de Marie-Anne ou de Jean-Marie et nul ne peut nier le fait que je me plie à un minimum de vie sociale.

Après avoir expédié le rangement de la maison (le ménage est pour moi une véritable corvée), j'allai au presbytère. Tante Soaz souhaitait me voir selon le message que m'avait transmis grand-père. Elle était dans la cuisine, affairée à ses casseroles, les joues rougies par la chaleur du poêle. Il régnait dans la pièce une température si agréable qu'on aurait aimé se pelotonner dans un coin et ronronner comme un chat quand il a eu son soûl de caresses et de nourriture.

— Bonjour, tante Soaz. Tu voulais me parler ?

— Bonjour, Marine. Tu prendras bien un café ?

— Non, merci. J'ai déjà déjeuné.

Semblable à une petite souris, elle trottina sur la pointe des pieds pour refermer sans bruit la porte de communication entre la cuisine et le séjour attenant.

— Je n'ai pas envie *qu'elle* écoute notre conversation, marmonna-t-elle.

— Qui ça, *elle* ?

— Madame Gonidec.

Était-elle là pour se faire l'écho des commérages qui couraient la ville ? Si oui, en s'obstinant à les divulguer ainsi aux uns et aux autres, elle finirait par être la seule responsable de leur progression.

— Elle a dit pourquoi elle était là ?

Tante Soaz haussa les épaules.

— Non. Peut-être a-t-elle besoin d'une oreille bienveillante pour s'épancher.

Mais c'est dans la mienne qu'elle chuchota avec des airs de conspiratrice.

— Son mari, qui a cinquante ans et plus, s'est enfui avec une jeunesse de vingt ans. Il paraît même qu'il l'aurait mise enceinte.

Je ne parvenais pas à m'apitoyer sur madame Gonidec. Elle-même mesurait-elle la gravité de son cas ou était-elle si soucieuse du sort de J. C. que le sien lui importait peu ?

L'abbé Jaouenn, précisément, pointait à la grille du presbytère le bout de sa soutane, toute lustrée, qui lui battait les chevilles et lui donnait l'allure d'un adolescent trop vite grandi.

Il était arrivé dans la paroisse voilà de cela quatre ou cinq ans, débordant de projets novateurs. Notre village était alors solidement enraciné dans des pratiques poussiéreuses et il lui avait fallu beaucoup de courage pour exercer son ministère d'une manière qui suscita bien des critiques. Les vieux, d'emblée, lui furent hostiles. Les jeunes, d'abord méfiants, le soutinrent ensuite dans ses multiples engagements. C'est ainsi qu'ils ranimèrent les activités d'un patronage moribond, activités destinées à occuper une jeunesse alors désœuvrée, portée pour les garçons à fréquenter les bistrots et trousser les filles et, pour les filles, à cancaner et aguicher les garçons.

— Bonjour, Marine. Puisque tu es là, je vais te

mettre à contribution. Tu sais que tous les ans, à l'occasion des fêtes de Noël nous offrons à nos anciens un repas suivi d'un divertissement. Je recrute des bénévoles pour servir à table et assurer l'animation. Voudrais-tu te joindre à nous ?

— Je ne suis pas à l'aise dans ce genre de réjouissances.

— Rassure-moi. C'est de la timidité, pas de l'égoïsme ? Marine, nous n'avons d'autre ambition que de distraire des gens âgés que tu apprécies. Où est la difficulté ?

« Que tu apprécies », comme il y allait ! Je ne connaissais pas la plupart des gens auxquels il se référait et ceux que je connaissais n'avaient pas tous ma sympathie.

— Vous avez déjà Yves et grand-père qui se dévouent corps et âme pour la paroisse. Cela ne vous suffit pas ?

Il eut le bon sens de ne pas s'entêter.

— Les cours de breton démarrent la semaine prochaine, si ça te dit ?

— Yves m'a déjà prévenue. Merci.

Qu'ajouter d'autre ? Madame Gonidec, qui n'avait pas manqué de constater que j'avais accaparé monsieur Jaouenn, devait se morfondre au salon en me maudissant. Peut-être en négligerait-elle de lui jouer sa petite comédie. Je la voyais pourtant très bien, en premier lieu dans son rôle d'épouse délaissée et trahie appelant la compassion, ensuite dans celui de conseillère, alertant J. C. sur la campagne de calomnies qui se déchaînait dans le village et le pressant de se confier.

Je revins finalement à tante Soaz et au pourquoi

de sa convocation. Le problème était mineur et je me demandai si ce n'était pas juste un prétexte pour me délivrer les potins du jour.

Sur le chemin du retour, je fis une halte chez Marie-Anne. En jetant un bref coup d'œil vers le premier étage où s'ouvrait la fenêtre de sa chambre, j'aperçus une silhouette furtive confirmée par un léger tremblement du rideau. Pourtant la mère de Marie-Anne m'avertit que sa fille, souffrante, dormait et ne recevait personne. J'étais perplexe et blâmais l'attitude de Marie-Anne. Jusqu'à quand croyait-elle pouvoir se terrer ainsi, s'effrayant de la tempête qu'elle avait provoquée ? Dans sa position, comment aurais-je réagi ? En me cachant comme elle ou en faisant front à mes détracteurs ? Après tout, combien de filles de l'âge de Marie-Anne avaient perdu leur virginité sans que la Terre se fût arrêtée de tourner pour autant, en admettant que Marie-Anne eût un amant. Et en l'admettant, pourquoi prenait-elle cette mésaventure si à cœur ? Craignait-elle pour la réputation de J. C. ? Personne ne goberait qu'il était impliqué, sauf les crétins. Et brusquement, j'eus très peur. Des crétins, hélas, il y en avait plein notre village.

5

En quelques jours, le temps avait changé. La pluie apparut la première. Pas de cette pluie diluvienne qui condamne les passants à courber le dos sous l'averse, mais une pluie fine, à peine perceptible.

Puis la pluie avait cédé la place au brouillard, un brouillard dense, pesant. Et au matin du nouvel an, l'hiver s'était installé.

— *Peseurt amzer a ra hirio*[1] ?

Grand-père inspecta par la fenêtre de la salle à manger le ciel bas, d'un gris sale. La nature était enveloppée d'un silence épais, de ce silence qui précède les catastrophes.

— Il va neiger, déclara-t-il.

Puis il me brusqua.

— Si tu veux m'accompagner sur l'île, prépare-toi. Nous partons dans cinq minutes.

Chaque année, le premier ou l'un des premiers jours de janvier, nous prenions le bateau pour aller présenter nos vœux à la sœur aînée de grand-père qui dénombrait déjà quatre-vingts ans de fidélité à l'îlot

1. Quel temps fait-il aujourd'hui ?

qui l'avait vue naître. Cette année encore, nous ne dérogerions pas à la règle.

Le bateau qui faisait la liaison entre le continent et l'île était presque vide. Quelques îliens exilés, désireux de passer les fêtes en famille, deux ou trois touristes aventureux.

Si vu du port l'océan arborait un aspect pacifique, une fois au large l'illusion ne persistait guère. On aurait dit un gigantesque reptile ondulant violemment, décrivant des creux et des bosses et le bateau épousait fidèlement les méandres de la bête mugissante.

Plusieurs passagers qui, au début de la traversée, se tenaient à l'extérieur, accoudés à la rambarde, recherchaient d'une démarche chancelante un abri couvert. Sur un banc, allongée, une femme s'abandonnait, les yeux vagues, à l'abominable charivari qui lui tenaillait les entrailles. La ligne d'horizon exécutait une danse endiablée. La mer bouillonnait sous l'étrave du bateau. Elle était d'une inquiétante couleur vert foncé avec des reflets noirs et dorés.

Je frissonnai à l'évocation de l'abîme qui se mouvait sous nos pieds. De quelles créatures fantastiques, de quels monstres abominables était-il peuplé ? Y rencontrait-on la sarabande macabre des noyés qui hantent les profondeurs sous-marines ? Fascinée par cet élément sans cesse en mouvement, j'entendais des plaintes déchirées, des cris de terreur, des imprécations… Mais non, ce n'était que le bruit du moteur ahanant quand la vague déferlait. Je distinguais même des mains décharnées, tendues vers nous, les vivants, comme si nous incarnions le salut, *leur* salut… Mais ce n'était que l'écume blanchâtre traçant le sillage du bateau.

Sur les falaises, se succédaient les villages, couronnés du traditionnel clocher... Des rectangles de terre cultivée, ceinturés d'un muret de pierres blanches, mettaient des valeurs plus sombres et plus claires sur la grisaille des terrains en friche.

Nous atteignîmes alors l'extrémité de la côte, matérialisée par une pointe rocheuse, un amas chaotique, dénudé, fissuré, craquelé, répondant au courroux de l'océan par une inlassable et immuable indifférence, un crâne chauve sans verdure, sans arbre, un peu de bruyère peut-être ou d'herbe rachitique, honteuse de s'immiscer dans ce royaume de granit, une avancée de bout du monde, de fin de terre au-delà de laquelle une mer irascible malmenait, maltraitait, rudoyait bateaux et équipages qui avaient la prétention de s'opposer à elle alors que la sagesse voulait au contraire qu'il faille ruser, flatter, courtiser, pour parvenir au havre final.

À ce point crucial du voyage, ce fut le chaos. Égarés dans un ciel de plomb, nous étions peu après précipités au pied d'une montagne liquide dont l'ascension les secondes suivantes, laissait les passagers grimaçant d'une douleur éparpillée dans chaque fibre de leur corps. Bien peu supportaient avec élégance les assauts répétés de l'océan. L'horizon, tantôt trop haut, tantôt trop bas, achevait de leur ôter toute dignité. Ils se hâtaient alors vers le bastingage où penchés, verdâtres, ils invoquaient le ciel de toute leur foi renaissante.

Moi, j'occultais ce qui m'entourait pour m'évader vers un au-delà chimérique. Je franchissais la barrière qui sépare la vie quotidienne faite de déceptions et de renoncement, pour un pays fabuleux où l'âme tend vers la béatitude.

Il semblait que le ballet infernal du bateau ne prendrait jamais fin. Pourtant on approchait de l'île. Dans la tourmente de la traversée, nul n'avait prêté attention à une masse à l'horizon qui grandissait et le calme s'étant établi en abordant les eaux paisibles du port, chacun savourait la réalité de ce morceau de terre, posé telle une parenthèse dans l'immensité de l'océan.

Un groupe d'insulaires, peut-être moins dense qu'à l'ordinaire en raison des conditions atmosphériques, attendait les passagers, par obligation ou ennui. L'âpreté du sol se lisait sur le visage fermé des femmes, entièrement vêtues de noir, et sur la face burinée, sculptée par vents et marées, des hommes.

Nous empruntâmes le quai à l'ouest du débarcadère. Le long de la jetée, des gosses aux joues rougies par le froid nous fixaient effrontément. Sur le pas des maisonnettes, des femmes sans âge devisaient entre elles, tout en surveillant notre progression. Leurs conciliabules en breton, menés à voix basse, pouvaient avoir trait à notre venue comme être le prolongement du sujet engagé précédemment. Leur expression demeurant indéchiffrable, il s'avérait difficile de déceler la plus petite indication susceptible d'éclairer notre jugement.

Les hommes, seuls, avaient parfois un fugitif sourire ponctué d'un signe de la tête lorsqu'ils identifiaient en grand-père un natif de l'île.

— As-tu revu Marie-Anne depuis Noël ?

Je renâclais à discuter de Marie-Anne. Mais grand-père n'était pas dans les mêmes dispositions.

— Non.

Je consentais à lui répondre, pas à me lancer dans des explications sur un thème qui, là tout de suite, ne m'inspirait pas. Grand-père perçut ma réticence et, bien sûr, insista.

— As-tu essayé de la revoir ?

La marée basse révélait un amalgame de roches entrecoupées de trous d'eau dans lesquels s'ébattait une faune aquatique insoupçonnée. L'été, sur ces rochers, les îliens en prévision de la mauvaise saison étalaient pour les sécher des morceaux de poisson dont l'odeur forte, alliée à celle de l'océan, pénétrait dans les moindres recoins de l'île, lui collait au granit comme une seconde peau.

J'aime mon île. Chaque fois que j'y viens, j'éprouve des émotions pures et communie étroitement avec le décor environnant. Ici, je touche du doigt quelque chose qui, partout ailleurs, m'échappe, peut-être une intégration totale, physique et intellectuelle, avec ce pays que j'admire par-dessus tout.

— Tu rêvasses fillette !

Je sursautai. J'avais oublié grand-père et sa manie de toujours aller au bout de son propos.

— J'ai été chez elle à plusieurs reprises, mais sa mère affirme qu'elle est malade et ne veut voir personne.

Nous étions à présent dans le dédale des ruelles de l'île, si étroites qu'il était presque impossible à deux individus de s'y croiser de front. Le long de ces ruelles, les habitations avaient poussé de manière anarchique, imbriquées les unes dans les autres pour se protéger des vents dominants. L'ensemble, assez fantaisiste, se démarquait du schéma classique des cités urbaines. De plus, ici, de quelque endroit que ce fût, la vue se portait sur un coin d'océan.

— Pas très courageuse décidément, Marie-Anne, murmura grand-père.

De sa part, cela équivalait à une sentence.

Devant nous se dressa alors l'église, isolée sur un grand espace découvert. Grand-père s'accorda un moment de méditation dans le lieu saint fleurant bon la cire des bougies consumées. Quelques femmes, agenouillées sur des chaises très basses, priaient dans le recueillement.

— D'après toi, monsieur Jaouenn est au courant de tout ce tapage le concernant ? Tu ne lui as rien dit, j'espère, m'alarmai-je plus tard.

— Pour qui tu me prends, fillette ! s'écria grand-père offusqué.

Puis il ajouta au bout d'une minute qui compta pour des siècles :

— Tu t'intéresses beaucoup à monsieur Jaouenn, je me trompe ?

Je m'empourprai et baissai le nez, telle une coupable. Pourtant en moi, il n'y avait aucune culpabilité.

Nous étions maintenant hors du hameau et longions le rivage. Pour permettre au feu qui embrasait mes joues de s'estomper, je me juchai sur la digue.

La marée montait et les vagues surgies du lointain horizon, se chevauchant, s'entremêlant, se brisaient avec une puissance démentielle sur l'obstacle érigé là par la main de l'homme pour stopper leur avance inéluctable.

À droite, les maisons presque aveugles pour mieux se préserver des intempéries, les lopins de terre quadrillés par des clôtures de pierres assemblées sans mortier d'aucune sorte, dans un enchevêtrement défiant les lois mêmes de l'équilibre, à gauche la mer, mugissante, toujours prête à dévorer une proie qui lui résiste depuis des siècles et entre ces deux éléments, terre et eau, moi Marine, arbitre d'un conflit que je sens gronder et qui, s'il explose, se terminera par la défaite de l'océan, vaincu par le granit et l'attachement forcené des îliens à leur rocher, plat et nu, sans autre valeur que celle qu'ils lui attribuent.

J'étais descendue de mon perchoir et marchais à hauteur de grand-père, disposée à me justifier, si tant est que j'en eusse besoin.

— Pour être franche, jusqu'alors je ne m'étais pas rendu compte de l'existence de monsieur Jaouenn, je veux dire... c'était quelqu'un sans l'être, un peu comme les statues des saints à l'église. On leur parle, on leur dit nos peines, on les implore, on les conjure, on est enclin à croire qu'ils nous comprennent et qu'ils nous guident mais ce ne sont que des figurines. Avec monsieur Jaouenn c'était un peu pareil, avec cette particularité : la statue était vivante. Et il y a eu cette soirée de Noël où le nom de monsieur Jaouenn a été cité parmi une liste de gens bien réels ceux-là, ce qui signifiait que d'autres voyaient en lui un être à part entière. Depuis, il est vrai que je le regarde autrement, mais sois tranquille, c'est juste de la curiosité.

Grand-père s'abstint de me demander : « Tu es curieuse de quoi ? » mais je le devinais peu convaincu par un argumentaire qui suggérait que les prêtres étaient dotés des sentiments propres au commun des mortels. Cela devait le déstabiliser d'imaginer sa petite-fille avec des idées aussi profanes. Pourtant, il n'avait rien à redouter. Je ne remettais pas en cause les principes qu'il m'avait inculqués.

Tout en bavardant, nous avions rejoint la route du

phare. Une bande étroite de chemin gravillonné s'étendait rectiligne devant nous, avec de chaque côté des dunes pelées et la mer bordée de grèves aux galets arrondis par les attouchements incessants du ressac.

Les vagues s'écrasaient sèchement à un rythme constant. Elles s'étalaient, se retiraient, revenaient encore et le mouvement, monotone comme le tic-tac d'une horloge, finissait par endormir l'esprit.

— Nous y sommes, soupira grand-père, essoufflé par notre marche.

Sa voix m'arracha à la méditation dans laquelle j'étais plongée depuis notre dernier aparté. Nous étions devant une maison basse, percée de fenêtres étroites. Une clôture peinte en vert, d'un vert un peu défraîchi, cernait l'habitation et délimitait un jardin dans lequel on apercevait quelques arbustes rabougris.

Nous entrâmes. On accédait directement dans une grande pièce dont une partie du mur, au fond, était occupée par une vaste cheminée. Adossé au mur perpendiculaire, un bahut sculpté exposait sa collection d'assiettes fleuries, en face un lit clos orné de nombreuses rosaces, le seul lit clos de l'île et dont s'enorgueillissait à juste titre sa propriétaire.

… Et au centre de la pièce, une table en bois, lourde et trapue, sur laquelle s'étalait un substantiel petit déjeuner.

Assise sur un banc parallèle à la table, une vieille femme versait, dans un bol en faïence ébréché, le café odorant d'où s'échappait une fumée transparente. Le temps, ici, n'avait pas de prise. Par le mobilier ancestral, cette aïeule éclatante de sérénité, on était projeté dans un autre siècle, à mille lieues de notre civilisation actuelle.

Aussitôt après que tante Lucie nous eut accueillis, nous entonnâmes les inévitables souhaits.

— Bonne année, bonne santé et le paradis à la fin de tes jours !

Bloavez mad[1] *!* Combien de fois avais-je entendu ces deux mots depuis le matin. Les gens s'accostaient dans la rue en feignant d'ignorer leurs mésententes d'hier. *Bloavez mad !* Que d'attente naïve et vaine contenue dans ces syllabes. Que d'espoir dans les cœurs au premier jour de l'an neuf. Comme si aujourd'hui se démarquait des autres jours, comme si la lumière dont elle rayonnait était plus chaude de fraternité et de compréhension.

Bloavez mad ! Leurrez-vous, bonnes gens. Moi, je suis lucide et je sais que la nouvelle année sera ce que j'en ferai.

— *N'eo két Yvon ganeoh*[2] *?* s'étonna soudain tante Lucie.

— *N'eo két*, confirma grand-père. *Labourad a ra*[3].

— *Labourad a ra ! Spontuz eo*[4].

Travailler un jour de fête ? Malgré l'ahurissement de tante Lucie, ce n'était pas un subterfuge pour excuser l'absence d'Yves.

Je me remémorai la soirée de vendredi.

Nous étions tous les trois dispersés dans les différentes pièces de la maison, vaquant chacun à nos affaires après le souper, lorsqu'on frappa à la porte. J'allai ouvrir et me retrouvai face à J. C.

1. Bonne année !
2. Yvon n'est pas avec vous ?
3. Non. Il travaille.
4. Travailler ! C'est étonnant.

— Bonsoir, Marine. Ton frère est là ?

— Oui, entrez.

Que lui voulait-il ? Cela avait-il un rapport avec Marie-Anne ? J'eus une crainte. Madame Gonidec, cette chipie ! Elle n'avait pas dû pouvoir retenir sa langue et J. C. venait directement quêter auprès des protagonistes de l'histoire de plus amples renseignements, plus fiables surtout.

En fait, un tout autre motif l'amenait chez nous et lâchement j'en fus soulagée.

— Dis-moi Yves, tu es toujours sans emploi ?

Yves acquiesça.

— Alors, j'ai une proposition à te soumettre.

J. C. nous confia que son père, agriculteur, s'était résolu faute de repreneurs (aucun des deux fils – J. C. avait un frère – n'ayant embrassé la profession), à transformer son exploitation en manège. L'équitation jouissait dans la région d'un formidable essor. Mais le cercle équestre le plus proche se situait sur le territoire de la sous-préfecture, une ville à plus de cinquante kilomètres de là. D'où l'assurance du vieux fermier de fidéliser une clientèle de proximité, avide de ne plus avoir à parcourir une trop grande distance pour pratiquer son sport favori.

Il s'en était ouvert à son plus jeune fils, J. C., pour que ce dernier lui dénichât quelqu'un (homme ou femme) de jeune, dynamique, et surtout « kaloneg da labourad », valeureux au travail.

— J'ai immédiatement songé à toi, dit J. C. D'ici qu'un autre boulot plus adapté à ta formation se présente, ce pourrait être une bonne expérience, non ?

Yves était radieux et par voie de conséquence, nous le devînmes également. Grand-père déboucha une bouteille de cidre et nous trinquâmes tous à la réussite du projet.

Les milliers de petites bulles du breuvage me mettaient des couleurs aux pommettes et un éclat inhabituel dans le regard. J'observais J. C. Prié par grand-père, il avait enlevé son pardessus que je m'étais empressée d'aller accrocher au portemanteau dans l'entrée. Ce faisant, je humai le parfum qui émanait du vêtement, un mélange de tabac et de lotion après-rasage, une odeur masculine et banale qui effaçait la qualité de religieux de J. C. pour lui restituer sa place d'homme.

En regagnant la salle à manger, je m'amusai à le détailler. Il n'était pas spécialement beau. Il avait plus que de la beauté, du charme et ce charme résidait dans les yeux, d'une couleur rare, dans le sourire aussi, un sourire empreint de bonté et comme d'une invitation à puiser au tréfonds de votre âme le meilleur de vous-même.

— Appelle mon père dès demain, recommanda J. C. à Yves en partant.

Je raccompagnai notre abbé jusqu'au portail. À ce moment précis, madame Gonidec déboucha au coin de la rue. Sachant qu'elle habitait à deux pas de chez nous, le fait en soi n'avait rien d'exceptionnel. Cependant, la coïncidence était troublante. J'aurais juré qu'elle consacrait ses loisirs, nombreux maintenant que son mari avait fui le domicile conjugal, à espionner le presbytère. Voyant que J. C. nous rendait visite, peut-être depuis se dissimulait-elle non loin de là. Grand-père, découvrant mes pensées, me reprocherait encore de tirer d'un hasard des conclusions hâtives. Madame Gonidec traversa la rue pour venir saluer notre abbé et je me dépêchai de refermer le portillon du jardin et de rentrer, décidée à me montrer exemplaire et à ne faire aucun cas de ce non-événement.

Ce soir-là, Yves monta se coucher, heureux comme il ne l'avait jamais été. Grand-père et moi demeurâmes au salon. Je m'assis sur ses genoux et me blottis contre lui.

— Alors, fillette ?

— Alors quoi, grand-père ?

— Depuis quand ne t'es-tu pas assise sur mes genoux comme cela ? Qu'est-ce qui te tracasse ?

— Rien. Tout va bien.

Non, tout n'allait pas bien. J'avais peur de ce temps qui rappliquait à grandes foulées, celui des déconvenues, des larmes et des chagrins, mais pas les petits chagrins qui vous tombent dessus quand vous vous bosselez en chutant de vélo ou que vous vous disputez avec votre meilleure amie. Non, les grands chagrins, ceux qui vous chavirent le cœur, ou qui vous l'arrachent, ceux qui vous enlèvent le désir de vivre.

Le lendemain, Yves prit contact avec le père de J. C. Leur entrevue fut décisive, un grand élan de sympathie les ayant rapprochés. C'est ainsi que, plein d'ardeur, Yves faisait chaque jour la route jusqu'à la ferme du vieil homme afin de jeter au plus vite les bases de leur future collaboration, d'où sa défection au cérémonial des vœux.

Dans le fond, je crois que mon frère s'était réjoui de cette indisponibilité, s'estimant trop âgé pour sortir en famille.

6

Tante Lucie, après les effusions, nous servit à chacun un grand bol de café crémeux, agrémenté d'épaisses tranches de pain bis. La traversée nous ayant frigorifiés, ce petit déjeuner nous fut un réel réconfort.

Tante Lucie me regardait dévorer mes tartines. Elle avait une peau plissée comme une vieille pomme, des cheveux blancs, clairsemés, tirés en arrière et roulés en chignon sur la nuque. Elle était vêtue d'un corsage noir assez austère, d'une jupe également noire. Sur ses épaules était jeté un châle tricoté en laine mauve, seule touche de couleur dans cette symphonie en noir. Je me concentrai sur ses mains, des mains tannées, déformées aux articulations, des mains qui décrivaient de légers mouvements tout en grâce, pour souligner chacune de ses paroles.

Quand j'eus fini mon bol de café, ma tante m'en resservit un autre d'office. Je me laissai faire, sans protester. Une gorgée de liquide, une bouchée de pain, une gorgée… Tante Lucie me regardait, me souriait et la ronde reprenait, café, pain, regard, sourire… Je l'avoue volontiers, je me plais en la compagnie des vieillards. Il se dégage d'eux une telle aura due à leur expérience, qu'il ne leur est pas utile de raconter, d'expliquer ou de démontrer, leur présence suffit à nourrir mon imaginaire. Enfin, pas tous les vieillards. Certains, au village, ne me font pas béer de visions oniriques. Les femmes en particulier. Ce sont de véritables harpies, médisantes, comploteuses, chicaneuses et j'en passe. Quant aux hommes, ils sont en général plus modérés, plus en retrait, mais plus fourbes aussi.

Ayant débarrassé la table des reliefs du petit déjeuner, tante Lucie tira son fauteuil près du feu qui brûlait, clair et superbe. Grand-père s'installa auprès d'elle, bourra une pipe avec des mouvements lents et minutieux. Je les contemplais et j'étais bien. Où serais-je plus en accord avec moi-même qu'ici, sur mon île, dans la maison de ma tante, bercée par le bruit des vagues, des mouettes, de la musique de la pluie, et auprès des deux êtres qui m'étaient les plus chers ? Tous les ports se ressemblent, l'océan est le même partout, tantôt rieur, tantôt chagrin. Pourtant je reconnaîtrais mon île entre toutes. Il y règne une atmosphère que je ne saurais définir mais qui la singularise, qui la rend unique. Les gens eux-mêmes affichent sur leurs visages burinés et dans leurs yeux qui s'égarent toujours par-delà les choses, leur appartenance à cette terre. Je crois que quelque part nous attend un lieu, même petit, même lointain, en adéquation avec cette combinaison de molécules et de conscience dont nous sommes faits et qui justifie, si on a le bonheur d'y parvenir, que l'on constate comme une évidence « c'est ici que doit s'accomplir mon destin ».

Grand-père s'enquit alors des changements ayant affecté l'île depuis notre dernier voyage. Il s'informa de la santé des uns, du mariage des autres, des départs aussi, cela arrivait, si la pêche donnait, si les sauveteurs en mer n'étaient pas trop sollicités, en un mot, si l'hiver n'était pas trop rude.

Un coup léger à la porte interrompit le bavardage des vieillards.

— *Deuit èn ti*[1], dit tante Lucie.

Une femme robuste, l'air avenant, entra timidement, saluant à la ronde.

— *Demat*[2] !

Elle avait dans les mains un récipient contenant des maquereaux aux flancs évidés, recouverts de gros sel. Sans un mot, elle le déposa sur la table.

— Vous prendrez bien un café, Marijanig ?

— Oui, merci.

Je m'interrogeai sur l'identité de cette femme que j'avais déjà vue, j'en étais sûre, mais dans quelles circonstances ?

Marijanig but son café debout, dans une attitude un peu raide. Elle avait une drôle de façon de tenir son bol enserré entre les paumes et de déguster la boisson à petites lapées gourmandes. Son café avalé, elle s'essuya les lèvres du revers de la main et s'éclipsa.

— *Kénavo*.

— *Kénavo, Marijanig*.

La porte s'étant refermée sur Marijanig, tante Lucie s'exclama :

— Quelle brave femme ! Tu te souviens d'elle ? La karabassen.

Je situais enfin ce personnage emblématique.

1. Entrez.
2. Bonjour !

Marijanig remplissait sur l'île les doubles fonctions de bedeau et de bonne de presbytère. Ainsi, le matin elle préparait les habits sacerdotaux pour la messe, quêtait aux offices et veillait à la propreté de l'église : balayer, ranger les chaises, remplacer les fleurs fanées des autels par des fraîches. Hormis ces menus travaux, Marijanig entretenait également le presbytère, une masure composée d'une cuisine, d'une chambre et d'un minuscule bureau s'ouvrant sur un carré de jardin où poussaient, comme dans presque tous les jardins de l'île, chardons et rocaille.

L'îlienne se chargeait en outre des courses et de la cuisine pour le seul prêtre en exercice. Ce qui ne l'empêchait pas de se dévouer tout autant à sa propre famille, son mari, un marin sobre et travailleur, et ses quatre fils dont les deux aînés étaient pensionnaires sur le continent durant l'année scolaire.

Tante Lucie cependant poursuivait sa narration.

— Tu te souviens aussi qu'elle avait une sœur, Saïg, une bonne à rien, mariée à un soûlot.

Le soûlot en question s'était noyé quelques années auparavant, en tombant dans le port un soir d'ivresse. La Saïg l'avait pleuré pour la forme mais s'était vite consolée dans les bras d'un ouvrier du continent, exilé sur l'île pour la saison de pêche. Moins d'un an après son veuvage, Saïg accouchait d'un fils. Le père de l'enfant, peu disposé à assumer ses responsabilités, s'était hâté de regagner la ville. Et puis un jour, Saïg avait elle-même déserté l'île, abandonnant son fils à Marijanig.

Nous partageâmes avec tante Lucie un repas de fête improvisé, fait de bric et de broc : un bout de lard, des pommes de terre au beurre, un reste de far – de fête parce que sublimé par les liens forts qui nous unissaient –, puis je partis me balader, sans grand-père et tante Lucie tout à leurs retrouvailles. Un brouillard épais s'était abattu sur l'île et la clarté du jour avait du mal à percer ce voile opaque. De longs frissons parcouraient la mer et les bateaux ancrés au port se balançaient en grinçant. Les voix éraillées de marins avinés éclataient par instants dans la torpeur de cette fin d'après-midi. Une silhouette sombre, une îlienne en costume de deuil, triste et monacale, traversa le quai et fut happée par le crépuscule naissant. On ne distinguait plus les contours du continent, pourtant proche, et on se serait cru sur un navire à la dérive, au milieu d'un océan inhospitalier guettant sa proie avec délectation. La corne de brume vomit soudain un meuglement sourd et ce son monocorde et lugubre accentuait l'étrangeté de l'endroit, développait dans le cœur une angoisse indicible.

Me remontèrent aux lèvres quelques vers appropriés.

> « *Ronfle à la mer, ronfle à la brise*
> « *Ta corne dans la brume grise*
> « *Ton pied marin dans les brisants*[1]. »

Le brouillard ne se dissipait toujours pas et j'augurais que le bateau aurait des difficultés à nous ramener sur le continent.

Transie, je revins vers la maison de tante Lucie sans plus musarder, en songeant aux deux vieillards qui devaient goûter, près de l'âtre, le plaisir d'être

1. Poème de Tristan Corbière.

ensemble. J'ignore si les autres enfants dont les parents sont décédés souffrent de la séparation. Je subodore que oui. Pour ma part, je confessais qu'entre l'amour de grand-père et celui de tante Lucie, je ne me sentais pas malheureuse. Grand-père avait toujours pris soin de moi avec une prévenance quasi maternelle, je pouvais discuter d'à peu près tout avec lui, et il m'avait enseigné les fondements d'une existence honnête, respectueuse des autres. Qu'aurait fait un père de plus ? Quant à ma mère, j'aurais apprécié lui confier mes problèmes, surtout ceux typiquement féminins, mais là encore, j'avais eu tante Lucie pour pallier aux éventuelles défaillances de grand-père en ce domaine. Finalement, j'étais une adolescente bien plus équilibrée que la plupart des filles de mon âge, élevées dans une famille conventionnelle, je n'avais pas subi, par exemple, cette période de rébellion envers l'autorité parentale qui concourt à la construction d'un adolescent peut-être, pas à la mienne puisque je m'en étais passée, j'avais tous les garde-fous indispensables pour ne pas déraper, des attachements réciproques, et la garantie d'être écoutée, sinon comprise.

Quand je parvins chez tante Lucie, elle parlait avec grand-père de naguère et sourit en me voyant.

— Tu n'as pas oublié petite ? *Eur wech e oa*[1]...

Tante Lucie commençait toujours ainsi ses histoires lorsque j'étais enfant et qu'après souper, nous faisions cercle autour de l'âtre pour la veillée.

« *Eur wech e oa* »... Elle maintenait en haleine son auditoire avec un art consommé et Yves et moi, suivant le cas, hurlions de jubilation ou d'effroi. En

1. Il était une fois...

ai-je entendu des légendes de toutes sortes mettant en scène l'Ankou, cette illustration fantomatique de la mort, portant sur l'épaule la faux destinée à trancher la vie des êtres chers, ou encore celles, plus mystiques, véhiculées par l'imagerie populaire d'une région traditionnellement et profondément croyante, relatant les exploits de nos saints bretons. Grâce à tante Lucie, je savais à qui adresser mes suppliques en cas de nécessité : saint Yves, avocat des pauvres et des opprimés, saint Tugen qui protège des chiens enragés (à qui cela peut-il être utile, je vous le demande !) et celui que j'invoque le plus souvent, saint Antoine, patron des objets perdus. « Saint Antoine, j'ai égaré mon porte-monnaie. Je vous promets dix ou tenez... vingt francs plus une neuvaine si je le retrouve. » Grand-père aussi quelquefois recourait à lui. « Mes lunettes, où sont mes lunettes. Ma Doue ! elles sont encore perdues. Mon bon saint Antoine, je vous promets... »

Et je retrouvais mon porte-monnaie et grand-père ses lunettes. Hasard ou prière exaucée par le saint compatissant ? Quoi qu'il en soit, nous n'omettions jamais, grand-père et moi, de nous acquitter de notre dette.

— Grand-père, c'est l'heure du bateau. Il faut y aller.

Grand-père se leva à regret.

— C'est ma foi vrai. Alors à Dieu vat ! Lucie. À bientôt.

— À Dieu vat ! Fanchig. *Kénavo va merh vïan*[1].

— *Kénavo*.

1. Au revoir, ma petite fille.

Après la chaleur ambiante, la température extérieure nous surprit et je grelottai.

Grand-père inspecta le plafond bas qui servait de ciel avec circonspection et déclara :

— Le bateau ne partira pas.

Cette perspective n'entama pas la liesse qui m'habitait et qui avait présidé à l'ensemble de la journée.

— Ce n'est pas grave. Nous dormirons chez tante Lucie.

Grand-père n'arborait pas le même optimisme et j'en soupçonnais la raison.

— Ne t'en fais pas pour Yves. Il connaît les aléas d'une traversée en plein hiver.

Nous nous rendîmes malgré tout jusqu'au quai où était amarrée la navette, à peine visible à travers le brouillard qui surgissait par nappes humides du diable vauvert. Grand-père sonda le capitaine. Celui-ci chiquait, imperturbable, accoudé au bastingage.

— Alors ?

Le capitaine cracha un jet de salive qui disparut dans les eaux noires du port.

— Alors on patiente.

— Jusqu'à quand ?

L'homme haussa les épaules, extériorisant ainsi son impuissance à contrôler les dérives climatiques.

— Ah ! ça... Montez à bord si le cœur vous en dit.

Grand-père et moi, nous nous réfugiâmes dans la partie couverte du bateau. La demie de quatre heures sonna au clocher de la chapelle. La nuit tombait déjà et la pénombre était délavée par les traînées blanchâtres du brouillard. Dans moins d'une demi-heure, la marée s'inverserait et avec elle nos chances de voir s'améliorer le temps.

Je repensai à Marie-Anne. Je ne l'avais pas revue depuis Noël, c'est-à-dire une semaine. Chaque fois que je me présentais à son domicile, je me heurtais à l'infranchissable barrière maternelle. « Marie-Anne est malade. Elle se repose. »

La conduite de mon amie me préoccupait. Elle, si timorée, si discrète, je la supposais effondrée d'avoir suscité une telle polémique pour quelques gorgées de whisky, honteuse aussi selon toute vraisemblance, de se montrer à nous, par crainte de reproches ou de commentaires trop sévères. L'échéance approchait cependant où il lui faudrait affronter le regard inquisiteur, voire ironique, des gens. L'école reprenait dans quelques jours et il était peu probable qu'elle renonçât à ses études à cause d'une pudeur tard venue.

Si seulement Yves lui témoignait un peu de mansuétude ! Malheureusement, l'artifice (si artifice il y avait) que Marie-Anne avait imaginé pour attirer son attention, paraissait avoir échoué. Il était de plus en plus distant, lui prouvant ainsi son désintérêt. À sa décharge, Yves sacrifiait toute son énergie à sa nouvelle activité. Celle-ci l'avait transcendé. Il avait gagné en audace et fourmillait d'idées. En plus du manège, il prévoyait, avec l'approbation du maître des lieux, d'aménager la ferme en auberge où les cavaliers auraient la possibilité de se rafraîchir et pourquoi pas se restaurer après leur promenade. Pour cela, parmi ses objectifs figurait la remise en culture de parcelles depuis longtemps en jachère, et à l'honneur, les veillées d'antan où chacun laisserait libre cours à ses talents de conteur, de chanteur ou de musicien.

Yves a toujours été un garçon déterminé mais à l'encontre de ces fonceurs qui se cassent le nez sur des réalisations trop grandioses ou mal ficelées, mon frère calculait les risques. Il ne se lançait à fond dans une aventure que dans la mesure où la réussite en était assurée. Or il avait foi en son projet, de même que le père de J. C., contaminé par l'enthousiasme d'Yves.

— Grand-père, as-tu remarqué quelque chose de bizarre concernant Yves et Marie-Anne ?

Grand-père me scruta d'un air perplexe.

— Explique-toi, fillette.

— Crois-tu que Marie-Anne soit amoureuse d'Yves ?

— Ces deux-là s'aiment depuis qu'ils sont petits. Comme toi et Jean-Marie.

Mauvais exemple. Je ne dis pas qu'un jour, je n'épouserai pas Jean-Marie, toutefois aujourd'hui, et grand-père se positionnait à mille lieues de cette vérité, j'affectionnais surtout le copain d'enfance, celui avec qui j'avais tout partagé, les heures gaies comme les plus sombres. Et je ne parlais pas de cet amour-là.

— Ils s'aiment bien, c'est sûr. Moi je te parle d'être amoureuse.

— Quelle différence ?

— Ce n'est pas pareil ! m'insurgeai-je.

Pour moi, être amoureuse c'est perdre sa clairvoyance, la tête, avoir le cœur qui cogne très fort dans sa poitrine, croire même qu'il va exploser, s'asseoir sur ses principes, son amour-propre, chanter, hurler, pleurer, feindre d'avoir un amant alors qu'on n'en a pas pour que l'autre sache que vous existez, qu'il lui suffit de vous sourire pour que vous soyez prête, pour lui, à décrocher la lune.

Ou grand-père n'avait pas bien saisi le sens de

ma question ou alors, il n'avait vu aucune modification dans les habitudes d'Yves et de Marie-Anne. Et si grand-père n'avait rien vu (mais était-il le plus qualifié pour juger une situation romanesque ?), cela pouvait signifier que Marie-Anne n'était pas vraiment amoureuse d'Yves, comme moi de Jean-Marie, qu'elle n'avait pas voulu lui envoyer de message en *prétendant* avoir un amant, qu'elle en avait *peut-être* réellement un... et dans ce cas, qui ?

— Le vent se lève ! dit tout à coup grand-père.

C'était effectivement l'heure de la marée et avec elle affluaient des tourbillons de vent froid qui effilochaient le brouillard. La côte nous apparut alors avec netteté, en dépit de l'obscurité croissante. Le capitaine actionna la sirène de son bateau pour avertir les passagers et quelques minutes plus tard, nous mettions le cap sur le continent.

À notre retour, la maison était calme. Yves était encore à la ferme et à des lustres donc de s'alarmer pour nous.

J'eus le temps de dîner avec grand-père et après le repas, de tenter de le battre aux petits chevaux, sans que mon frère se manifestât. Je l'entendis monter l'escalier tard dans la nuit.

7

Le lendemain, je fus réveillée aux aurores par des bruits en provenance du rez-de-chaussée. Je me levai, enfilai un peignoir et me rendis à la cuisine où Yves, qui ne participait que rarement aux besognes domestiques, fouillait dans les placards en déplaçant sans ménagement vaisselle et ustensiles.

— C'est quoi ton problème ?

— Je ne trouve pas le café. Tu peux en préparer ?

Peu après, alors qu'Yves buvait son jus, je me convainquis que c'était le bon moment pour l'entretenir de Marie-Anne. Dans cet intervalle entre le repos d'une nuit et l'amorce d'une nouvelle journée dont on espère de grands bienfaits, les esprits sont plus ouverts pour aborder efficacement des sujets épineux… ou alors ils sont assombris par un besoin inassouvi de sommeil. Ce qui malheureusement semblait être le cas pour Yves.

— Je te l'apprends ou pas : Marie-Anne est enfermée chez elle depuis Noël !

— Elle est peut-être malade ?

— C'est ce que dit sa mère.

— Et qu'en dis-tu, toi ?

— Qu'on ne l'a plus vue depuis ce fichu réveillon.

— Qu'attends-tu de moi ?

Je savais qu'Yves ne bougerait pas le petit doigt à moins de le supplier.

— Va la voir, je t'en prie. Si c'est toi, elle ne refusera pas de te recevoir.

— Je n'ai ni le temps ni l'envie actuellement de me pencher sur les états d'âme de Marie-Anne !

Puis devant mon air buté, il se ravisa.

— Demain c'est la rentrée. Patiente jusque-là !

Je lui avouai ma psychose de ces derniers jours.

— Et si elle ne reprenait pas les cours ?

— Pourquoi ne reprendrait-elle pas les cours ! Bon, dans ces conditions, j'interviendrai. Promis.

Je dus me contenter de ce vague arrangement.

— Que comptes-tu faire aujourd'hui ? ajouta Yves.

— Je n'y ai pas encore réfléchi.

— C'est le repas des anciens, au patronage. J. C. recrute des volontaires.

— Je lui ai déjà dit non.

— Et moi je lui ai dit oui pour toi. Jean-Marie passera te chercher dans la matinée.

Je me fâchai.

— Tu n'avais pas le droit !

— Ce droit, je l'ai pris... et c'est pour ton bien, conclut Yves.

Je ne voyais pas en quoi me déguiser en serveuse lors d'une fête de patronage pouvait m'être salutaire, si ce n'est m'imposer de consacrer un peu de mes loisirs aux autres, mais justement m'obliger à être serviable n'était pas la meilleure façon de m'inciter à l'être d'une manière plus spontanée.

Jean-Marie débarqua chez nous vers les dix heures

et déploya d'indéniables qualités de négociateur pour emporter mon adhésion. Au patronage, l'agitation était à son comble. Des jeunes s'affairaient, qui à accrocher des lampions, qui à dresser d'immenses tables. Au milieu d'eux, J. C., superbe chef de file, distribuait les rôles. Il parut heureux de mon concours à l'élaboration de la fête.

— Marine, c'est gentil de venir nous épauler.

Un peu empruntée et encore réticente, je me mêlai aux autres bénévoles. Sans spécialité, je m'employai à disposer les couverts et à orner les tables de guirlandes et de fleurs en papier. Le tout avait un aspect clinquant et artificiel qui, curieusement, émouvait.

Je fus ensuite chargée de recevoir les invités. La plupart d'entre eux étaient très intimidés. Je m'appliquai à les apprivoiser et à leur attribuer une place suivant leurs affinités (même ceux qui ne m'inspiraient aucune empathie). Ils me récompensaient alors d'un sourire qui me payait de mes efforts pour les uns et me donnait l'impression d'être une hypocrite pour les autres. En me croisant, au hasard de nos activités respectives, J. C. me complimenta.

— Bravo, Marine. Tu t'en tires à merveille.

Si au début du repas l'ambiance languissait, la réserve des convives peu à peu s'estompa et au dessert, J. C. considéra que c'était le moment d'entamer les festivités.

Le spectacle qu'il avait élaboré consistait en un montage audiovisuel avec pour thème la vie d'un Breton type, prénommé Corentin, aux alentours de 1820.

La force du divertissement résidait dans le mariage subtil de la fiction et de la réalité. Je m'explique.

Tandis que sur l'écran la mère de Corentin endormait son enfant nouveau-né, sur l'estrade, une jeune fille, en laquelle je reconnus Gaëlle, une camarade de classe, illustra les images en interprétant elle-même une berceuse.

Et ainsi tout au long de l'heure qui suivit.

Mon étonnement allait croissant de constater le travail magnifique accompli par notre abbé avec les jeunes du village et dont je n'avais jamais eu conscience. Il est vrai que mon engagement au sein de notre communauté était très limité (jusqu'à aujourd'hui, cela ne m'avait pas particulièrement dérangée). Finalement, parmi nos familiers, je constituais l'élément superflu, toléré par amitié pour Yves et Jean-Marie. J. C., qui m'avait un jour posé la question, avait en fait de nombreuses raisons de me qualifier d'égoïste.

Trop vite à mon gré, s'inscrivit sur l'écran l'incontournable kénavo tandis que J. C., en conclusion, s'interrogeait sur la sauvegarde de nos coutumes et de notre langue. Il affirma très haut sa conviction qu'il ne fallait pas que nos traditions sombrent dans l'oubli. Nous devions en être les garants tout en ne versant pas dans la facilité d'un folklore de bazar, juste digne d'agrémenter les soirées estivales des touristes de passage. Il rappela que pour perpétuer nos valeurs culturelles, il était fondamental que tous et toutes, quel que fût notre âge, nous échangions nos connaissances.

La projection s'acheva par une ovation. J'étais sincèrement édifiée par J. C. qui, sans grand éclat, nous avait démontré son amour, un amour constructif, pour sa région d'origine. J'eus l'ambition subite de l'aider par tous les moyens, à ériger, ne fût-ce qu'à notre petite échelle communale, une Bretagne plus crédible.

Nous servîmes alors aux retraités, un kouign-amann[1], fondant et encore tiède, arrosé de vin mousseux.

Jean-Marie profita de cet intermède pour occuper l'estrade et jouer de sa guitare en fond sonore. Presque aussitôt, il m'invita à le rejoindre.

— On chante ?

— Tu plaisantes !

— Allez !

J'examinai la salle. Nos aînés dégustaient leur gâteau et bavardaient entre eux. J'étais rassurée. Au milieu de ce brouhaha, personne ne m'entendrait et j'aurais vite expédié une corvée qui me rebutait. J'attaquai les premières notes d'une comptine intitulée *Les Sabots*. Le premier couplet se perdit dans le bruit des conversations. Jean-Marie, pour me stimuler, entonna avec moi le refrain et, brusquement, séduits par le rythme très dansant de la mélodie, lui et moi, nous fîmes abstraction de notre environnement. Je déroulais les paroles tout en esquissant quelques pas de gavotte, Jean-Marie répétait le texte un ton en dessous, un chassé-croisé très ludique s'instaura entre nous, le chant, la danse, la musique, nos voix mêlées, nos rires sous-jacents, nos regards complices et ce n'est qu'au dernier refrain, repris en chœur par l'assemblée, que je réalisai que nous monopolisions l'attention générale.

« *Hirio sellit, me laka va boutou koad* – aujourd'hui voyez, je mets mes sabots de bois »…

Nos anciens applaudissaient avec frénésie et j'accueillis cette acclamation avec stupeur. Ayant le sentiment d'avoir rempli la part du contrat moral dont

1. Gâteau au beurre.

je me croyais redevable vis-à-vis de mon frère, de Jean-Marie et même de J. C., j'amorçais déjà un mouvement de repli quand le même J. C. me retint et me pressa de raconter une ou deux légendes. Les convives, ravis, scandèrent bruyamment.

— *Ya, eun istor*[1].

J'en voulus à l'abbé Jaouenn à qui j'avais exposé mes peurs, de ne pas en tenir compte. J'avais beaucoup pris sur moi pour chanter, miraculeusement les spectateurs avaient été conquis et j'estimais inutile de prolonger l'expérience. Mais si je me défilais maintenant ou si je me faisais prier comme une diva, je me discréditais aux yeux de tous et cela, je ne le voulais pas.

— *Eur wech e oa...*

Je voyais les vieillards suspendus à mes lèvres et fus submergée par une panique irrépressible. Pour la combattre, j'essayai de visualiser les traits rieurs de tante Lucie qui avait nourri mon enfance de légendes qu'elle nous contait le soir à la veillée.

— *Eur wech e oa...*

Je me jetai à l'eau. Je narrai dans l'ordre l'histoire de saint Ronan puis celle de Salaün ar Foll pour terminer par la célèbre cité d'Ys... ou par la fable des ânes de saint Suliac, j'étais trop chamboulée pour m'en souvenir. Bref, ma prestation en breton, bien que parfois laborieuse, eut l'air de plaire. Mes difficultés de vocabulaire, elles-mêmes, se transformèrent en une joute verbale entre moi et l'auditoire qui, lorsque je peinais à trouver un mot, se disputait presque le privilège de me le souffler. La fin de mes récits se

1. Oui, une histoire.

noya dans un fou rire général et j'en fus une fois de plus déconcertée, légèrement grisée aussi de soulever autant d'intérêt. C'était comme un pouvoir que je me découvrais tout à coup et qui me donnait des ailes. Je flottais au-dessus du sol, gorgée d'un mélange de satisfaction, de joie, et d'orgueil. C'était très jouissif et en même temps très angoissant. Je me figurais celles et ceux, abonnés aux succès, adulés, et qui devaient galvauder leur véritable personnalité en recueillant ainsi l'hommage des foules.

Au terme de la journée, nous remîmes à chacun des retraités un colis gourmand. Ils quittèrent le patronage, fiers que les jeunes du village se fussent montrés dignes de l'héritage de leurs ancêtres.

J. C. réunit alors la troupe autour d'un verre de mousseux et remercia chacun pour sa contribution à la réussite globale de la fête. En discutant d'un groupe à l'autre, il parvint jusqu'à moi.

— Merci, Marine.

Rien ne justifiait qu'il me traitât différemment des autres bénévoles. J'avais vaincu mon trac, mais cela avait été, en définitive, une tâche assez aisée qui ne méritait pas de louanges spécifiques.

— De quoi ?

— D'avoir diverti nos anciens, et cela en t'amusant. C'était fabuleux, si, si, je t'assure. Il faut que tu t'investisses davantage dans notre action.

— Nous avons déjà parlé de ça, dis-je, en enterrant délibérément mes récentes résolutions qui étaient de soutenir toutes ses initiatives.

— Il y a quelques jours, je n'aurais pas insisté. Aujourd'hui, tu as prouvé devant un public confirmé, ta parfaite appropriation de notre langue et tu nous dois tes compétences.

— Ma parfaite appropriation de notre langue (j'étais ébahie) ? C'est faux ! Je manque de vocabulaire et sans les personnes présentes...

— C'est justement cela qui est extraordinaire. Tu as provoqué fortuitement ce que je prêche depuis que je suis ici, c'est-à-dire le partage entre les générations.

Il s'exaltait.

— Sache que toutes les bonnes volontés me sont indispensables si je veux parvenir à plus de fraternité entre les membres de cette communauté, sous couvert de transmettre notre culture ou quel qu'en serait le prétexte. Pour cela, il suffirait de peu : que les gens secouent leur apathie, qu'ils gomment leurs dissensions, et note comme cela peut être facile quand on a un but commun, que toi tu sois plus généreuse de ton temps, de ton savoir, oui je le répète, de ton savoir.

J. C. offrait un visage si rayonnant, il était si persuasif dans sa profession de foi, que soudain mon cœur cogna un grand coup dans ma poitrine.

— Alors Marine, ta collaboration m'est-elle acquise ?

— On verra, murmurai-je d'une voix étranglée.

J'étais atterrée par cette révélation qui m'avait traversée comme une fulgurance : j'étais attirée par un... (je ne parvenais même pas à prononcer ce mot... *prêtre*). J'empoignai mon manteau et m'enfuis du patronage, évitant Jean-Marie qui s'époumonait.

— Marine, où vas-tu ?

J'allais où me portaient mes pas, en m'efforçant de canaliser cette partie de mon cerveau (apparemment siège de l'affectivité) qui depuis quelque temps échappait à mon contrôle. « Marine, si semblable à toutes ces adolescentes rêveuses et romantiques. Tu te croyais solide, équilibrée, inaccessible aux passions brutales propres aux gamines de ton âge et te voilà, à leur instar, dévorée par tes émotions. »

Respire calmement, ne t'affole pas. C'est comme un film triste au cinéma, tu pleures, tu t'apitoies mais ce n'est pas pour autant que ta vie en est bouleversée. À la fin de la séance, tu essuies tes larmes et tu oublies. Là c'est pareil.

J'avais, je voulais le croire, été influencée par la magie de cette journée solennelle et surtout l'excitation d'avoir été admirée, moi si ordinaire. Une sorte de réciprocité en somme, « vous m'admirez, vous m'aimez » donc « je vous admire et je vous aime ». N'ayant pas la capacité d'aimer l'ensemble de mes concitoyens, c'était tombé sur J. C. qui m'avait beaucoup trop flattée. Demain apporterait un nouvel éclairage à l'incident. Je me raccrochais à cette chimère. Demain, il fallait que pas l'ombre de ce trouble absurde qui m'avait envahie, ne subsistât. Il le fallait…

Je m'étais machinalement dirigée vers le littoral, là où nulle habitation ne heurtait le regard. Rien n'altérait la profondeur du silence, rien, sinon mes pas sur la terre durcie du chemin. La luminosité d'une journée sans douceur ni trop grande froidure déclinait, remplacée par la nuit. Les bateaux de pêche qui regagnaient le port bousculaient la quiétude de l'océan. Sur les quais, quelques promeneurs savouraient ce qui était pour moi, et peut-être pour eux, ce moment unique entre chien et loup.

J'empruntai un étroit sentier qui dégringolait, semé

d'embûches vers le rivage et vers une petite grève de galets. L'endroit était désert et je m'imprégnai de sa solitude apaisante. Des mouettes se poursuivaient au ras de l'onde en lançant leurs cris rauques. Elles flirtaient avec la cime des vagues, remontaient vers le ciel dans un envol puissant, planaient quelques secondes dans le vent, puis plongeaient subitement en quête d'une proie invisible. J'aspirais l'air chargé de senteurs âpres de marée avec violence comme si ce parfum familier pouvait supprimer les désordres de cette folle journée.

Mon errance me poussa sur la route nationale, hors des limites du village. Les voitures circulaient dans un grondement d'enfer et je restais sourde à ce vacarme. L'une d'elles ralentit à ma hauteur.

— Puis-je vous déposer quelque part ?

Je fixais le conducteur qui, ayant entrouvert la vitre côté passager, se penchait pour m'interpeller, sans comprendre ce qu'il me voulait. Il est des instants comme cela, intemporels, que l'on a du mal à relier au présent.

— Puis-je vous déposer quelque part ? répéta-t-il.

— Oui, merci.

J'avais la sensation de flotter entre deux espaces, entre deux corps. Dans le fond, pourquoi pas ? J'avais besoin de m'éloigner pour réfléchir, non pas réfléchir, j'allais tout aggraver, m'éloigner pour me défaire de cette douleur, voir autre chose, avec quelqu'un d'autre et redevenir celle que j'étais ce matin en me levant, une fille banale, des préoccupations qui l'étaient moins puisqu'elles concernaient une Marie-Anne inhabituelle… et J. C… On n'en sortait pas.

— Je vais à… Cela vous convient ?

Le prochain village. Parfait. Ni trop loin (pour revenir) ni trop près. Le paysage défilait sous nos yeux. L'homme se tournait vers moi par intermittence. Je devais l'intriguer. En partant du postulat que son rôle dans la pièce mise en scène pour moi (et accessoirement pour lui) par le destin, se réduisait à celui d'un figurant, je me contrefichais du roman qu'il bâtissait autour de mon personnage. Nous parvînmes au terme de notre voyage. L'après-midi s'achevait et j'avais encore du temps avant que grand-père s'aperçût de mon absence.

— Ça ne va pas ?

L'automobiliste était allé garer son véhicule et, me trouvant indécise et désemparée au milieu de la place du village, s'informait d'un possible embarras. Je mentis.

— J'avais rendez-vous avec une amie. Elle n'est pas là. Je vais rentrer.

— La température est glaciale. Voulez-vous prendre une boisson chaude, tenez dans ce café ? Vous surveillerez l'arrivée de votre amie par la baie vitrée.

J'acceptai. Je faisais preuve d'imprudence, je le savais et néanmoins je persistais dans cette voie. Les remords qui ne cessaient de me tenailler avaient favorisé en moi un comportement peu conforme aux règles très strictes professées par grand-père. J'aurais dû m'en aller en rendant grâce au ciel que rien de fâcheux ne se fût produit et j'étais clouée sur place, pétrifiée. En même temps, ce monsieur n'avait pas l'air bien méchant et je pensais (peut-être à tort) avoir encore assez de ressources pour me défendre le cas échéant. Mais c'était tout de même inattendu. Il y avait seulement quelques jours, je n'admettais que difficilement les agissements incohérents d'une Marie-Anne empêtrée dans ses problèmes de cœur (à moins que ce ne fût juste le résultat d'un état alcoolique). Aujourd'hui, ma sévérité à son égard disparaissait puisque, dans des conditions similaires, je témoignais de la même faiblesse. Attention. Je n'ai pas dit que j'étais amoureuse. La bouffée de je-ne-sais-pas-quoi qui s'était épanouie en voyant J. C. exprimer sa croyance en une Bretagne viable et reconnue, n'avait aucun rapport avec l'amour. Mais cette bouffée de je-ne-sais-pas-quoi était suffisamment perturbante pour que je l'évacue au plus vite.

Nous entrâmes dans le bar. L'homme choisit une table près de la fenêtre ainsi qu'il me l'avait proposé. Ce qu'il ignorait, c'est que ma prétendue amie ne risquait pas d'apparaître de sitôt.

Le crépuscule grignotait peu à peu la côte. L'or et le pourpre du soleil couchant enflammaient l'océan et se reflétaient sur le sable humide de la plage, révélé par la marée descendante. Les lumières de notre village clignotaient au loin, comme des étoiles sans nom, égarées dans un monde de ténèbres.

Une jeune serveuse vint prendre notre commande. Mon compagnon trancha sans même me consulter.

— Deux cafés.

— Plutôt un chocolat, pour moi.

L'homme m'observait, amusé. Crut-il discerner dans mon attitude un quelconque encouragement ? Était-il las que je me dévoile aussi peu ? Quoi qu'il en soit, la première question survint, aussi exempte d'originalité que possible.

— Quel est votre prénom ?

— Marine.

— Marine ! Alors Marine, parlez-moi de vous.

— C'est une obligation ?

— Non. Vous préférez que nous buvions nos consommations en silence ?

J'avais surtout envie de me soustraire au jeu subtil et dangereux de la séduction auquel s'apprêtait à se livrer, me semblait-il, mon compagnon.

— Vous, parlez-moi de vous, dis-je en le défiant. Il rit.

— Temps mort... Vous avez raison, jeune fille. Gardez votre mystère.

Son expression était toujours narquoise lorsqu'il commença à boire son café. Je me focalisai sur la place vide, au-dehors.

— Votre amie est en retard.

Il savait que j'avais menti. Nous nous affrontâmes et ce fut très bref. Je captai en lui une mimique, un geste, une posture, un truc qui m'évoqua J. C., mais assortie d'une telle ironie que d'un seul coup je bondis de ma chaise.

— Vous partez ?

Je poursuivis ma comédie.

— Mon amie ne viendra plus.

Je songeai à grand-père. Se ferait-il du souci ? Bien des fois auparavant, j'avais prolongé une promenade au-delà des horaires qu'il m'avait assignés, parce que j'avais négligé de vérifier ma montre en parcourant la campagne, parce que je m'étais déniché un coin tranquille d'où je ne voulais plus m'extraire. Grand-père ne se formalisait pas de mes retards. Mais aujourd'hui ! Les circonstances n'étaient pas les mêmes et grand-père, intuitivement, le devinerait.

Je sortis du café. Un vent assez vif sévissait et je

réprimai un frisson. L'homme, passant près de moi pour rejoindre sa voiture, remonta le col de mon manteau dans un geste paternaliste.

— Ne prenez pas froid !

Je suis grande et pourtant, auprès de lui, je paraissais gracile. Âgé d'une quarantaine d'années, il était extrêmement soigné de sa personne et d'une éducation parfaite autant qu'il m'avait été permis d'en juger par son aisance au café. J'y avais également eu tout loisir d'inspecter ses mains et au contraire des mains de J. C. que je n'aimais guère, lui, possédait des mains merveilleuses et l'idée que leur caresse devait être un enchantement, m'avait effleurée.

Stop ! Marine, c'est quoi ce délire ? Tu ne vas pas te mettre à fantasmer chaque fois que tu croises quelqu'un du sexe opposé ? Quelle journée, non mais quelle journée ! À s'en rappeler longtemps, à se demander le pourquoi de cette soudaine anarchie dans une vie jusque-là rangée, à en avoir honte, non pas d'un acte accompli, non pas de pensées impures, mais d'un ressenti nouveau, délicieux et troublant, envers des créatures interdites et la hantise qui affluait, gonflait, se répandait, de ne plus savoir comment maîtriser une situation hors normes et si le quotidien reprendra sa place, une place « plan-plan » et rassurante.

J'avais rapidement solutionné mon retour à la maison en prenant le car d'une ligne régulière.

À mon arrivée, grand-père fit celui qui n'était au courant de rien, ne s'était inquiété de rien et laissa à Jean-Marie le soin de m'invectiver.

— Pourquoi t'es-tu sauvée sans rien dire !

Si je lui exposais les motifs de mon escapade et lui détaillais son déroulement, Jean-Marie refuserait de me croire, me sachant incapable d'actes irréfléchis.

— Elle a souhaité un peu de calme après la cohue de cette journée, n'est-ce pas, fillette ?

Grand-père, tolérant ou prudent comme toujours, m'accordait un répit. Mais je ne devais pas m'illusionner. J'étais bel et bien en sursis. Je subodorais que certains indices, même infimes, n'avaient pas échappé à mon aïeul et que sa sérénité proverbiale en serait affectée.

— J'ai simplement voulu profiter de mon dernier après-midi de vacances, j'ai le droit, non ?

Je montai dans ma chambre et refermai la porte à clé derrière moi, affichant ainsi clairement ma volonté de ne pas être importunée.

J'ouvris la fenêtre en grand, car l'air confiné de la pièce m'indisposait. Surtout, j'éprouvais l'urgence d'une union plus étroite avec la nature, avec des bruits familiers dont l'écho apaiserait mon âme. La mer se taisait. Pas le plus petit murmure ne s'élevait de sa masse inerte. Pas un son de cloche, fût-il proche ou lointain, pas un ronflement de voiture. Notre vieux chêne lui-même ne chuintait pas au vent selon son habitude. Un silence lourd d'animosité régnait sur terre, que je vivais comme un reproche inexprimé. La certitude me vint que tous, gens et choses, se liguaient contre moi pour me punir, mais de quel délit ? Qu'avais-je donc fait de si répréhensible ? Mon cœur avait battu trop vite et trop fort deux fois en quelques heures, ce n'était pas un crime ! J'étais toujours la même : Marine, seize ans, lycéenne, bonne élève, petite-fille obéissante, sœur aimante.

Je ne débordais pas d'enthousiasme le lendemain en empruntant la route du lycée. Au milieu du tohu-bohu de ces derniers jours, je faillis oublier Marie-Anne. Pourtant dès l'instant où son souvenir resurgit en moi, je piaffais de la revoir. En temps normal, il me suffisait de sonner chez elle en m'époumonant « Marie-Anne », pour aussitôt la voir accourir. Qu'adviendrait-il ce matin-là ?

— Marie-Anne !

— Je viens.

La réplique fusa sur-le-champ comme si Marie-Anne était en faction derrière le battant de la porte. J'en demeurai pantoise. J'avais échafaudé toutes sortes d'hypothèses sauf la réédition de nos matins d'avant-Noël.

Mon amie était blême avec de grands cernes

bleuâtres sous les yeux. Empotée, je ne réussis à formuler qu'un minable : « Bonjour, on y va ? »

Nous fîmes une partie du trajet sans plus échanger d'autres paroles. Nous étions, à mon avis, aussi gênées l'une que l'autre. Je m'aperçus soudain qu'au fur et à mesure que nous approchions de l'institution religieuse (exclusivement réservée aux filles) où nous étions étudiantes, Marie-Anne ralentissait le pas. Elle s'arrêta brutalement.

— Marine, j'ai peur.

— Peur ? Mais de quoi ?

— Oh, je t'en prie ! Tu sais très bien de quoi... ou de qui je veux parler.

De ses copines de classe, bien sûr, de leurs regards en coin, de leurs sourires entendus. Je n'étais pas idiote.

— C'est de ta faute aussi. Qu'est-ce qui t'a pris de raconter ces sornettes... C'étaient des sornettes, n'est-ce pas ? Tu n'as pas couché avec J. C. ?

Marie-Anne réagit avec véhémence. C'était réconfortant de constater qu'elle avait encore un peu d'énergie.

— T'es complètement malade ! Un prêtre !... Et d'abord, il aurait fallu qu'il le veuille !

C'était si peu dans les cordes de Marie-Anne de manier l'humour que je restais bouche bée d'étonnement. Nous nous dévisageâmes, elle aussi stupéfaite que moi, puis elle fondit en larmes.

— Tu vois, je persiste à dire des bêtises et ce matin, je n'ai pas bu.

— Cesse de pleurer. Tu n'as rien fait de mal, alors s'il te plaît, ne te comporte pas comme si tu étais coupable.

« Tu n'as rien fait de mal. » Je m'en mordrais peut-être les doigts, mais pour l'heure, je choisissais de renouveler ma confiance à Marie-Anne.

Je me séparai d'elle devant l'entrée du corps de bâtiment où les religieuses dispensaient leur enseignement professionnel et continuai la rue jusqu'à une seconde entrée, dédiée aux classes du secondaire.

Je l'atteignis au moment où retentissait la cloche annonçant le début des cours. Je m'en réjouis. En effet, j'ai toujours comme une appréhension dès que je pénètre dans la cour de l'institution. Je ne fréquente aucune des autres élèves et si ces dernières se regroupent par affinités pour papoter entre elles, je n'ai personne avec qui converser. Dès lors, je m'arrange pour franchir le portail à l'heure pile. Au besoin, je m'octroie un ou deux tours supplémentaires du pâté de maisons. J'évite ainsi le sentiment de malaise qui m'envahit quand, au travers de tous ces yeux braqués sur moi, s'exprime le mépris séculaire des gens bien nés envers les plus humbles. Combien de fois avais-je adjuré grand-père de me scolariser dans un établissement public. Il avait toujours rejeté cette idée. À bien y réfléchir, comment aurait-il pu accepter, lui, le bedeau de sa paroisse, homme de foi, que sa petite-fille s'alliât aux mécréants de l'école laïque ?

Aussi n'avais-je qu'une hâte : terminer mes études pour me couper de cet environnement hypocrite qui privilégiait non pas l'excellence ou le mérite, mais l'argent et le milieu social.

Mes camarades formèrent le rang deux par deux tandis que par routine, je traînai en queue de file. Aujourd'hui pourtant, une des filles se glissa à mes côtés. C'était Gaëlle, *la* Gaëlle qui avait participé au spectacle organisé par J. C. pour la fête des retraités.

— Bonjour, Marine.

J'étais abasourdie, et pas la seule à en croire les mines consternées de la plupart de nos compagnes de classe, que la richissime héritière du plus gros industriel de la ville me manifestât de la sympathie après toutes ces années de dédain.

— Bonjour, répondis-je, après avoir hésité à lui tourner le dos en représailles de mois de froideur.

— On se voit à la récréation ?

Je n'avais même pas acquiescé qu'un ouragan en cornette et robe blanche fonçait déjà sur moi.

— Mademoiselle Le Guellec, taisez-vous !

Sœur Philomène, notre professeur principal, vitupérait une fois de plus à mon encontre. À peine plus âgée que nous, petite, falote, avec, posées sur un nez presque inexistant, des grosses lunettes de myope, elle rougissait à tout propos et sans charisme, consciente du peu d'ascendant qu'elle avait sur ses élèves, elle évacuait la pression constante que lui imposait sa médiocrité en se défoulant sur moi. Je lui servais de soupape pour libérer ses complexes et vomir ses angoisses. Je mentirais en disant que mon état de souffre-douleur m'indifférait. À dire vrai, je ne le supportais plus que difficilement, me dominant sans cesse pour parer un éventuel éclat.

Après une brève prière, ainsi qu'il était d'usage lorsque nous rentrions en classe, le premier cours démarra.

Brusquement, la porte s'ouvrit sur la directrice de l'école. Avec un bel ensemble, les élèves se levèrent d'un seul élan.

— Bonjour, ma mère.

J'avais décrété une fois pour toutes que ces appellations « ma mère », « ma sœur » ne correspondaient pas à mon éthique (je les considérais imméritées si je me référais à la part de respect et d'amour qui sous-tendait ces deux termes) et je me défendais de les prononcer. Cela me valait immanquablement la colère de sœur Philomène quand elle repérait mon petit numéro. « Mademoiselle Le Guellec, ne pourriez-vous être polie ? Que dirait votre grand-père ? »

Elle se figurait qu'en lieu et place de son manque d'autorité, le renvoi à mon aïeul m'obligerait aussitôt à adopter un profil bas. Son peu de discernement était pathétique !

Ce matin-là pourtant, j'échappai par miracle à la furie de notre professeur.

Une jeune fille blonde, à l'allure comme il faut, presque timide, se tenait près de la directrice.

— Bonjour, mes enfants. Asseyez-vous. Mes enfants, voici Maëlle Jaouenn, votre nouvelle camarade.

Je dressai l'oreille à ce nom.

— Maëlle est la fille du docteur Jaouenn, lequel remplacera désormais dans ses fonctions notre bon vieux docteur Calvez qui, vous le savez, a pris sa retraite.

La directrice déclinait les lettres de noblesse de la jeune fille afin que chacune d'entre nous situât d'emblée sa position dans la bourgeoisie locale.

— Maëlle est également la nièce de monsieur l'abbé Jaouenn dont nous avons pu admirer le dynamisme et le dévouement depuis cinq ans qu'il officie dans notre paroisse.

Pour une surprise, c'était une surprise ! Je n'imaginais pas J. C. doté d'une nièce aussi jolie.

Je ne fus pas très appliquée aux différentes leçons de la matinée et attendis midi et la fin des cours avec la même impatience que chaque jour. Et pour cause ! Pendant deux heures je ne serais plus soumise aux vexations et tracasseries de ma persécutrice, pendant deux heures, le temps de déjeuner avec grand-père, j'avais la faculté de redevenir moi, la Marine qui n'était pas astreinte à surveiller son langage, ses manières, qui pouvait crier, tempêter, et au besoin s'esclaffer sans qu'un oiseau rapace s'abattît sur elle.

Marie-Anne, en avance sur notre horaire, piétinait devant la sortie.

— Raconte !

Je regrettai aussitôt ma curiosité car Marie-Anne s'était rembrunie et une lueur de désarroi vacilla dans son regard.

— Tu aurais entendu leurs chuchotements et leurs rires étouffés ! Un vrai calvaire. Aussi pourquoi m'as-tu laissée boire ce soir-là ?

— Holà ! T'es gonflée ! Tu ne vas pas me tenir responsable de ce qui s'est passé. Et je te rappelle que tu as deux ans de plus que moi. Ce serait plutôt à toi de veiller à ce que je ne fasse pas de sottises.

Nous n'allions pas nous chamailler pour des faits qui s'étaient produits et pour lesquels nous ne pouvions plus rien. De toute façon, le soupçon s'était emparé de l'esprit des gens du village et je ne voyais qu'un autre scandale pour arracher Marie-Anne à la malveillance de nos concitoyens.

— Alors Marie-Anne, ça va les études ? demanda grand-père.

Mon amie nous avait rendu visite, dans l'espoir de rencontrer Yves. Mais les occupations de celui-ci à la ferme étaient à ce point absorbantes qu'il était amené à coucher là-bas de plus en plus souvent. Son absence affligea Marie-Anne bien qu'elle s'en cachât. J'eus pitié d'elle.

— Reste un peu avec nous. Tu n'es pas pressée ?

J'escomptais bien qu'Yves ne nous ferait pas faux bond ce soir-là, et lorsque plus tard, je perçus des pas dans le jardin, je me félicitai d'avoir retenu mon amie.

— Voilà Yves.

Un peu de rouge colora les joues de Marie-Anne. C'était comme une résurrection. Je soulevai un coin du rideau. C'était bien Yves, mais pas seul. Maëlle Jaouenn l'accompagnait.

— Marine, quelqu'un pour toi, me dit Yves.

Contrainte de montrer bonne figure alors que la venue de Maëlle, sans raison apparente, me contrariait, je fis les présentations.

— La nièce de monsieur Jaouenn ! s'écria Yves. Quelle référence ! À part votre famille, avez-vous des amis dans cette ville ?

— Non personne.

— Alors je me charge de vous. Je tâcherai de vous indiquer toutes les possibilités de loisirs de notre patelin.

« Te voilà bien entreprenant, Yves ! Maëlle subjugue par sa beauté, soit, mais comme introduction, c'est un peu léger ! »

En réalisant combien Yves succombait à tant de grâce, Marie-Anne blêmissait au point d'en devenir translucide. Grand-père ne la perdait pas de vue, redoutant un évanouissement. Je désapprouvais mon frère d'étaler son engouement avec autant de désinvolture, surtout devant Marie-Anne. Je le détestai en cet instant et me mis à détester Maëlle dans le même temps.

Marie-Anne, refrénant sa déception au prix d'un effort surhumain qui se voyait à la crispation de ses mâchoires, nous souhaita le bonsoir. Je la reconduisis jusqu'au seuil de la porte.

— À demain, dit-elle.

Elle avait une drôle de voix, toute tremblotante.

— Ne t'en fais pas. C'est juste l'attrait de la nouveauté. Tu connais les garçons !

Elle tenta de crâner.

— De quoi parles-tu ?

— De rien. À demain.

Malgré l'obscurité, je distinguais les larmes qui brillaient au bord de ses yeux. On aurait dit deux perles irisées, enserrées dans leur prison de cils.

— À demain, répéta-t-elle.

Petite Marie-Anne, si démunie devant les obstacles semés par la vie. J'aurais voulu alléger sa souffrance mais comment ? Comment dicter des règles à ceux qui vous entourent quand vous êtes trop jeune pour qu'on vous écoute, comment leur expliquer que vous avez l'intuition qu'ils se trompent, qu'ils prennent des directions qui ne leur apporteront pas le bonheur ? En un mot, comment forcer Yves à aimer Marie-Anne ?

Je revins à la maison où, devant un grand-père impassible, mon frère rodait ses talents de séducteur. Maëlle le dévorait des yeux, énamourée. Une bouffée de rage jaillit du plus profond de moi et ma grogne se traduisit dans le ton de mon interpellation : cinglant.

— Vous vouliez me voir ?

Le vouvoiement m'était venu d'instinct. À dire vrai, depuis que Maëlle était arrivée dans notre établissement, je ne lui avais jamais adressé la parole. Aux récréations, elle s'était immédiatement dirigée vers les filles de son rang : Agathe, la fille du notaire, Gwenaëlle, la fille d'un des chirurgiens de l'hôpital local, Aurore, fille de banquier et je pourrais ainsi allonger la liste à l'infini, tout au moins autant qu'il y avait de filles de bourges dans ma classe.

Interrompue dans son aparté libertin avec mon frère, Maëlle fut décontenancée.

— C'est-à-dire… Je suis allée saluer mon oncle au presbytère. En lui nommant quelques-unes de mes camarades de classe, il m'a appris que vous habitiez tout près. Je ne vous dérange pas ? s'émut-elle, feignant l'embarras.

Je n'eus pas l'impolitesse de lui confirmer que si, elle me dérangeait et qu'en outre je n'appréciais guère qu'elle se fût introduite dans ma vie par effraction comme une voleuse. Pour nous en débarrasser au plus vite, je claironnai :

— Le repas est prêt. À table !

Je craignis, au moment même où je formulais mon annonce, qu'Yves, encouragé par un excès d'amabilité et un désir de plaire, n'invitât Maëlle à dîner. L'idée l'effleura, j'en jurerais, mais à mon grand soulagement, elle resta au stade de l'intention.

Maëlle prit congé de grand-père en minaudant, enfin c'est ce que je crus déceler dans son sourire plus artificiel que chaleureux puis elle s'empressa auprès d'Yves, la bouche frémissante, l'œil brillant de coquetterie. Dire qu'elle m'avait paru réservée le premier jour, au lycée. Ou bien c'était une simulatrice hors pair ou alors j'étais de parti pris à l'évocation du chagrin de Marie-Anne.

Je ne lui accordai, quant à moi, qu'un « bonsoir » dénué de cordialité. Mon hostilité lui avait-elle été perceptible ? Qu'importe ! Être la nièce de J. C. et la petite-fille du patron d'Yves ne lui valait pas d'emblée mon indulgence.

Yves poussa la galanterie jusqu'à escorter Maëlle un bout de chemin. Grand-père en profita pour me réprimander.

— Tu aurais pu être plus aimable.

— En effet.

— C'est à cause de Marie-Anne ?

Je haussai les épaules pour lui signifier que je n'en étais pas sûre mais qu'il y avait quelque chose de ce genre.

Grand-père s'en tint à cet unique commentaire et j'en conclus, peut-être à tort, que lui non plus n'avait pas cédé au charme trop ostentatoire de Maëlle.

Yves, par contre, ne dissimulait pas son emballement. À table, il ne tarit pas d'éloges sur elle et comme grand-père et moi n'abondions pas dans son sens, il se fâcha.

— N'est-elle pas magnifique ?

— Si, concédai-je. Elle est très jolie.

— Alors ?

— Alors ? Tu la vois cinq minutes et tu t'enflammes ! N'est-ce pas un peu prématuré ? D'autant qu'elle a tout fait pour nous séduire, toi particulièrement.

… « Et pendant ce temps, tu délaisses Marie-Anne qui est notre amie depuis toujours, qui est bourrée de qualités bien réelles celles-là, Marie-Anne que tu ne regardes même plus. »

Ce différend entre Yves et moi risquait de s'envenimer rapidement, aussi grand-père coupa court à notre dispute naissante.

— *Chomit peoh ar vugale*[1] !

Il s'exprimait en breton. C'était un signe. Le signe que nous devions nous arrêter.

— Cela suffit ! reprit-il. Je ne veux plus vous entendre.

Yves me jeta un coup d'œil assassin. L'affront que je venais de lui infliger en ne partageant pas sa toquade pour Maëlle ne me serait pas de sitôt pardonné.

Je renonçai à ma petite promenade quotidienne, preuve que mon univers chavirait, et tandis que grand-père fumait une pipe devant l'âtre, que mon frère enfin calmé se plongeait dans un livre, je me réfugiai dans ma chambre.

1. La paix, les enfants !

9

Marie-Anne s'étiolait un peu plus chaque jour. D'être le témoin impuissant de sa tristesse et de sa pâleur me désespérait. J'aurais voulu m'entretenir avec Yves de ce qui la minait, mais mon frère n'avait désormais plus d'yeux que pour Maëlle Jaouenn. Cette dernière était venue à plusieurs reprises à la maison, la première fois aux fins de me consulter sur un cours de maths, les autres fois sans mobile du tout. Elle avait le don de surgir quand Yves était là, ce qui n'était pourtant pas fréquent, contrairement à Marie-Anne qui devait se satisfaire de nos sempiternels « Yves n'est pas rentré ». Il était clair que mon frère et Maëlle étaient de connivence et leur collusion me mettait hors de moi.

— Grand-père, je ne supporte plus de voir Maëlle ici, m'emportai-je un jour.

— Je ne peux pourtant pas lui interdire notre maison, fillette.

— C'est bien dommage !

— Qu'est-ce qui te gêne : sa complicité avec ton frère ou la peine qu'en retire Marie-Anne.

— Les deux. J'ai l'intuition que Maëlle n'est pas

aussi géniale qu'elle en a l'air et qu'Yves se repentira de la fréquenter. Et surtout, j'ai mal pour Marie-Anne.

Que faire ? Avec sa pudeur et ses scrupules habituels, mon amie n'oserait pas inverser le cours des événements. Elle était de celles qui se croient inférieures aux autres femmes, pas aussi belles, pas aussi intelligentes, pas aussi spirituelles, qui se disent que cela ne sert à rien de lutter, que la cause est perdue d'avance.

Je décidai de m'en mêler. De quelle manière, je l'ignorais encore, la meilleure stratégie consistant probablement à démontrer que Maëlle n'était pas celle qu'elle paraissait être. Si je découvrais un seul élément susceptible de nuire à la représentation de femme parfaite que ma camarade donnait d'elle, peut-être Yves en serait-il moins épris.

Une personne pouvait m'aider dans ma démarche, pour peu que je procède avec tact : J. C. Mais j'avais besoin d'un prétexte pour le rencontrer afin d'orienter ensuite, et subtilement si possible, la conversation sur sa nièce. Ce fut grand-père qui, innocemment, me fournit l'alibi souhaité, un après-midi alors que je revenais du lycée.

— Marine, tu veux bien porter cette enveloppe que m'a confiée Jeanne Le Meur à monsieur le curé ? C'est sa participation à la restauration des cloches. La pauvre, avec ses jambes enflées, elle marche de plus en plus difficilement.

— Oui, grand-père.

Inutile de me le répéter. Dans ma hâte d'obéir à grand-père et surtout de commencer mes investigations, je déboulai du jardin et me heurtai sur le trottoir à J. C.

— Où cours-tu si vite ? s'enquit-il.

— Au presbytère.

— Tiens-moi compagnie, alors. J'y retourne également.

Il faisait froid. La nuit précédente un peu de neige était tombée, imprégnant les jardins engourdis d'un brin de féerie. Sur la route par contre, cette neige s'était vite transformée en une boue noirâtre qui collait aux semelles et giclait sous les roues des voitures. Les gens allaient d'un pas rapide en rasant les maisons, la goutte au nez, les yeux larmoyants. Les mains ne sortaient plus des poches des pardessus ou des manteaux et l'on se contentait de quelques mots vite échangés en croisant ses voisins ou amis. Il n'y avait que les enfants pour s'accommoder de la situation. On les voyait se poursuivre en riant, les joues rougies par la bise glaciale.

Des flots de souvenirs me remontaient à la mémoire. Notre jardin converti en champ de bataille, les boules de neige qui volaient d'un camp à l'autre, Jean-Marie et moi d'un bord, Yves et Marie-Anne, à l'époque inséparables, de l'autre, la silhouette gigantesque de grand-père nous conviant à un cessez-le-feu, l'armistice signé autour d'un grand bol de café au lait et de tartines grillées sous la cendre et beurrées.

— C'est agréable ?

Je me tournai vers J. C., interrogative.

— Agréable ton rêve, car tu rêvais non ?

— Je me rappelais les hivers d'autrefois.

Un nuage de vapeur s'échappait de mes lèvres et c'était un autre souvenir heureux que cette espèce de fumerolle qui naissait à la moindre respiration, à la moindre parole.

— Je ne savais pas que vous aviez une nièce !

— C'est normal, je ne te l'avais pas dit. J'aurais dû ?

Le ton moqueur me piqua au vif.

— Ne te vexe pas, je plaisantais, spécifia J. C. en remarquant mon air froissé. Et comment ça se passe entre vous deux ? Êtes-vous amies ?

— Pas spécialement.

— Il y a une raison ?

C'était le moment de lui confesser que je n'aimais pas sa nièce, que je n'acceptais pas cette aisance qu'elle avait d'amener les gens là où elle le désirait, sans cris, sans scènes, sans minauderies, sa timidité cachant une volonté sans faille, sa réserve de bon aloi masquant un aplomb qu'on ne mesurait qu'après coup, sa politesse presque excessive voilant une fermeté inébranlable. Une rouée en somme et de la pire espèce. C'était peut-être le moment d'être franche mais quelque chose me freina. Je n'oubliais pas que j'avais à mes côtés, l'oncle d'abord qui, comme tout parent, devait minimiser les défauts de ses proches et le prêtre ensuite, celui qui me perturbait tant depuis que je m'étais aperçue qu'il était aussi (ou *avant tout*) un homme, un homme qui, peu de jours auparavant, avait provoqué en moi une pagaille telle que je ne m'en étais pas encore remise, un homme que j'avais du mal à fixer droit dans les yeux, surtout ces yeux-là, tant jaillissait aussitôt de ma tête et de mon cœur un tsunami d'images et de sensations fortes.

— Elle a ses copines et moi les miennes.

— Et ce ne sont pas les mêmes !

— Eh bien ! Non. Ce ne sont pas les mêmes.

— Je comprends.

Que comprenait-il ? Ma répugnance envers sa nièce ? J'en doutais ou alors J. C. était suffisamment malin pour avoir déduit de mes réponses l'enseignement qui s'imposait.

— Elle habitait Paris avant, c'est ça ? Notre village ne lui paraît pas trop morne en comparaison ?

— C'est le choix de mon frère. Ma nièce est effectivement moins enthousiaste.

Nous butâmes près du presbytère sur madame Gonidec, engoncée dans un manteau écossais aux couleurs agressives. Je retins que l'abandon de son mari ne la conduisait pas à s'habiller en veuve, sans réussir à décrypter si cette considération avait pour conséquence de me la rendre moins ou encore plus antipathique.

— Tu vas penser que j'insiste, mais ne pourriez-vous pas être amies, Maëlle et toi ? Elle est si instable depuis la mort de sa mère. Il me semble que tu aurais une bonne influence sur elle. Tu es posée, mesurée…

— Qu'est-ce qui vous fait croire que je suis posée et mesurée ?

— Je le devine. Et puis ton grand-père me parle de toi.

— Vous plaisantez encore ?

— Absolument pas.

— Grand-père n'a pas pu vous dire que j'étais posée et mesurée, ce ne sont pas ses mots. Par contre, soupe au lait, entêtée… gentille aussi… ou alors mauvais caractère mais bon fond. Voilà. *Ça*, ce serait grand-père.

J. C. éclata d'un grand rire spontané. Dieu merci, madame Gonidec était loin sinon elle m'aurait honnie pour mon habileté à mettre J. C. de si charmante humeur.

— De toute façon, dans la famille Le Guellec, votre nièce a déjà mon frère, alors ce n'est pas bien grave si je ne deviens pas son amie.

— Ah ! Oui. Cela m'a été rapporté.

Bravo ! Les mauvaises langues de la ville s'étaient encore déchaînées. Et dans quelques jours on en serait au mariage forcé ! Ainsi se crée l'actualité dans nos campagnes.

Brutalement, je n'avais plus d'allant. J'étais bizarre et cela n'avait rien à voir avec J. C. C'était venu d'un coup, comme si je m'étais dédoublée et que je flottais au-dessus de mon corps. J'avais la tête dans du coton et un picotement dans la gorge. J'essayai de déglutir et des dizaines de pointes d'aiguilles acérées pénétrèrent dans mes chairs. Je m'immobilisai net sur le trottoir, suspendue à cette douleur qui me prenait de court.

10

J'étais bel et bien malade. J'avais traîné toute la soirée avec une impression de flou et une nervosité grandissante. Debout, j'éprouvais le besoin de m'asseoir et une fois assise, je n'avais de cesse de me relever. Je compulsais un livre que j'abandonnais après une page, que dis-je, une ligne de lecture. En bougonnant, je déplaçais et replaçais les objets avant de convenir de leur emplacement idéal, tant et si bien que grand-père, excédé, m'envoya me coucher.

Ma nuit fut agitée. Je hurlai à plusieurs reprises, mais peut-être l'ai-je seulement cru, car dans les périodes de lucidité qui succédaient, je constatais la quiétude des lieux et j'en étais apaisée.

Au matin, ce fut dans un engourdissement total que j'assistai au réveil de la maison. L'esprit fonctionnait mais au ralenti alors que le corps, lui, était totalement inerte, comme anesthésié. Les bruits me parvenaient assourdis. J'entendis grand-père ouvrir la porte de sa chambre. Elle grinça. Elle grinçait depuis toujours et cela en dépit de l'huile dont mon aïeul s'obstinait régulièrement à noyer les gonds. Le palier gémit. Des pas. Ils s'arrêtèrent près de ma porte. Grand-père écoutait derrière l'huis une manifestation de ma part. J'eus le dessein de l'appeler, mes lèvres remuèrent effectivement mais aucun son ne les franchit. Rasséréné ou indécis, grand-père s'éloigna. Je suivis sa progression le long de l'escalier. Une pause. L'eau devait chauffer pour le café pendant que grand-père se rasait devant la glace au-dessus de l'évier. Puis le choc d'un bol sur la table, le cliquetis de l'argenterie qu'on remue. Je voulus humer l'odeur de café frais. Mon nez bouché m'en empêcha.

C'est alors que, vaincue par une nuit d'insomnie, je m'assoupis. Je n'émergeai de cet état de somnolence qu'en ayant la perception de quelqu'un près de moi.

— *Klañv out merhig[1] ?*

Je voulus répondre à grand-père, seulement j'étais devenue aphone et mes tentatives pour communiquer avec mon aïeul s'avérèrent inefficaces.

— *Peleh te az-peus poan[2] ?*

Je désignai ma gorge. Grand-père posa sa main sur mon front brûlant.

— C'est peut-être une angine, se risqua grand-père. Je vais prévenir le docteur. Tu ne veux pas déjeuner ?

— Soif ! énonçai-je péniblement.

— Un peu de lait chaud, alors.

Je dormis encore les quelques minutes que dura l'absence de grand-père. D'avoir bougé un tant soit peu avait ravivé la fièvre qui couvait en moi. Je transpirais et transpirai encore un peu plus lorsque je m'obligeai à avaler le lait chaud et sucré que grand-père m'avait préparé. Le liquide se frayait un passage le long de ma gorge dans la pire des souffrances.

1. Tu es malade, fillette ?
2. Où as-tu mal ?

Alors que grand-père était déjà parti à l'église, Yves vint à son tour aux nouvelles, curieux d'un silence anormal en ce jour d'école.

— Tu es malade, qu'as-tu ? Une crise de paresse !

Je ne réagis pas, hormis que j'en étais incapable physiquement. À quoi bon ! Depuis qu'il courtisait la fille du docteur, Yves se montrait souvent sarcastique à mon égard. Cela me renforçait dans l'idée que Maëlle ne serait pas le genre de fréquentation dont on s'honore. Je notais déjà le pouvoir néfaste qu'elle avait sur mon frère.

— Repose-toi bien, sœurette ! ajouta-t-il radouci. À ce soir.

Grand-père ne m'ayant pas dit à quel médecin il allait recourir, je priai pour que ce ne fût pas au docteur Jaouenn. Ma défiance envers la fille se reportait automatiquement sur le père et je préférais confier ma santé à un praticien qui n'était lié à ma famille par aucune attache affective.

— Le docteur Jaouenn sera là bientôt, confirma pourtant grand-père en rentrant de l'office.

La contrariété qui se peignit sur mes traits, renseigna mon aïeul sur le peu de transport que soulevait en moi cette indication.

— Cela ne te plaît pas ? C'est ridicule, fillette. Nous étions clients du vieux docteur Calvez, il est logique que nous restions fidèles à son remplaçant. Et c'est le docteur qui vient ici, pas le père de Maëlle, j'espère que tu fais la différence ?

Mon intellect la faisait, mon affect non ! Force m'était d'admettre que Maëlle Jaouenn me crispait tellement qu'il en était de même et d'avance pour les gens qui la côtoyaient de près. Je soupirai. Attendons donc ce docteur anonyme, dont je ne savais rien, pas même qu'il eût une fille prénommée Maëlle. Il fut assez prompt à venir. Grand-père l'accueillit.

— Bonjour, docteur. C'est pour ma petite-fille.

D'un seul coup mon cœur se mit à battre la chamade. J'en saisis la raison en voyant entrer le docteur Jaouenn. Même silhouette, même sourire. J'étais tétanisée. Il y a des millions d'êtres sur terre et le médecin consulté une des rares fois où j'étais malade, n'était autre que l'homme qui m'avait prise en stop un après-midi où je fuyais le trouble que m'inspirait son propre frère ! J'étais maudite. Une malchance pareille ne pouvait arriver qu'à moi.

— Où avez-vous mal ?

Et même voix évidemment ! Il s'était assis sur le bord du lit et me coinçait une jambe. J'étais mortifiée et la honte de cette situation grotesque me donnait des sueurs froides.

— Ouvrez la bouche.

Il avait son visage à quelques centimètres du mien. Mes yeux exécutaient une gymnastique folle, de droite à gauche, de haut en bas, pour tenter d'éviter les siens. S'il percevait ma gêne (et il la percevait, j'en étais certaine), il devait s'en divertir intérieurement.

— Une angine. Quelques jours au chaud et vous serez sur pied. Je vais vous rédiger un certificat médical pour votre établissement scolaire.

« Quel est-il ? » Je guettais la question perfide. Je lui nommerais alors l'institution religieuse où j'avais le désagrément d'étudier en compagnie de sa fille et dans peu de temps, dès le retour de Maëlle de l'école et pour peu qu'il le veuille, il lui suffirait de l'interroger pour tout savoir de moi (enfin ce qu'en connaissait Maëlle !).

Comme un leitmotiv, je me répétais que j'étais en train de cauchemarder, que l'automobiliste d'hier ne pouvait pas être notre nouveau médecin de famille d'aujourd'hui, que ma rencontre avec l'un comme avec l'autre n'était que le résultat d'une fièvre intense. Un détail cependant me prouvait le contraire : ses mains. Je les avais trop examinées. Je n'avais qu'une obsession, m'en détourner et, malgré moi, j'y revenais. Elles étaient fascinantes, belles et fascinantes. Mon estomac se contracta sous l'effet d'une peur violente. J'avais peur de ce monde d'adultes que j'entrevoyais et qui m'aspirait inexorablement.

J'allais mieux. Après deux jours de fièvre et une envie de dormir et de dormir encore, je m'étais réveillée au matin du troisième jour presque dispose quoique légèrement dolente. Avec le lait chaud que grand-père m'avait servi, j'avais mangé une tartine beurrée et mon aïeul s'était réjoui.

— Est-ce qu'il fait beau aujourd'hui, grand-père ?

Je reprenais contact avec le quotidien, ce quotidien qui depuis deux jours continuait sans moi son bonhomme de chemin.

— Il fait très froid et il y a un vent épouvantable.

J'entendais en effet les bourrasques qui explosaient à intervalles réguliers. Et par contraste, j'appréciai d'autant plus le confort de mon lit douillet tandis que dehors se libéraient les fureurs du ciel.

— Grand-père, tu glisseras mon lit près de la fenêtre, s'il te plaît ?

— Tu veux jouer les concierges maintenant ! s'exclama grand-père en riant.

De mon observatoire je couvrais le jardin, une partie de la rue conduisant à la maison du docteur Jaouenn et la place qui s'étendait derrière l'église.

La matinée fut tranquille. Il gelait et les ménagères se pressaient pour regagner la chaleur de leur logis. Le docteur sortit de chez lui vers neuf heures pour faire la tournée de ses malades. Il me parut diablement séduisant, bien plus en fait que l'image que j'en avais gardée.

Il réintégra son domicile à onze heures, n'y demeura que quelques minutes, vraisemblablement pour s'enquérir des derniers appels et repartit aussitôt. Sur le trottoir, il tomba nez à nez avec madame Gonidec qui s'engagea avec lui dans une conversation très animée ; plutôt un monologue d'ailleurs, madame Gonidec parlait, beaucoup, et le docteur Jaouenn hochait la tête de temps en temps.

La rue redevint déserte. Je dormis un peu. Puis se superposant aux rafales de vent, une clochette tinta. Je regardai encore une fois par la fenêtre. J. C., en surplis, précédé d'un enfant de chœur, pénétrait dans une maison basse avec des pots de fleurs vides accrochés aux balcons des fenêtres.

Je comparai les deux frères. Indubitablement J. C. ne possédait ni l'allure ni la prestance de son aîné. Plus petit et plus frêle également. Mais il avait ce que le docteur n'avait pas : une aura de douceur et de bienveillance qui le rendait touchant.

Le docteur acheva ses visites vers midi et demi, juste comme grand-père m'apportait mon déjeuner.

— Alors, cette surveillance ? demanda-t-il avec un sérieux feint.

J'esquissai une moue boudeuse.

— Ne te moque pas. Sais-tu que la mère Soubenn est au plus mal. L'abbé Jaouenn lui a administré les derniers sacrements.

Grand-père accusa le coup. La mère Soubenn était une petite vieille, toute cassée, toute ridée, qui conservait malgré une très grande pauvreté, une dignité et une coquetterie admirables. Nous l'avions surnommée la mère Soubenn, mère soupe, parce que hiver comme été, midi et soir, sa nourriture se composait d'une sempiternelle soupe, des croûtons de pain trempés dans du lait, qu'elle partageait en outre avec un chat noir, pelé et sournois, qui, dès qu'il y avait un brin de soleil, sommeillait sur le seuil de la porte ou sur le rebord de la fenêtre. Quelques personnes instruites de l'indigence de madame Rozmeur, ainsi se nommait la mère Soubenn (peu s'en souvenaient), avaient essayé de l'aider matériellement, mais elle rejetait en bloc tout ce qui s'identifiait de près ou de loin à un acte charitable. Il fallait donc ruser et on la sollicitait pour de menus services. La mère Soubenn y récoltait en contrepartie des aliments de base : du sucre, du lait ou encore du beurre.

— J'irai la voir cet après-midi, déclara grand-père contenant sa peine.

— Yvonick est déjà auprès d'elle.

Yvonick était une autre institution du village. Elle aussi très âgée, plus âgée encore que la mère Soubenn ou grand-père, toujours vêtue de noir, un visage émacié, buriné, avec un nez d'aigle et des yeux de fouine, édentée, sa distraction première consistait à accompagner les moribonds. Comme par miracle, dès qu'un vieillard agonisait, Yvonick surgissait. Elle remplissait les fonctions de garde-malade, c'est-à-dire qu'elle s'asseyait dans un recoin sombre de la pièce où râlait le mourant, marmonnant des prières en latin et égrenant son chapelet. Elle exhalait une odeur d'encens et de cierge fondu et les enfants s'en méfiaient, bien qu'il n'y eût en elle aucune malice, aucune agressivité.

Je me reposai tout l'après-midi jusqu'à la venue, à la fin des cours, de Marie-Anne.

— Tu vas mieux ? s'informa-t-elle… Ah ! Tant que j'y pense. Une fille de ta classe doit passer te voir.

— Qui est-ce ? Ce n'est pas Maëlle ?

— Non, pas elle. C'est une blonde à la voix suave. Son père a une conserverie de poisson.

— Gaëlle !

Quelle drôle de fille. Elle s'était brutalement enti-chée de moi, depuis la fête du nouvel an.

— Je souhaitais t'aborder depuis longtemps, m'avait-elle avoué, mais je n'osais pas.

J'avais été stupéfaite d'apprendre que mon propre comportement en retrait, voire hostile, avait motivé celui de mes camarades. J'avais toujours cru, depuis six ans que nous fréquentions les mêmes classes, qu'elles me snobaient à cause de mon état de fille pauvre et comme aucune d'elles ne m'attirait spéciale-ment, j'avais laissé s'accomplir l'irrémédiable. « À l'avenir, me promis-je, avant toute réaction intem-pestive (genre "je me drape dans ma dignité") face à un litige quel qu'il soit, interroge-toi d'abord sur ta propre responsabilité. » Avais-je assez de générosité pour souscrire à ce principe ?

— Devine le bruit qui court ?

Jean-Marie s'était à son tour rendu à mon chevet.

— Je n'ai pas la tête aux devinettes, répliquai-je alertée par cette entrée en matière qui n'annonçait rien de bon.

— Marie-Anne serait enceinte.

Je m'indignai.

— Et sur quoi se base-t-on pour proférer de telles âneries ?

— Les commérages ne naissent pas forcément de faits précis. Il a suffi que Marie-Anne prétende avoir un amant, puis qu'elle promène partout un air de martyre, qu'elle soit pâle, affligée. Il n'en faut pas plus pour que les mauvaises langues s'activent.

— Marie-Anne est triste, c'est vrai. De là à conclure qu'elle est enceinte, c'est répugnant.

— Oui, mais comment tordre le cou à cette rumeur ?

— Attendre. Le temps est le meilleur allié de Marie-Anne.

— Et si attendre ne faisait qu'empirer les choses ?

— Qu'est-ce que tu insinues ?

— Faut-il te rappeler le dicton : il n'y a pas de fumée sans feu ?

— Tu ne crois pas à ces horribles médisances ! Pas toi.

J'étais furieuse après Jean-Marie. Quelle ville malsaine, quelle population malintentionnée ! Était-il illusoire de rêver un coin de terre que l'homme n'aurait pas pollué, l'homme, espèce gangrenée, acharnée à détruire toute forme de pureté.

— Tu n'auras pas froid, s'alarma grand-père.

Encore affaiblie, j'étais descendue à la cuisine pour dîner en famille.

— Elle est guérie, ironisa Yves. N'est-ce pas Marine ? Bon, dépêchons-nous. Je vais au cinéma ce soir.

— Avec Maëlle ! susurrai-je.

— Avec Maëlle. Ça te dérange ?

— Je te croyais intelligent. Qu'est-ce qui te plaît chez cette fille ?

— Ce ne sont pas tes affaires ! Grand-père, fais-la taire ou je te jure qu'elle le regrettera.

— Yves a raison. Marine, ne te mêle pas de ça.

Grand-père était fâché et comment l'en blâmer ? Je n'avais plus aucune commune mesure avec la fillette droite et sincère qu'il affectionnait. Je le décevais et pour lui le choc était rude. Mais qu'y pouvais-je ? Un mauvais génie s'était emparé de moi depuis la fête de nos anciens. Il m'asservissait et m'encourageait à des paroles, à des actes, en contradiction avec ma rigueur coutumière. J'étais totalement déstabilisée par ma nouvelle façon d'être, par des émotions qui ne m'étaient pas familières, comme de devenir adulte et ne pas le vouloir, et surtout j'appréhendais l'avenir. Autant je contrôlais parfaitement ma vie jusqu'alors, et peu importe qu'elle ronronnât ou que ce fût une enveloppe presque vide, autant je me demandais ce qu'il allait advenir de moi à l'issue de tous ces événements traumatisants. Marie-Anne et moi, n'étions encore que des adolescentes et voilà qu'on la disait enceinte. J'éprouvais pour mes proches des sentiments sages et honorables et voilà qu'un truc plus redoutable que ces sentiments sages et honorables et que je ne nommerais pas (par ignorance de ce que c'était) me propulsait vers deux frères, deux adultes dont l'un avait l'âge qu'aurait mon père. Je n'y comprenais plus rien.

— Qu'y a-t-il ? Où est ma *merhig*[1] si gentille, si conciliante ?

Yves s'en était allé vers Maëlle et sa séance de cinéma et j'étais seule avec grand-père.

— Il y a que j'en ai marre. Je voudrais m'exiler sur une île déserte.

— C'est nouveau, ça ! s'amusa grand-père, colère envolée.

— Te rends-tu compte que les valeurs prédominantes ici sont la jalousie et la méchanceté ? Pas une réputation n'y résiste. Je crains que plus tard, à force de les côtoyer, les travers de nos concitoyens ne déteignent sur moi.

— Et tu t'en avises aujourd'hui ? Pourquoi spécialement aujourd'hui ?

Je parlais de presque tout avec grand-père mais là, franchement, je ne me voyais pas débattre avec lui de problèmes aussi intimes que le corps et ses mystères. Car il s'agissait bien de ce qui, au-delà de la propre histoire de Marie-Anne (qui, en l'occurrence, se rattachait au même propos), me préoccupait. Nous vivions une époque et dans un milieu où le thème de la sexualité (et plus largement la notion de désir et de plaisir) était tabou et, je le crois, mal maîtrisé par beaucoup de femmes. Ma propre mère, qui souvent me manquait et encore plus dans ces

1. Fillette.

moments-là, aurait-elle répondu à mes interrogations ? Pas sûr. Alors imaginez, grand-père ! D'ailleurs qui répondrait à des questions que vous ne posez pas, par méconnaissance du sujet ? La totalité de mon savoir (et c'était vraiment le minimum) ayant trait au sexe, m'avait été révélée par Marie-Anne qui le tenait elle-même d'une camarade de classe dont la mère était médecin. Heureusement qu'il y avait des gens plus évolués que nous !

Ainsi donc, si les rumeurs de la grossesse de Marie-Anne se vérifiaient, puisqu'elle disposait de la même instruction que moi sur le chapitre, je devais supposer qu'elle avait agi délibérément, soit parce qu'elle avait confiance dans son partenaire pour ne pas se retrouver enceinte, soit parce qu'elle avait mesuré par avance les conséquences de son acte et prévu de les assumer et donc… Qui était ce partenaire ? Un homme qu'elle aimait inévitablement, qui aimait-elle, en qui avait-elle confiance ? J'avais ma petite idée.

11

La tempête, amorcée depuis quelques jours, commençait à s'intensifier. Le vent enveloppait la maison dans des tourbillons démentiels, hurlait dans la cheminée, gémissait sous les portes. Des courants d'air s'insinuaient dans les moindres recoins et vous tombaient dessus sans crier gare. Notre bon vieux chêne se tordait sous la bourrasque, tendait désespérément ses branches nues vers le ciel, d'une couleur sombre, qui se transformait à chaque seconde. Les nuages galopaient, se bousculaient, se déchiraient.

Et puis, par intermittence, des averses. La pluie dégringolait, froide, avec des gouttes énormes qui s'affolaient et partaient en tous sens lorsqu'une brusque rafale de vent ruinait leur belle organisation.

Mes pensées étaient aussi embrouillées que la perspective que je découvrais de ma fenêtre. Je n'arrivais pas à me concentrer sur un seul des personnages qui me hantaient : J. C. et surtout son frère dont l'attitude me précipitait dans des abîmes d'incertitude. Chaque fois que nous nous rencontrions, son regard se soudait au mien et j'y voyais poindre une lueur ironique. Ce regard me glaçait. J'en avais les jambes coupées et le souffle court.

Je me décidai soudain à bouger. Je n'en pouvais plus de cette vision de la pluie noyant le paysage, le cerveau envahi par une quantité de données parasites que je ne parvenais ni à démêler ni à classifier.

— Grand-père, je vais au cours de breton.

Grand-père fronça les sourcils.

— Avec cette pluie ! Ce n'est pas raisonnable.

— Je m'ennuie trop.

Cela aussi était nouveau. Moi qui, en tout temps, en tous lieux, trouvais toujours à m'occuper, ne serait-ce qu'à rêver, voilà que l'absence d'activités me rendait morose. Grand-père en resta coi. Il faillit exprimer son étonnement mais après un dernier coup d'œil appuyé par-dessus la monture de ses lunettes, il se replongea dans la lecture du journal.

— Tâche de rentrer avec ton frère.

— Parce que tu te figures qu'il est au patronage ! Je parierais plutôt qu'à l'heure actuelle, il conte fleurette à Maëlle Jaouenn.

Pronostic qui ne s'appuyait que sur la rancune que je nourrissais pour Yves depuis qu'il poursuivait Maëlle de ses assiduités. Heureusement, j'avais marmonné et grand-père n'avait pas entendu ou n'avait pas voulu entendre mon persiflage.

J'enfilai mes bottes, ma parka, hésitai à me munir d'un parapluie, pour finalement y renoncer à cause du vent qui l'emporterait tel un fétu de paille.

Dehors la bourrasque me surprit par sa violence. En l'espace de quelques secondes je fus trempée par une averse diluvienne qui m'aveugla. Grand-père était de bon conseil. Je n'aurais pas dû m'exposer aux intempéries mais il était trop tard pour reculer.

J'eus beaucoup de mal à ouvrir la porte du jardin, le vent s'acharnant à la repousser aussitôt que je l'entrebâillais un tant soit peu. Devant le halo blafard des lumières publiques, les gouttes de pluie paraissaient énormes. Je contemplais cette avalanche d'eau que je subissais comme une purification, la tête levée vers le ciel.

— Gare à l'angine !

Une voiture venait de se ranger le long du trottoir et par la vitre baissée, le docteur Jaouenn m'examinait avec cet air goguenard qui m'exaspérait tant.

— Montez, je vous emmène. Où allez-vous ?

— Au patronage et je n'ai pas besoin de chaperon.

— Il s'agit bien de ça ! Préférez-vous que demain vous me consultiez, pour une pneumonie cette fois ?

Il se pencha pour déverrouiller la portière côté passager. Je dégoulinais d'eau et marquai mon embarras devant le revêtement impeccable des sièges.

— Alors, c'est oui ou c'est non ! s'impatienta-t-il.

J'aurais voulu l'envoyer au diable, le planter là et au lieu de ça, je m'assis dans sa voiture, tremblante et soumise.

Il ne redémarra pas immédiatement, détaillant complaisamment mes cheveux mouillés qui pendaient en longues mèches de chaque côté de mon visage.

J'étais non seulement tremblante (et soumise) mais encore dans une situation d'attente. J'attendais un geste, une parole qui ne venaient pas et qui se seraient retenus comme une référence *avant* et *après*, ce geste, cette parole. Et alors, très calmement, le docteur Jaouenn s'assura de ma destination.

— Patronage ?

— S'il vous plaît.

— Ne me dites pas que c'est pour le cours de breton !

— Si. Comment l'avez-vous deviné ?

— Parce que ma fille s'est également et bizarrement passionnée pour ce fameux cours. Mon frère est un petit veinard.

— Pourquoi ?

— Il sait s'entourer de jolies filles !

J'aurais dû négliger la remarque (stupide) et au lieu de ça, je protestai, ulcérée :

— Votre frère est quelqu'un de formidable et le travail qu'il accomplit dans notre village, digne d'éloges.

Le docteur se tourna vers moi, légèrement railleur.

— Quel enthousiasme ! Mon frère a de la chance d'avoir un soutien aussi fervent.

Il se mit à rire, d'un rire éclatant qui conférait à ses traits une plus grande séduction, une sorte de rayonnement de tout son charme. Il m'effrayait et m'attirait à la fois. Après avoir longtemps été étrangère aux personnes de mon entourage, hormis les quelques parents et amis proches, voilà que mon immersion dans le monde des adultes laissait transparaître ma vulnérabilité.

— Nous y sommes !

Je sursautai. Devant nous se dressait le patronage, vieille bâtisse délabrée que le curé avait toutes les difficultés du monde à maintenir en état, à l'instar des cloches de son église.

— Merci. Au revoir.

— À bientôt, Marine.

« À bientôt, si je le veux bien. » Mais est-ce que

cela dépendait de ma volonté unique, de la sienne ou encore du destin, sans que j'eusse à m'en mêler ?

Je fus effarée par le nombre de jeunes qui s'étaient déplacés pour assister au cours de breton et, chose plus extraordinaire encore, Yves et Maëlle comptaient au nombre des participants. Je m'étais trompée en croyant que mon frère ferait passer son flirt avec Maëlle avant l'intérêt qu'il portait à sa terre natale.

Jean-Marie aussi était là et il m'accapara immédiatement.

— Je serais venu te chercher si tu m'avais dit que tu voulais participer au cours… Ah ! Au fait, et Marie-Anne ?

Marie-Anne ? Je l'avais oubliée. Il y avait eu mon angine puis à la suite quelques journées durant lesquelles je n'avais eu goût à rien, pas même celui de m'inquiéter du sort de mon amie. Pourtant les derniers échos la concernant ne lui étaient guère favorables. J'étais impardonnable de ne pas m'en être davantage souciée.

— Tu as du nouveau ? insista Jean-Marie.

— Non. Et toi ?

— Non plus.

Je le quittai pour aller saluer monsieur Jaouenn.

— Bonsoir, Marine. Alors, ton amitié avec Maëlle progresse ?

Mais qu'avaient-ils tous à me prendre pour le bon Samaritain ? Quand donc comprendraient-ils que je n'étais pas disposée à assumer ce rôle !

— On ne devient pas amies comme ça !

Il aurait dû le savoir. Pour rapprocher deux êtres, il faut plus que le décider : des points communs, une même sensibilité, se divertir, s'émouvoir ou s'offenser des mêmes choses… Et Maëlle ne m'inspirait pas. De plus, mon instinct me soufflait qu'elle était incapable de sincérité. Les gens ne devaient avoir pour elle que la valeur du moment et il était inutile, en plus d'Yves, que je sorte déçue de notre relation.

Le personnage qui était chargé de nous enseigner le breton était un sexagénaire d'allure désuète. Le visage rieur, il forçait la sympathie et j'étais certaine qu'étudier notre langue avec lui serait un enchantement. Il avait commencé, lors des précédents cours, à retracer l'histoire de la Bretagne afin que chacun se remît en mémoire les héros et les épopées singulières l'ayant façonnée au fil des siècles.

La méthode était originale. Au lieu d'attaquer d'emblée une langue relativement complexe, le professeur essayait de susciter en nous le désir de l'apprendre. Et par ma foi, il y réussissait parfaitement.

Deux heures s'écoulèrent ainsi jusqu'à l'instant de la séparation. S'évertuant à dominer le brouhaha qui ponctuait la fin de la réunion, le professeur nous déclara :

— La semaine prochaine nous évoquerons les mouvements indépendantistes bretons, notamment le PNB et sa résonance durant la dernière guerre.

Je m'éclipsai rapidement après le cours afin de me soustraire à l'empressement, parfois pesant, de Jean-Marie. J'avais envie d'être seule. Il pleuvait toujours, une pluie fine, serrée. Mes pas résonnaient sur l'asphalte humide et j'étais presque bien.

Je parvins chez nous en même temps qu'Yves. Ses adieux à Maëlle ne s'étaient pas éternisés, la température peu propice justifiait sans doute sa diligence.

Le lendemain, m'apprêtant à pénétrer dans la cuisine, je surpris quelques bribes d'un échange entre grand-père et mon frère.

— Et votre soirée d'hier ? s'informait grand-père.

— Instructive. Par contre, au prochain cours nous traiterons du parti nationaliste breton. Arrange-toi pour en écarter Marine.

— Crois-tu que ce soit la meilleure solution ?

— Oui, énonça Yves fermement. Celui qui nous enseigne le breton n'est autre que Kernoa, ancien prof de lettres à la fac de Rennes. Tu vois le danger s'il s'avise d'illustrer sa leçon avec des exemples concrets. Marine serait confrontée à une vérité qui pourrait la blesser.

De quelle vérité parlait-il ? Si Yves se donnait tant de mal pour m'évincer du cours de breton à venir, elle se rattachait obligatoirement aux événements qui s'étaient déroulés en Bretagne durant la dernière guerre. Devais-je en conclure qu'un membre de notre famille s'était distingué en tant que nationaliste ! Un nom s'imposa à moi. Celui de mon père !

— De quoi notre père est-il mort ? avais-je un jour demandé à grand-père.

Mon aïeul s'était tu de longues minutes, immobile, pareil aux statues de granit qui ornent les bas-reliefs de nos calvaires, immobile, comme si intérieurement il évaluait les dangers d'une parole maladroite et sa réponse était tombée, laconique, définitive.

— De cette fichue guerre.

L'explication, qui n'en était pas une, et pour autant qu'elle fût succincte, m'avait satisfaite dans la mesure où elle sauvegardait ma tranquillité. « De cette fichue guerre » pouvait vouloir dire qu'il était mort au combat, ou blessé mortellement dans les échauffourées consécutives à la Libération ou encore Dieu sait quoi, mes suppositions n'ayant jamais été au-delà de ces cas de figure. De quoi mourait-on à trente et quelques années, hormis d'accident. De maladie ? Ça ne cadrait pas avec la réflexion de grand-père : « De cette fichue guerre. » Alors ?

Je résolus d'aller fouiner à la bibliothèque municipale afin de rassembler un maximum de documentation sur le thème choisi pour le cours de la semaine suivante.

Pourtant je n'eus pas l'opportunité de me pencher tout de suite sur cette énigme. En effet, cet après-midi-là, en revenant de l'école, Marie-Anne eut un malaise. Elle était si décomposée, si chancelante, qu'avant même d'écouter ses arguments, ma conviction était faite.

— Tu es enceinte ?

J'avais escompté qu'elle se défendît farouchement, mais Marie-Anne se borna à pâlir un peu plus. Ses yeux s'agrandirent démesurément et des flots de larmes s'en écoulèrent. C'était plus qu'un aveu. Ainsi Jean-Marie n'avait pas tort en prétendant qu'il n'y avait pas de fumée sans feu. Et moi qui, bêtement, m'étais emportée après lui tant je jugeais ses allusions absurdes !

— Tu es enceinte, m'écriai-je, et cette fois ce n'était plus une question mais une constatation. Et de qui ?

— Quelle importance ? hoqueta Marie-Anne entre deux sanglots.

— Comment ça, quelle importance ! Tu es bête ou quoi ? L'importance de mettre le père devant ses responsabilités, de te marier le cas échéant.

— Je ne l'épouserai pas, s'entêta Marie-Anne en pleurant de plus belle.

— Arrête de gémir. Cela ne sert à rien. Et pourquoi tu ne l'épouseras pas ?

— C'est impossible.

— Pourquoi, pourquoi ?

J'avais beau hurler, Marie-Anne continuait de m'opposer toute l'obstination dont elle était capable.

Pas une seconde je ne remis en cause la probité de J. C. J'étais persuadée que son sourire d'enfant était bien le reflet d'un être pur, idéaliste.

— Tes parents sont au courant ?

Marie-Anne se buta à nouveau.

— Si je leur dis, ils vont me tuer !

— Il le faudra pourtant...

Et une fois dans le secret, que pouvaient-ils faire hormis s'accommoder de la situation ? Malgré tout, le coup était rude et il m'atteignait aussi funestement que si ma propre famille était impliquée. Et peut-être l'était-elle ! Mes idées étaient encore trop confuses pour discuter avec Marie-Anne de ce qui m'occupait l'esprit depuis quelque temps. De toute façon, elle n'était pas en état, dans l'immédiat, de soutenir une conversation cohérente.

Bref, cet élément imprévu, en mobilisant mon énergie, m'empêcha de fureter à la bibliothèque comme j'en avais préalablement l'intention.

Durant la soirée, je me montrai tourmentée tant et si bien qu'à la fin du repas grand-père s'émut.

— Ça ne va pas, fillette ?

— Si, si, ça va, affirmai-je, visiblement ailleurs.

Je regagnai ma chambre pour y rêvasser en paix et collai mon front contre la baie vitrée. À la tempête des jours précédents avait succédé une période de froid sec. Pas un souffle d'air. Notre brave chêne, déconcerté par cette soudaine accalmie, se tassait dans son enchevêtrement de branches sans vie. De l'autre côté de la rue, la place devant l'église s'offrait dans sa nudité désolante. Plus à droite, la maison du docteur Jaouenn ressemblait à une monstrueuse tête de cyclope avec son unique fenêtre éclairée. Par-dessus le mur du presbytère, mon regard erra sur une façade obscure où nulle lumière ne brillait.

Je reportai mon attention sur la maison du docteur. Je ne pensais à rien, simplement je fixais la fenêtre éclairée comme on fixe un objet ou un point quelconque pour ramener vers l'instant présent une conscience vagabonde. Au bout d'un quart d'heure, une demi-heure peut-être, je tressaillis en voyant s'ouvrir la porte d'entrée. Quoi de plus banal qu'une porte d'entrée qui s'ouvre et se referme puisque c'est là sa fonction essentielle. Alors quel motif avais-je de trahir un si grand émoi ? Je me sentais comme quelqu'un pris en flagrant délit d'indiscrétion.

Dans un mouvement involontaire, je me rejetai en arrière. Puis la curiosité étant la plus forte, je risquai un œil pour vérifier l'identité de celui ou celle qui se préparait à sortir. J'aperçus d'abord une femme enveloppée dans un manteau de fourrure, suivie par le maître des lieux. Ils se dirigèrent vers la voiture du docteur, garée sous un réverbère, ce qui me permit d'identifier à la lueur du néon, dans la femme en fourrure, la veuve très fortunée d'un industriel local. À peine établis dans notre village, le père et la fille s'entendaient à accumuler les conquêtes ! Un pincement au cœur me fît m'interroger sur une éventuelle jalousie de ma part. Ce serait un comble ! Et un moyen d'embrouiller un peu plus un contexte déjà bien compliqué.

Mécontente de moi, je tournai le dos à la fenêtre et m'écroulai sur mon lit, à nouveau recentrée sur Marie-Anne ! De qui était-elle enceinte ? Je ne pouvais pas croire qu'elle se fût laissé séduire par un autre garçon alors qu'elle était éperdument amoureuse d'Yves.

Quel dommage que les rapports prometteurs, amorcés entre eux à la fin du service militaire d'Yves, eussent évolué vers cette amitié conventionnelle qui désormais les liait. Marie-Anne à l'époque était si radieuse ! J'eus brusquement l'intuition qu'il fallait repartir de là, car *là* était la clé du mystère. Je réfléchis posément, calculai mentalement, recomptai sur mes doigts pour ne pas me tromper. Cela concordait. Yves, selon le critère temps, était un des possibles concepteurs de l'enfant que Marie-Anne attendait.

Durant toute l'incorporation d'Yves, Marie-Anne et lui avaient entretenu une correspondance régulière. Quelle était la teneur de ces écrits ? D'amicaux étaient-ils devenus plus intimes comme me l'avait suggéré Jean-Marie ? Si tel était le cas, Marie-Anne, déjà très attachée à Yves, aurait très bien pu à son retour se donner à lui. Sauf que je n'arrivais pas à m'expliquer l'absence de réaction d'Yves face à cette grossesse, à moins… à moins de l'ignorer, Marie-Anne étant Marie-Anne, c'est-à-dire une jeune fille timide, bourrée de scrupules, il était à craindre qu'elle ne lui en eût rien dit, ayant peut-être réalisé entre-temps qu'elle s'était leurrée sur les sentiments qu'Yves avait pour elle.

Omission qui se réparerait aisément, alors que la

fascination que Maëlle exerçait sur Yves se révélait bien plus dangereuse. Mon frère en était si entiché qu'il était prêt à sacrifier sa loyauté envers Marie-Anne. Mon amie devait avoir fait le même diagnostic, d'où son cri du cœur de cet après-midi : « C'est impossible, je ne l'épouserai pas », ce qui pour elle se traduisait par : « Il est amoureux de Maëlle, pourquoi voudrait-il m'épouser ! » Je n'avais plus qu'une chose à faire : parler à Yves, si tant est qu'il acceptât de m'écouter.

Deux jours après, je n'avais toujours pas réussi à l'entreprendre comme je le projetais. Mon dilemme : par quel bout entamer mon plaidoyer en faveur de Marie-Anne ? Compte tenu du peu de complaisance de mon frère à mon égard, je redoutais que, dès les premiers mots, il ne m'éconduise. Ce n'était pas la bonne formule. Il valait mieux auparavant que je m'entretienne avec grand-père.

Justement, Maëlle s'annonça dans la soirée pour une sortie avec Yves. Dans la mesure où elle facilitait mes plans, je la considérai avec moins de sévérité qu'à l'ordinaire. Dieu ! Qu'elle était jolie et racée, si l'on exceptait son arrogance. Marie-Anne, douce et effacée, ne pouvait rivaliser avec de tels atouts et elle le savait.

Je demeurai seule avec grand-père. Le feu brûlait dans l'âtre, haut et clair, et mon aïeul confortablement installé dans son fauteuil savourait le spectacle des flammes en se réchauffant les mains au fourneau de sa pipe. Pour favoriser un climat feutré, propice aux confidences, j'allai éteindre le lustre. Des éclats lumineux, vifs et dorés, dansaient sur les murs, le plafond.

Le craquement sec des bûches qui se consumaient peuplait le silence. Je m'étais assise sur un tabouret bas près de grand-père, la tête sur ses genoux et je faillis m'endormir. Ce fut grand-père qui, à mon grand regret, m'arracha à cette torpeur.

— Tu étais plus gracieuse avec Maëlle ce soir, non ?

— Ce n'est pas pour autant que mon opinion sur elle a changé.

La chaleur diffusée par le feu me procurait un bien-être intense. Aucun bruit extérieur ne venait agresser ce moment de quiétude que je vivais comme un ressourcement.

— Grand-père, que dirais-tu si Yves épousait Maëlle ?

— Yves est majeur et libre d'épouser qui il veut.

— Mais, entre nous, serais-tu heureux si ce mariage se concrétisait ?

— S'ils s'aiment !

— Grand-père ! Réponds sans tricher.

Grand-père tira de sa pipe une longue bouffée, puis convint.

— Je serais sûrement moins heureux que si Yves épousait…

— Marie-Anne par exemple, lui soufflai-je.

Mon aïeul m'adressa un clin d'œil complice et répéta docilement :

— Marie-Anne, par exemple.

Je jubilai.

— Figure-toi que tes vœux pourraient bientôt être comblés.

Grand-père hésita à interpréter mes propos.

— Ce qui signifie ?

— Ben…

Je fus submergée par une de ces pudeurs incontrôlables qui montaient en moi dès que j'abordais des sujets délicats. Je suspectais soudain mon imagination trop riche d'avoir élaboré un scénario que la logique implacable de grand-père réduirait en une fraction de seconde à néant. Je devais en finir cependant, car sinon le courage me manquerait et grand-père, selon son habitude, ne lèverait pas le petit doigt pour me tirer d'embarras.

— Marie-Anne est enceinte.

La nouvelle était de taille et pourtant grand-père ne broncha pas. J'étais vexée que ma déclaration n'eût pas sur lui plus d'effet.

— Ça n'a pas l'air de te surprendre.

— Détrompe-toi. Je suis surtout peiné pour cette petite… Qui est le père ?

— Si je te disais Yves ?

— Yves ! Ce sont de graves accusations que tu portes là.

— Présomptions, grand-père. Pas accusations. Mais tout concorde.

Je lui racontai le cheminement qui m'avait conduite à cette conclusion. Quand j'eus terminé mon exposé, grand-père exhala un long soupir. Il ne semblait pas convaincu.

— Es-tu certaine…

— Que Marie-Anne soit enceinte ? Oui.

— Admettons. Pour le reste…

— Reconnais qu'à son retour du service militaire, Yves et Marie-Anne étaient très proches. Cela n'a peut-être pas duré longtemps, mais la grossesse de Marie-Anne daterait bien de cette époque.

— Pourquoi dans ce cas, Yves...

— Fait celui qui ne sait rien ? Peut-être parce qu'il ne sait rien, que Marie-Anne lui a caché son état. Et comme actuellement il ne jure que par Maëlle, la Terre pourrait s'écrouler qu'il ne s'en apercevrait pas...

Grand-père ne voulait pas agir dans la précipitation. Il obtint de moi que je patiente jusqu'à ce que Marie-Anne délivrât son secret. J'avais une pratique suffisante de la manière dont fonctionnait mon amie pour augurer qu'elle préférerait se taire plutôt que de contraindre Yves, amoureux d'une autre femme, à confesser sa faute (*leur* faute) et à l'épouser. J'essayai d'amener grand-père à partager mon point de vue. En vain. Il me fit même promettre de ne pas intervenir dans les tribulations amoureuses de mon frère. Devant mon air contrarié, il m'assura néanmoins qu'il se pencherait sur le problème pour voir si des solutions existaient. Moi, qui affectionne l'action immédiate, cette attitude pondérée me chiffonna. Dès lors, pour ne pas sombrer dans une mauvaise humeur chronique, je me focalisai sur l'autre objet de mes préoccupations.

On me rencontra beaucoup à la bibliothèque et dans les librairies les jours suivants. Je parvins à réunir une petite documentation dans laquelle je me plongeais dès que j'avais une minute. Yves et grand-père m'observaient subrepticement et ce comportement étrange me maintenait dans un grand trouble.

Grand-père fut le premier averti : la mère Soubenn était décédée. Marijanig, qui veillait sur elle depuis le début de sa maladie, avait alerté mon aïeul au petit matin. Elle fut enterrée sans grande pompe, dans un recoin du cimetière, là où reposent les morts dépourvus de famille. Grand-père ainsi que ceux qui accompagnèrent l'humble cercueil témoignèrent d'une sincère affliction, car avec la mère Soubenn c'était un membre sympathique et légendaire de notre communauté qui disparaissait. Un mot du chat. Lorsqu'au retour de l'enterrement une voisine charitable s'en inquiéta, il avait fugué. On le vit souvent rôder par la suite du côté du cimetière et on murmura que la mère Soubenn s'était réincarnée en lui.

Grand-père n'ayant émis aucun avis défavorable sur ma sortie, je me rendis ce soir-là à la leçon de breton, habitée par une appréhension mal définie. Yves était assis un peu en retrait de moi et le poids de son regard pesait sur mes épaules.

… Le prof nous relata alors avec d'infinies précautions (thème encore apparemment sensible !), un épisode de l'histoire de la Bretagne, ignoré des personnes présentes (sauf d'Yves peut-être). J'appris ainsi avec effarement qu'à partir de 1898, notre région avait engendré différents mouvements, qu'ils fussent régionalistes, autonomistes ou nationalistes. En réalité, je me perdis dans toutes ces appellations. Mon cerveau ne mémorisa qu'une info : le PNB, Parti nationaliste breton, avait collaboré avec les nazis durant la guerre. Par contre, je n'avais pas retenu la raison exacte. Était-ce parce qu'en 1940, Hitler s'était prononcé pour un État breton, ce qui correspondait à l'idéologie du parti ?

Le prof décrivit ensuite la période de répression qui sévit dès l'été 1944. À ce stade du cours, je me tenais prudemment sur la défensive. Cela m'avait choquée de savoir que des compatriotes avaient pactisé avec l'occupant en temps de guerre, mais je ne voulais pas me livrer à des critiques inopportunes sur des faits que je découvrais.

Ce n'est qu'au moment où le prof entra dans les détails de cette répression, précisant que les autorités de l'époque avaient encouragé, par voie de presse, les dénonciations de nationalistes (ou plus largement de tous ceux soupçonnés d'intelligence avec l'ennemi, mais moi je n'entendis que « nationalistes »), que quelque chose se déclencha en moi. Le pouvoir d'évocation des mots ! Je me représentai aussitôt la chasse à l'homme cautionnée par cette quasi-incitation à la haine et il n'en fallut pas plus pour que ma réserve s'évanouît.

Le prof poursuivait son état des lieux :

— Lorsqu'il n'y avait pas de coupables, pas de preuves, on en fabriquait. Les dénonciations pleuvaient. Les jurys communistes formés pour juger ce genre d'affaires eurent pour recommandation de juger avec haine. Pour ces tribunaux, toute plainte était fondée même s'il s'agissait d'une dénonciation calomnieuse. Les confrontations demandées par les accusés étaient refusées, surtout si elles pouvaient nuire à l'accusation. À l'accusé de prouver son innocence si on lui en laissait la faculté et s'il avait la volonté de se défendre. Les procès étaient rapportés dans la presse, devenue départementale, avec des commentaires perfides destinés à discréditer les nationalistes dans l'opinion. C'est ainsi que la foule se rassemblait à la porte des lieux d'internement pour crier haro sur les militants qu'on déchargeait des camions. Les épouses des inculpés ne furent pas épargnées.

Injuriées, méprisées, elles expérimentèrent, elles aussi, les heures sombres de l'opprobre[1].

Je me tournai vers Yves, complètement désemparée. Quelle était la part de vérité dans les paroles du prof et celle qui relevait d'une appréciation personnelle ? Difficile pourtant en l'écoutant, de ne pas ressentir envers les nationalistes, pitié et indulgence.

— J'ai connu un de ces hommes, confia le professeur. C'était un de mes étudiants et ce qui lui est arrivé, corrobore parfaitement mes dires. Une arrestation sur dénonciation, un procès émaillé de témoignages contestables et, par la suite, une épouse harcelée, persécutée par une population impitoyable qui l'accula au suicide. Comment donc s'appelait-il ? Il était originaire de l'île, au large de cette ville… Ah ! Son nom m'échappe.

— Son nom importe peu ! s'écria Yves avec vivacité. Le passé est ce qu'il est. Seul l'avenir nous intéresse. Nous pouvons être fiers d'être Bretons et œuvrer pour la pérennité de notre culture sans sombrer dans l'excès du nationalisme ou le ridicule d'un folklore de mauvais goût. Moi j'ai envie d'une Bretagne vivante, dynamique, capable de fournir à ses jeunes les emplois qu'ils réclament et ce grâce à une vraie politique de développement du territoire.

Le professeur eut un sourire qui exprimait à la fois son amusement devant la fougue d'Yves et une réelle stupéfaction.

— Mon jeune ami, nous rêvons tous de cette Bretagne prospère à laquelle vous aspirez. Mais il n'est guère facile de bâtir l'avenir sans se référer

1. Voir *Breiz Atao* d'Olivier Mordrel.

au passé, ne serait-ce que pour tirer les leçons de nos erreurs.

Brave Yves ! Malgré tous ses efforts, il n'empêcherait pas la vérité d'éclater. J'avais déjà compris que l'homme cité dans l'exemple du professeur, n'était autre que mon père.

Je m'attendais à cette révélation et pourtant j'étais K. O. J'avais l'impression d'avoir pris un grand coup sur la tête et de ne pas réussir à trancher si ça faisait mal ou pas.

Le sujet du cours, l'intervention d'Yves avaient échauffé les esprits. Garçons et filles s'engageaient dans des discussions exaltées. J. C. flaira le danger de tolérer une politisation des débats et tenta de rétablir le calme.

— S'il vous plaît. Pas de polémique. Je vous signale que tel n'est pas notre objectif.

Je réalisai alors que depuis près d'une semaine, je n'étais plus aussi absorbée par J. C. Les événements récents avaient déplacé mes priorités et éteint mes émotions d'hier.

Après le cours, je m'attardai auprès de notre professeur. J'avais feint de partir pour ne pas éveiller la méfiance d'Yves, puis j'étais revenue sur mes pas.

— Le nationaliste auquel vous faisiez allusion, n'était-ce pas Jean Le Guellec ?

— C'est bien le nom que je cherchais. Pauvre garçon ! On aurait dit qu'il cristallisait sur lui toutes les peurs de ses compatriotes. Dès l'annonce de son arrestation en effet, des tas de témoignages s'amoncelèrent contre lui, le rendant responsable de tous les actes plus ou moins délictueux qui s'étaient produits sur l'île ou le proche continent, les mois précédents :

dénonciations auprès de la Gestapo, disparitions inexpliquées, etc.

Les propos me cinglaient comme autant de soufflets tandis que sourdait en moi une profonde rancœur envers ces îliens (car ce ne pouvait être qu'eux qui avaient ainsi accablé mon père), îliens que je parais jusqu'alors de toutes les qualités : charitables, généreux, solidaires, et voilà qu'ils étaient juste ordinaires, ordinaires dans leurs agissements, ordinaires dans leurs sentiments. Je m'interrogeai. Si même une partie d'entre eux avaient, par couardise ou nécessité, ou défiance, abandonné leurs vertus premières, honnêteté, probité, en ces temps de désordre, pourquoi l'autre partie n'avait-elle pas défendu ou pour le moins ne s'était-elle pas abstenue de charger mon père, un îlien comme eux, élevé à la dure, dans un environnement misérable, au sein d'une nature sans complaisance, qui leur avait pourtant appris l'entraide ? Idéaux balayés par une fin de guerre en forme de règlement de comptes et une répression qui se voulait justicière et qui n'était qu'aveugle.

— Ce fut une drôle d'époque, reprit le professeur. Les accusés devaient s'arranger de la férocité réputée des tribunaux formés pour statuer sur leur sort et ceux arrêtés dans les départements dépendant de Rennes, n'ignoraient pas qu'ils y seraient jugés avec plus de sévérité qu'ailleurs, car le mot d'ordre donné dans cette région était d'écraser à tout prix le mouvement breton.

— Que reprochait-on à ce nationaliste ?

— Et que pouvait-on reprocher aux nationalistes d'après vous ?

La question, posée sur un ton désabusé, me prit au dépourvu.

— Je ne sais pas.

— Vous ne savez pas ! Quoi d'autre, à part des actes de collaboration !

— Mais si j'ai bien suivi votre argumentaire, ces actes résultaient d'un engagement politique ?

— En principe, oui. Les nationalistes furent pourtant traités comme des criminels de droit commun. Votre curiosité a-t-elle un fondement, mon enfant ?

— Je suis sa fille… la fille de Jean Le Guellec.

— Cette petite fille née quelques jours avant son arrestation ?

— Cette petite fille-là ! Dites-m'en plus, je vous en prie ?

— Vous avez de la famille ?

— Mon grand-père et mon frère.

— Votre grand-père est le plus qualifié pour vous informer, ne croyez-vous pas ?

— Il est âgé et n'a déjà que trop souffert. Je ne tiens pas à raviver son chagrin.

— Alors, il ne vous reste plus, malheureusement, que les archives des journaux et ça, je vous le déconseille fortement.

— Pourquoi ?

— Parce que je doute de leur neutralité (ils se faisaient les propagateurs des campagnes de diffamation ayant pour but de soulever l'opinion publique contre les nationalistes bretons), parce que je doute de l'impartialité des jurys (ils étaient constitués par au moins deux membres de la résistance, ce qui en faisait des jurys « de passion et non de justice[1] »), parce que je doute de la fiabilité des témoignages (on

1. Voir *Breiz Atao* d'Olivier Mordrel.

ne peut appeler à la délation et croire que les témoins vont se montrer sincères), parce que… oubliez mon enfant, c'est le mieux pour vous. Oubliez.

J'étais au bord des larmes, bouleversée, brisée, terrassée. Finalement Yves avait raison en prédisant que je n'étais pas mûre pour affronter la réalité. C'était comme un mal étrange qui m'envahissait, me dévorait, mal étrange nommé haine, une haine immense, survenant par vagues successives, de plus en plus gigantesques, de plus en plus monstrueuses, balayant tout ce qui avait fait mon vécu antérieur, mon enfance sucrée, ma candeur, ma foi en ce monde. Et haine envers qui, envers quoi ? Envers le lâche qui avait dénoncé mon père, les membres du jury qui l'avaient condamné au peloton d'exécution ou ceux qui avaient poussé ma mère au suicide ?

Oublier ! Facile à dire quand vous n'êtes pas concerné, moins facile à mettre en pratique quand le malheur vient à peine de vous frapper.

12

Une douce chaleur régnait dans la cuisine où nous étions sur le point d'achever notre repas par une énorme part de far, arrosée d'un cidre brut que grand-père avait été chercher à la cave. Le dîner s'était déroulé dans un silence solennel. Yves, qui n'arrêtait pas de me lancer des coups d'œil en coin, finit par s'enquérir.

— As-tu des projets pour demain ?

— Demain ? Non. C'est jeudi, je n'ai pas cours.

— Cela te plairait de visiter la ferme ?

— Pourquoi pas. Et j'y vais comment ?

La ferme se situait à environ vingt kilomètres de la ville. Pour effectuer le parcours journalier, Yves avait acheté une vieille 2CV dont la mise en route quotidienne tenait du miracle.

— J'ai demandé à Maëlle et à son père de t'emmener.

— Ah ! non. Pas eux.

J'étais furieuse qu'Yves eût décidé de mes loisirs en concertation avec Maëlle et, par contrecoup, la promenade ne m'emballait plus.

— Tu aurais pu me consulter auparavant. Je déteste Maëlle.

Étaler aussi ouvertement mon inimitié pour ma camarade de classe n'était pas une démarche des plus stratégiques. Mon frère en fut vexé et probablement blessé.

Grand-père, constatant que mon entêtement allait, une fois de plus, me priver d'un moment convivial, s'interposa.

— Marine, ne sois pas bornée et accepte cette sortie si elle te fait plaisir.

Je maugréai.

— D'accord. Mais je prendrai ma bicyclette.

Le lendemain, Yves ayant omis, volontairement ou non je ne me prononcerais pas là-dessus, d'avertir Maëlle du changement de programme, celle-ci vint sonner à notre porte.

— Tu es prête ? Mon père nous attend.

— Yves ne t'a rien dit ? Je ne pars pas avec vous.

Je vis Maëlle partagée entre l'envie de m'insulter et celle de me gifler, pour finalement tourner les talons et rejoindre son père. Ils échangèrent quelques mots et le regard narquois du docteur Jaouenn obliqua vers moi. Il devait croire que je le fuyais. « Croyez ce que vous voulez, cher monsieur, je m'en moque. »

J'enfourchai ma bicyclette et lorsque je parvins à destination, le docteur Jaouenn patientait dans la cour de la ferme, seul, adossé à la portière de sa voiture.

— Vous arrivez bien tard. Nous avons déjà fait le tour des installations.

— Désolée.

— Êtes-vous disposée à une séance de rattrapage ?

— Je m'en charge. Merci, Jean.

Jean ! Je découvrais le prénom du docteur Jaouenn pour la première fois et, coïncidence, c'était le même que celui de mon père. Désormais je ne pourrais plus songer à l'un sans évoquer l'autre et loin de m'en amuser, c'était un argument supplémentaire pour nourrir mes griefs contre lui.

L'homme qui avait écarté pour moi l'offre du docteur, était un vieillard d'une grande prestance, avec un visage aussi raviné qu'un champ fraîchement labouré.

— Marine ? Ainsi vous êtes la petite sœur d'Yves. Vous savez que votre frère est un garçon bourré de qualités. Je me félicite chaque jour davantage que mon jeune fils me l'ait présenté.

Malgré les différends qui m'opposaient à Yves depuis quelque temps, je me réjouis qu'il fût ainsi célébré.

Je fus séduite par la visite du manège. Il s'en dégageait une ambiance authentique et bon enfant et j'imaginais déjà son succès auprès des jeunes. Monsieur Jaouenn avait également approuvé l'idée d'Yves de créer une sorte de club et, pour cela, avait transformé le rez-de-chaussée du bâtiment principal de la ferme en une salle intime, propice aux soirées entre amis. Le décorateur avait conservé au plafond les poutres apparentes, les murs en pierre, l'imposante cheminée. Des tables et des bancs en bois massif, récupérés sur place et dans les fermes de la région, composaient le mobilier. Aucun luxe. Une sobriété pas trop rigoureuse. En d'autres termes, un endroit chaleureux où les cavaliers pourraient se réunir après une bonne chevauchée.

— Qu'en dites-vous ?
— C'est superbe, affirmai-je.

— Alors considérez cette maison comme la vôtre. Vous y serez toujours la bienvenue.

Je remerciai M. Jaouenn, émue par tant de gentillesse que rien pourtant ne motivait. La bonté gratuite n'étant pas la qualité primordiale de mes concitoyens, une telle débauche d'amabilité avait de quoi étonner.

— Avez-vous déjà pratiqué l'équitation ?

J'admis que mon éducation comportait quelques lacunes, dont celle-là.

— Si vous êtes intéressée, Yves vous servira de professeur. Vous a-t-il dit qu'il partait bientôt en stage ? Étape imposée avant de passer son monitorat.

Je tombais des nues.

— Non. Mais je suppose qu'il a prévenu mon grand-père.

La perspective du départ d'Yves, paradoxalement, me remplit d'aise. J'espérais en effet que Maëlle mettrait à profit l'absence de mon frère pour le remplacer en tant que chevalier servant. Pourquoi Yves, de son côté, ne l'oublierait-il pas ? Mais cette dernière éventualité relevait de l'utopie. Comment un homme amoureux pourrait-il avoir ne serait-ce qu'un soupçon de jugeote ?

Nous fûmes tous conviés à déjeuner. Maëlle, qui aurait dû seconder son grand-père dans la confection du repas, se cala dans un fauteuil, indifférente à ce qui l'entourait, confirmant ainsi son peu d'attrait pour les tâches ménagères. Je proposai donc mon aide à monsieur Jaouenn, plus d'ailleurs pour éviter la proximité de son fils que pour me substituer à une Maëlle défaillante.

À nous deux, nous confectionnâmes rapidement un repas frugal à base d'œufs du poulailler, de salade et fruits du jardin. Je dressai la table, sous l'œil dédaigneux de ma camarade de classe, puis entrepris d'interrompre le débat enflammé (quel en était l'objet ?), qui divisait Yves et le docteur dans un coin du salon.

Au cours du déjeuner, les hommes surtout eurent la parole. Je me contentai d'écouter tout en observant Maëlle à la dérobée. Manifestement elle s'ennuyait et devenait de plus en plus irascible au fur et à mesure que la journée s'avançait. Parfois Yves quémandait son avis. Il obtenait des réponses brèves, cassantes. Je jubilais. Le vernis de distinction de la demoiselle se craquelait.

— Du café ? suggéra monsieur Jaouenn à la fin du repas.

— Je voudrais rentrer, coupa Maëlle avec un manque de tact assumé.

— Tu as un rendez-vous ? interrogea le docteur sèchement.

— Non... mais tu peux rester. Moi je rentre, s'obstina-t-elle.

— Et comment ? Avec la bicyclette de ton amie ? « Amie, amie ! Comme il y allait. Quant à prêter ma bicyclette, pas question ! »

Yves adressa une requête muette à monsieur Jaouenn qui acquiesça d'un mouvement de la tête.

— Je vais te raccompagner, dit-il.

Maëlle embrassa du bout des lèvres son grand-père, me gratifia d'un « à demain » condescendant et déversa sur Yves son trop-plein de bile.

— Ne te crois pas obligé de me ramener.

Les causes de sa mauvaise humeur ne m'apparaissaient pas clairement. Était-elle jalouse que son aïeul eût l'air de m'apprécier ? Était-ce là sa vraie nature ?

Y avait-il autre chose qui m'avait échappé ? Quoi qu'il en fût, Yves était en bonne voie pour subir son courroux durant tout le trajet. Je priai pour qu'elle se montrât franchement odieuse, ainsi mon frère n'aurait plus d'illusions sur les mérites de cette pimbêche.

Après le départ d'Yves, monsieur Jaouenn se rendit aux écuries, me laissant avec son fils.

— Parlez-moi de vous, jeune fille, m'exhorta-t-il.

— Vous, parlez-moi de vous.

Répétition intentionnelle du dialogue de notre première rencontre. Le docteur Jaouenn éclata de rire. Après quelques secondes d'hésitation, je l'imitai.

— Le lycée ?

— Ça va.

— Vous comptez suivre quelle filière après le bac ?

— Aucune idée. Prendre la suite de mon grand-père à l'église !

Le docteur Jaouenn, un instant décontenancé, réalisa que je plaisantais, se remit à rire.

— Vous êtes décidément surprenante.

S'il savait quels efforts étaient les miens, pour me distinguer par des répliques ni trop ineptes ni trop infantiles, peut-être me trouverait-il courageuse, orgueilleuse, mais surtout pas surprenante. À moins que, perspicace quant à la peur qu'il m'inspirait, il n'eût estimé « surprenante » ma façon d'y faire face.

Yves revint de sa petite virée complètement à cran (mes prières avaient été exaucées) et je préférai m'éclipser.

— L'inauguration du manège est prévue le dimanche de Pâques, m'annonça monsieur Jaouenn. Il y aura une petite fête. Vous y êtes cordialement invitée. Yves vous le rappellera en temps voulu.

— Merci… Au revoir, docteur.

— Au revoir, Marine.

Il s'approcha pour me serrer la main.

— Il faudra bien qu'un jour vous acceptiez de me parler de vous, murmura-t-il.

— Dommage que vous ne soyez pas votre frère, je me serais confessée, ironisai-je.

Grand-père, s'il m'entendait, se demanderait avec effarement quelle Marine était en train d'émerger des cendres de l'ancienne ado. Je ne me reconnaissais plus. Était-ce la crainte des sentiments obscurs que Jean Jaouenn soulevait en moi, qui me poussait à m'abriter derrière un personnage qui ne correspondait pas à ce que j'étais réellement ? Un peu comme sa fille finalement. Je n'essayais même pas d'être spirituelle (ce n'était pas un domaine où j'excellais) pour le faire rire, contrairement à ce qui s'était produit, je voulais juste me protéger.

Marie-Anne avait enfin informé ses parents de son état. Pour eux le coup fut terrible, surtout que mon amie, malgré leurs supplications, refusa de livrer le nom de son partenaire. Menaces, larmes, rien n'y fit. Ses parents n'eurent alors d'autre choix que de la retirer de l'école pour la soustraire aux sarcasmes de ses camarades et de la confier jusqu'à la naissance à une tante qui habitait un hameau à l'intérieur des terres.

Avant son « exil », je me risquai à vaincre ses réticences.

— Je t'en prie. Tu dois révéler le nom du père de ton enfant. Pour J. C. d'abord. Il ne mérite pas ce qui lui arrive. C'est quelqu'un de bien.

— Je suis navrée pour J. C. mais il est fort, il s'en

sortira. Par contre, si je divulgue l'identité de celui qui m'a mise enceinte, c'est lui que l'on blâmera. Les gens diront qu'il a profité de moi parce que chacun sait que je ne suis pas une « coureuse » et plus aucune fille honnête ne voudra de lui. Pourquoi lui gâcher la vie ? D'autant que je suis aussi coupable. Et sa famille ? Y as-tu pensé ?

J'étais totalement hermétique à sa logique. Il n'y avait que Marie-Anne pour avancer de pareils arguments. N'importe qui à sa place aurait sommé le garçon d'endosser ses responsabilités, quitte à chercher une solution auprès des parents s'il se dérobait, mais pas Marie-Anne. Marie-Anne jouait à fond la carte de la générosité : « Je m'efface pour le bonheur de l'autre », chipotait : « Le pauvre ! je ne vais pas bousiller son avenir pour une faute commise à deux ». Cette grandeur d'âme, c'était trop ! J'avais envie de la cogner !

— C'est quoi ce cinéma que tu nous fais ? Informe le père et mariez-vous, tout simplement.

— Se marier par devoir ? Cela ne marcherait pas. Nous serions deux à le regretter. Non, je préfère la solitude à cette souffrance permanente de vivre auprès de quelqu'un qui ne m'aimerait pas.

— Qu'est-ce qui prouve qu'il ne t'aime pas ?

Marie-Anne était consternée de voir avec quel acharnement je démolissais la moindre de ses allégations.

— Aujourd'hui il ne t'aime pas, mais demain ? insistai-je. Si demain il t'aimait ?

— Et si, et si… Et si les miracles existaient !

— Ils existeraient si tu bousculais un peu le destin. Mais Marie-Anne s'accrochait sans déroger à sa ligne de conduite. J'étais aussi en colère *contre* elle que triste *pour* elle, surtout triste de mon impuissance à atténuer son immense désarroi.

— Dis-moi au moins si c'est Yves ?

— Ça te servirait à quoi d'avoir un nom ?

Je voulais savoir : Yves ou pas Yves. C'était ainsi. Je ne me l'expliquais pas.

La ville entière n'eut bientôt plus qu'un même sujet de conversation, la grossesse de Marie-Anne et le phénomène atteignit des sommets quand les gens s'avisèrent de désigner le fautif : J. C. Certains avaient même des velléités d'en référer à l'évêché afin que notre abbé fût chassé de la paroisse. Il s'était consacré à notre communauté pendant cinq ans, sans jamais ménager sa peine, et tout ça pour quoi ? J'étais écœurée par tant de cruauté. Ma détermination de fuir un jour ce village dont les habitants s'avéraient si méprisables se renforça de plus belle.

Et J. C. ! Il poursuivait sa route, toujours aussi serein, opposant à la campagne de dénigrement menée contre lui, une dignité exemplaire. Son attitude à elle seule aurait dû suffire à faire taire les ragots et pourtant ceux-ci ne cessaient d'enfler. Je n'avais aucun écho de ce qu'il endurait, Maëlle, qui à la rigueur aurait pu me renseigner, ne venant plus à la maison depuis qu'Yves était en stage. Je me morfondis donc dans la perspective du prochain cours de breton. J. C. était là, imperturbable, supportant sans ciller le regard curieux des jeunes. J'étais remplie d'admiration à son égard. Plus que cela même, une tendresse insolite et inconvenante m'envahissait lorsque mes yeux se posaient sur lui.

Nous attaquions ce soir-là le premier cours de

langue bretonne puisque les précédents avaient été consacrés à l'histoire de notre pays. Maëlle brillait par son absence. Mon frère au loin, elle se pavanait en compagnie d'un jeune homme d'allure très sportive qui n'était autre que le fils de la veuve que j'avais vue une nuit sortir de la maison du docteur. Je me délectais sans pudeur de cette bluette inattendue. Yves, par contre, s'alarmait de n'avoir aucune nouvelle de Maëlle et dans un courrier que nous reçûmes, il me chargea d'obtenir auprès d'elle quelques explications. Je m'en abstins, bien évidemment.

En revenant tranquillement vers la maison après le cours de breton, J. C. qui marchait à longues enjambées me rattrapa et nous cheminâmes de concert.

— Dis-moi Marine. Es-tu très occupée en ce moment ?

— Avec le bac cette année, assez, oui… Pourquoi ?

— Je projette de repeindre la grande salle du patronage. J'embauche tous ceux qui voudront m'aider.

— Vous rigolez ? C'est un boulot de titan. Engagez plutôt des professionnels.

— Pour les payer avec quel argent ? Et puis si nous exécutons le travail par nous-mêmes, ce sera l'occasion de mettre notre créativité à l'épreuve. Un résultat à la hauteur de nos aspirations contre un peu de sueur, n'est-ce pas là un bon plan !

Ce prêtre était un authentique don du ciel et aucun d'entre nous dans le village, que ce fût par ses vertus ou sa foi exemplaire, ne méritait un tel cadeau. Je voulus lui ouvrir les yeux, à ma manière, brutale.

— Vous vous dévouez à des gens qui vous salissent, vous en êtes conscient au moins ? Si j'étais vous, je les laisserais croupir dans leur crasse ! Ils n'arrêteront pas leurs commérages même si vous continuez à leur dispenser le meilleur de vous-même.

— Marine, un peu d'humanité ! La vie de la plupart de nos concitoyens n'a rien d'un conte de fées. Être femme, fille ou sœur de marin, trembler pour les siens en permanence, ne prédispose pas à l'indulgence. Quant aux pêcheurs, que leur envier ? Leur rude métier, souvent accompli dans des conditions extrêmes ? Ils sont endurcis, sans pitié pour eux comme pour les autres. Ce n'est pas de leur faute. À nous de les comprendre et surtout de ne pas les juger.

« D'autant que ce ne sont pas nécessairement ceux-là qui vous calomnient ! »

Je visais, moi, la population la plus hypocrite, la plus féroce, qui fût : celle des bourgeois puritains.

En tout cas, pas d'erreur. J. C. était plus un prêtre qu'un homme. Pour s'exprimer comme il l'avait fait, il fallait qu'il eût en lui une compassion pour autrui, un désir de tout pardonner qui trahissaient une belle âme, belle et rare. Cette découverte suscita en moi la volonté de le soutenir par tous les moyens, en me déguisant en peintre au besoin.

— Bon, c'est oui pour la salle du patro. Quand commençons-nous ?

— J'ai déjà commencé !

Dans les jours qui succédèrent, fleurirent sur les murs des bâtiments publics de notre village, des inscriptions telles que « la Bretagne aux Bretons », « Breiz Atao » ou encore « vive la Bretagne indépendante ».

J'étais ravie parce que le scandale provoqué par ces graffitis eut pour conséquences de rejeter dans l'ombre ceux qui, hier encore, étaient les proies de la vindicte générale, à savoir J. C. et Marie-Anne. Il n'était désormais plus question que de la renaissance du mouvement nationaliste breton. Comme de juste la population était très partagée. Si les anciens, meurtris par la répression barbare de l'après-guerre, ne cachaient pas leur hostilité, les jeunes de ma génération, par esprit de révolte contre l'ordre établi, par patriotisme d'autant plus forcené que soudainement révélé, ne s'étaient jamais sentis aussi Bretons.

— Vous n'avez pas peur que la municipalité interdise le cours de breton ?

J'avais tenu ma promesse de participer à la rénovation de la salle du patronage et concédais à cette activité des bribes de mon temps, le soir après l'école.

— Pour quelle raison l'interdirait-elle ?

Juché sur une échelle, J. C. avait revêtu une longue blouse grise et s'était coiffé d'un chapeau en papier journal.

— Le maire n'apprécie pas beaucoup vos initiatives. Vous verrez qu'il utilisera l'incident pour frapper un grand coup.

— Ne sois pas de mauvais augure. Le maire a ses opinions mais c'est un homme intelligent... Qu'en dis-tu ?

Il m'indiquait un des murs « titanesques » dont la restauration m'avait tant effrayée. J. C. avait peint la teinte de base, d'un bleu émeraude, de la couleur d'une mer en été et moi, par là-dessus, j'avais dessiné en camaïeu des arabesques du plus bel effet.

— J'en dis que c'est un chef-d'œuvre et que nous sommes doués.

J. C. sourit et je retrouvais ce sourire franc qui faisait tout son charme.

La nuit suivante, nous fûmes réveillés par une forte explosion qui ébranla jusqu'aux fondations de la maison. Je me levai en hâte. Grand-père était déjà dans l'escalier.

— Qu'y a-t-il ? m'inquiétai-je.

Nous nous ruâmes dans le jardin pour tenter d'en savoir plus. L'horizon s'enflammait des lueurs rougeâtres d'un incendie et bientôt retentit, en échos macabres dans la profondeur de la nuit, l'avertisseur sonore des voitures de pompiers. Toute la rue était en effervescence. Les gens aux fenêtres, sur le seuil des maisons, s'interpellaient. Mais la réponse à nos interrogations ne nous fut apportée que le lendemain matin. Ce fut grand-père en rentrant de la messe qui m'apprit ce qui s'était passé la veille.

— La perception a été plastiquée. La police vient d'appréhender monsieur l'abbé Jaouenn.

— L'abbé Jaouenn !

Pourquoi mêler J. C. à ça ? Je m'habillai précipitamment et avant d'aller à l'école, je fis un crochet par le presbytère. Tante Soaz, effondrée, pleurait à chaudes larmes dans sa cuisine.

— Oh ! Marine. C'est épouvantable. Ils ont arrêté monsieur l'abbé.

— Oui, mais pour quel motif ?

— Ils ont prétendu que c'était lui qui avait incité les jeunes à tous ces débordements et que son cours de breton n'était qu'un prétexte.

— C'est débile ! Et ils s'apercevront vite de leur erreur.

Tante Soaz essuya ses larmes avec un pan de son tablier.

— Tu crois ? Quelle misère tout de même ! Notre abbé, si honnête, si bon.

Tablant sur la bienveillance de grand-père pour couvrir mon escapade, je revins à la maison chercher mon vélo et rejoignis la ferme des Jaouenn. Le vieux fermier était déjà au courant de l'arrestation de J. C. par un appel de monsieur le curé.

— Marine, tu tombes à merveille. Je suis bloqué ici à cause d'une livraison que j'attends. Je te confie le soin de la réceptionner à ma place. J'ai préparé et signé un chèque pour le paiement. Tu n'auras plus qu'à y inscrire le montant exact de la facture. Le chèque est sur mon bureau, la pièce au bout du couloir. Pendant ce temps, j'irais au commissariat recueillir des informations.

Aussitôt seule, j'examinai la situation. Les probabilités que la police relâchât J. C. étaient grandes. Je n'avais pas de compétences en droit, mais je ne voyais pas ce qui pouvait être retenu contre lui. Par contre, je craignais que le maire ne réclamât la fermeture du cours de breton, arguant par exemple qu'il troublait l'ordre public.

— Il y a quelqu'un ?

Je sursautai. Un homme se tenait à l'entrée de la grande salle. C'était le livreur. Une fois ses colis déchargés, il me suivit dans le bureau de monsieur Jaouenn où je lui remis le chèque. Après quoi, désœuvrée et un brin fureteuse, j'inspectai la pièce. Il y avait partout, affichées aux murs, dans des cadres sur les meubles, des photographies jaunies : clichés classiques de premiers communiants, de mariés, de jeux de plage. Sur toutes les photos, le docteur se montrait conquérant tandis que J. C., en retrait, fixait l'objectif comme en s'excusant d'être présent.

Après un tour du bureau, je me postai à nouveau devant un petit instantané qui, tout à l'heure, avait attiré mon attention. La photo avait été prise sur une plage du littoral. À droite, J. C. et à côté, deux adolescents, souriants, complices. L'un des deux était le docteur, l'autre…

Une sensation bizarre naissait en moi. Je réalisais tout à coup que la Terre tournait depuis longtemps et qu'avant moi, il y avait eu d'autres générations qui avaient vécu, aimé, souffert et que de la vie de ces autres personnes avait découlé ma propre vie qui était ce qu'elle était parce que ces mêmes personnes l'avaient modelée de leur sueur, de leur sang, de leur malheur. Il résultait de ma réflexion un état singulier, comme un malaise et qui me glaçait.

Au retour de monsieur Jaouenn, je ne lui laissai aucun répit avant de l'apostropher.

— Alors ?

Il avait vieilli de dix ans depuis le matin. Sa pâleur et ses traits creusés accentuaient les rides de son visage.

— Ça va. Ils l'ont simplement auditionné. Les policiers sont parvenus à la conclusion que ce sont des amateurs qui ont perpétré l'attentat contre la perception. La bombe rudimentaire employée en est la preuve. Ils voulaient donc savoir si parmi les jeunes qui fréquentent le cours de breton, mon fils n'avait pas repéré des éléments plus exaltés que d'autres.

— Et pour le cours, quelle sanction ?

— Il sera vraisemblablement suspendu !

Pauvre J. C. Je ne me figurais pas en me rendant ce soir-là au patronage, qu'il y serait déjà, avec sa triste blouse grise. Vaillant et fier !

— *Nozvad Marine. Diwar-lerh emaout*[1] *!*

— *Ya. Va digareziou deoh*[2].

Il ne paraissait pas spécialement affecté par son aventure. À moins qu'il ne s'appliquât, au prix d'un courage incroyable, à dissimuler ses émotions. Tout d'abord, je me concentrai sur mon ouvrage.

— Avez-vous connu mon père ? demandai-je enfin à J. C. au terme d'un silence d'une telle densité qu'on aurait pu en palper la consistance.

Son étonnement, à mon avis, ne fut pas feint.

— Ton père ? Non.

— Pourtant dans le bureau de votre père, il y a une photo du mien entre vous et votre frère.

Il ne situait toujours pas le cliché auquel je me référais et je dus lui fournir des précisions. Les traits de J. C. s'illuminèrent.

— Jean, Jean Le Guellec ! Pourquoi n'ai-je pas songé à rapprocher vos deux noms. Ainsi c'était ton père !

Il me raconta comment son frère aîné, en pension dans un lycée d'une grande ville voisine, avait noué des relations amicales avec un autre pensionnaire. La famille de ce dernier habitant l'île dont les communications avec le continent étaient à l'époque assez précaires, le jeune garçon ne quittait que rarement l'internat. Jean Jaouenn proposa donc un jour à son ami de séjourner un dimanche à la ferme. La réserve

1. Bonsoir. Tu es en retard !
2. Oui. Excusez-moi.

et la politesse du jeune garçon conquirent tout le monde et lui valurent d'être réinvité chaque fin de semaine.

— Il avait le même prénom que mon frère, dit J. C. et c'était sans cesse une source de confusion. Nous le baptisâmes alors de son prénom traduit en breton, Yann, pour sa plus grande satisfaction car il était très attaché à sa région.

— Vous savez naturellement de quelle façon il est mort ?

J. C. répondit légèrement embarrassé.

— Les procès des nationalistes ont suffisamment défrayé la chronique pour que j'en aie eu vent... Tu peux t'arrêter Marine. Nous continuerons demain.

— Quel effet cela vous fait-il que je sois la fille d'un homme fusillé pour traîtrise envers son pays en temps de guerre ?

— C'est de l'enfantillage de croire que tout ceci a encore une quelconque importance de nos jours. Et puis, quels que soient les actes commis par ton père, tu n'y es pour rien.

— De l'enfantillage aussi de vouloir confondre celui qui l'a dénoncé ?

Je me reportais aux déclarations du prof de breton.

— Celui qui l'a dénoncé ? reprit J. C. surpris. J'ignorais ce détail... Je n'ai aucun conseil à te donner, Marine, mais ne serait-il pas plus sain d'oublier ?

Discours déjà entendu ! Inutile d'épiloguer. J. C. n'admettrait pas que ce qui était pour lui de l'histoire ancienne conservait à mes yeux une actualité brûlante.

Je refermai avec soin les pots de peinture, nettoyai les pinceaux pour un usage ultérieur. Une chose cependant m'intriguait.

— Pourquoi n'avez-vous pas reconnu en grand-père, le père de votre ami ?

— Entêtée que tu es ! Je n'avais jamais eu l'opportunité de voir ton grand-père auparavant. Et si ton père venait presque chaque dimanche à la ferme, avec le consentement de sa famille bien sûr, puisqu'il lui fallait une autorisation pour sortir du pensionnat, nous n'avions pas eu avec celle-ci le moindre contact autre qu'épistolaire.

— Et plus tard, au procès par exemple ?

— Je n'assistais pas au procès.

Fin de la discussion. La sécheresse du ton attestait de l'agacement de J. C., bien qu'il ne se fût à aucun moment départi de sa courtoisie.

On avait identifié les auteurs de l'attentat contre la perception. C'étaient deux jeunes têtes brûlées du village qui se revendiquaient de leurs aînés nationalistes. Ils avaient été remis en liberté en attendant de comparaître.

Puis ce fut (sans qu'il y eût de lien) au tour des paysans de se manifester. Ils organisèrent des marches sur les préfectures, se mesurant parfois avec brutalité aux forces de l'ordre.

— Que penses-tu de toute cette agitation, grand-père ?

Nous avions fini de souper et tandis que mon aïeul s'installait dans son fauteuil près de l'âtre, je débarrassai la table. Grand-père entreprit d'essuyer les verres de ses lunettes pour se ménager une pause.

— Que devrais-je en penser selon toi ?

Et voilà ! Une fois de plus, il s'en tirait avec une

pirouette. En d'autres termes, le sujet ne l'inspirait pas et il l'abordait même avec une visible circonspection.

— À toi de me le dire. Par exemple, est-ce que cette violence favorisera la cause de ceux qui la provoquent ?

— La violence, qu'elle soit justifiée ou non, débouche toujours sur de la souffrance. Et en cela, elle est à proscrire.

— Parfois aussi, elle sert à expulser sa propre souffrance, celle que l'on a en soi depuis longtemps, celle que personne n'a daigné partager. La violence, n'est-ce pas le dernier recours pour conjurer les autres de vous écouter ?

Notre conversation était l'entrée en matière idéale pour questionner mon aïeul sur les événements d'il y a seize ans.

J'aurais voulu comprendre par quelle aberration des nationalistes bretons, à l'engagement préalable, je le supposais sincère, avaient été – et au terme de quelles compromissions – fusillés pour des faits de collaboration. J'aurais voulu et je pouvais comprendre. Mais pour cela, j'avais besoin de grand-père, témoin de son temps, de sa lucidité et de sa tolérance, pour me forger une opinion objective.

Malheureusement grand-père n'était pas enclin aux confidences, tout au moins pour ce soir. Et je devais, quoi qu'il m'en coûtât, respecter l'heure qu'il choisirait pour m'initier à nos secrets de famille.

Cette heure n'était pas venue.

13

Je reçus enfin une lettre de Marie-Anne. Depuis des jours, je ne vivais plus que pour cet instant, répugnant à réclamer des nouvelles de mon amie à ses parents dont je n'étais pas certaine que leur colère fût apaisée. C'était une lettre pleine d'un optimisme forcé qui me préoccupa tant que je voulus aller me rendre compte sur place.

Je retins la date du dimanche suivant pour mettre mon projet à exécution et envoyai un courrier à Marie-Anne dans ce sens. J'avais prévenu grand-père que je partirais après la messe, pour parcourir à bicyclette le trajet qui séparait notre village du hameau où demeurait mon amie.

Hélas, le ciel ce dimanche-là ne fut pas de mon côté. Il pleuvait à torrents quand je me levai et aucun signe favorable ne laissait présager une rapide éclaircie. Grand-père, avant de s'acquitter de ses tâches de bedeau, vint s'assurer que je n'avais pas la prétention d'accomplir malgré tout cette promenade.

— Je n'ai aucun moyen d'avertir Marie-Anne de ma défection, protestai-je.

— Elle verra bien qu'il pleut !

— Qui te dit qu'il fait mauvais là où elle est ? S'il te plaît grand-père. À défaut de bicyclette, j'irai à pied. Je suis bonne marcheuse. Et aujourd'hui dimanche, ce serait bien le diable si je ne croisais pas des automobilistes revenant de la messe qui acceptent de m'emmener.

Grand-père s'avoua vaincu. Il convint que les intempéries ne constituaient pas un obstacle suffisant à ma démarche de réconfort auprès de Marie-Anne. Par contre, il ne voulut pas entendre parler de stop et ne m'autorisa la balade qu'à la condition d'y aller à vélo et que le temps s'améliore.

— Couvre-toi, recommanda-t-il. Et surtout sois prudente. Je n'aime pas te savoir seule sur les routes. Et si ce soir il pleut trop, tu restes chez la tante de Marie-Anne. On est d'accord ?

— Grand-père ! Je ne suis plus une gamine.

— Peut-être, grommela grand-père. N'empêche…

N'empêche quoi ? Grand-père garda pour lui la suite de sa remarque. « N'empêche que si, tu es encore une gamine et je dois veiller sur toi, n'empêche que non, tu n'es plus une gamine et je dois encore plus veiller sur toi. »

Je m'habillai chaudement et attendis une éclaircie, comme me l'avait prescrit grand-père. Celle-ci se profila enfin et je me mis en route. À la sortie du village, une voiture me distança. Je reconnus la marque, la couleur. Jean Jaouenn profitait de ce jour de repos pour rendre visite à son père dont la ferme se situait à quelques kilomètres à peine de celle de la tante de Marie-Anne. Il n'avait pas dû me remarquer, noter la présence d'une cycliste sans doute, m'identifier en tant que Marine non, sinon je gage qu'il se serait arrêté. Il n'aurait pas pu s'en dispenser. Il me semblait qu'avait débuté entre nous un jeu aux règles imprécises et je me demandais où cela allait nous conduire.

Après une heure d'efforts, je parvins à un carrefour. Tout droit, c'était la direction de la ferme des Jaouenn, à gauche, la départementale qui menait au domicile provisoire de mon amie. Je fis environ cinq cents mètres sur cette départementale, puis empruntai un chemin de terre dans lequel la pluie avait creusé de nombreux trous et ornières. Je descendis de vélo et continuai à pied. La boue s'agglutinait à mes bottes et je peinais à marcher. Je glissai à plusieurs reprises, me rétablissant de justesse, ce qui n'entama en rien le plaisir que j'avais à retrouver Marie-Anne.

Elle me guettait à travers les vitres d'une des fenêtres qui s'ouvraient sur la façade de l'habitation. Une fermette comme un jouet, en pierres du pays, posée au centre d'une cour pavée, cernée de haies. La cheminée fumait et au milieu de cet univers mouillé, c'était une véritable invitation à la halte. Attenante au bâtiment principal, une étable d'où s'échappaient des bruits d'animaux. Je n'eus pas à m'annoncer car déjà Marie-Anne, rayonnante, s'avançait au-devant de moi.

— J'avais peur que tu ne viennes pas à cause de la pluie.

J'embrassai mon amie, soulagée de la découvrir en si bonne forme.

— Ma tante est impatiente de te rencontrer.

On pénétrait de suite, sans l'intermédiaire de couloir ni d'entrée, dans la salle à manger. Un mobilier sommaire, désuet même. Au centre, une table en bois drapée dans une toile cirée aux couleurs défraîchies avec tout autour des chaises dont le dossier était sculpté de fleurs naïves, un buffet peint dans le ton exact des murs, un lit recouvert de cretonne, imitation toile de Jouy et près de la cheminée où brûlaient quelques bûches, une commode ventrue, hérissée d'une profusion de vieilles photographies.

— Tante Léontine, voici Marine.

Une femme d'une cinquantaine d'années, au corps massif, arborant la coiffe en dentelle emblématique de la région, m'écrasa sur sa poitrine opulente. Son teint rouge et rugueux témoignait d'une vie au grand air et sa voix était rocailleuse, avec un accent très prononcé.

— Enfin te voilà. Ce n'est pas trop tôt. Marie-Anne se languissait de toi.

J'étais bousculée par cet accueil un peu bourru mais Marie-Anne m'envoya une œillade que je traduisis par « ne t'en fais pas. En dépit de ses manières abruptes, son cœur est d'or ».

— Bon, je présume que vous avez envie d'être entre vous et comme c'est l'heure de la messe !… Marie-Anne, n'oublie pas de mettre le poulet à rôtir !

Tante Léontine s'en alla et nous éclatâmes de rire.

— Quelle vitalité ! Est-ce qu'elle porte sa coiffe tous les jours ? Ça ne doit pas être pratique pour travailler !

— Non, uniquement le dimanche. Devine où elle va maintenant ? À la ferme voisine. L'exploitant, qui est aussi son ami, possède une vieille guimbarde. Tante Léontine a décrété que ça faisait plus chic d'arriver au bourg dans cet équipage. Du coup cet ami est contraint d'assister à la messe chaque dimanche. Et le meilleur ! Voilà dix ans qu'elle repousse ses demandes en mariage, alléguant que c'est une décision qui ne se prend pas à la légère.

Nous fûmes à nouveau secouées par un fou rire irrésistible. Lorsque enfin je réussis à me calmer, j'interrogeai Marie-Anne.

— Comment ça va ?

De la tristesse vacilla au fond de ses yeux, qu'elle masqua aussitôt par une grimace qui se voulait sourire.

— Je m'habitue.

À quoi ? À sa grossesse ? À son statut de fille-mère ?

— Au village c'est la routine, sauf pour Yves. Il effectue actuellement un stage d'équitation.

— Ah ! oui ?

— Tu pourrais peut-être lui écrire !

— Crois-tu que ce soit très judicieux ?

Elle n'avait pas tort. N'était-ce pas ainsi qu'avait débuté leur idylle ?

— Que te dire de plus... Tu te souviens de Maëlle, la fille du docteur Jaouenn ? Elle sort avec le fils Gadonna, les Gadonna armateurs. Yves n'est pas au courant. Quand il va l'apprendre !

Marie-Anne, qui manifestement préférait qu'on fît l'impasse sur le sujet, me narra alors par le menu sa journée type. Le matin elle participait aux travaux (certains travaux) de la ferme.

— Il est exclu que je m'occupe des bêtes. Vaches, chevaux, cochons... tu ne peux pas savoir la trouille que j'en ai !

Elle en riait et je riais de la voir rire. Après avoir (pour la tante tout au moins) soigné les bêtes, les deux femmes s'octroyaient un petit déjeuner panta-gruélique : soupe au lard, remplacée parfois par des crêpes, des œufs ou encore d'immenses tartines de gros pain campagnard, agrémentées de beurre salé fabriqué à la ferme même. J'en avais l'eau à la bouche rien que d'entendre Marie-Anne.

À la suite de ce substantiel repas, loin de la tasse de café que j'ingurgitais à la hâte avant d'aller en classe, mon amie étudiait ses cours. Elle s'était inscrite dans une école par correspondance afin de décrocher, si possible, l'été suivant, un diplôme de secrétariat qui lui ouvrirait les portes du monde professionnel.

— Tu comprends, me confia-t-elle, il faudra que je travaille pour élever mon enfant.

Elle disait « mon enfant » avec une petite voix comme si elle avait du mal à réaliser qu'elle, Marie-Anne, la plus terne des jeunes filles de notre village, allait dans quelques mois donner le jour à un petit être qui serait de sa chair, de son sang. De mon sang aussi si Yves en était le père et je prenais brusquement conscience que cet enfant était mon neveu ou ma nièce en devenir. J'en fus très émue et dès lors, je regardai Marie-Anne d'une autre façon. Ce n'était plus mon amie, celle avec qui j'avais grandi, elle faisait *partie* de ma famille, c'est-à-dire que je me devais de la protéger, des ragots et du reste, de l'épauler aussi, durant sa grossesse et après, dans sa recherche de bonheur. En quelque sorte, elle était désormais ma presque sœur. Elle l'était déjà auparavant, mais cela me parut tout à coup plus évident.

— L'après-midi, je me promène. Tante Léontine m'encourage à faire de l'exercice et je m'y soumets de bonne grâce. La campagne ici est si belle, si reposante.

J'aurais volontiers, moi aussi, flâné dans les champs au hasard des chemins forestiers, humant l'odeur de foin chaud quand la terre soupire et craquelle sous le soleil d'été ou les senteurs d'humus frais qui se dégagent de cette même terre quand elle fond aux averses d'automne, tous ces petits plaisirs qui requéraient de les organiser préalablement pour pouvoir en jouir, et qui s'offraient désormais à Marie-Anne dès la porte de la ferme franchie.

— Après ma promenade, je révise encore un peu mes cours puis j'aide tante Léontine à préparer le dîner. Ensuite nous jouons au loto. Le loto c'est la passion de ma tante. Tu paries qu'elle te propose une partie après déjeuner !

— Si nous jouions au loto les filles ?

Le repas s'était déroulé dans une atmosphère agréable. Tante Léontine avait de l'énergie et de la bonne humeur à revendre, et c'était une vraie bénédiction pour Marie-Anne que de s'être soustraite à la morosité de ses parents pour venir se réfugier auprès d'une femme aussi tonique. Au lieu de culpabiliser pour la faute commise, mon amie en faisait désormais une source de joie.

— « Quand le petit sera né », se gargarisait tante Léontine en toute occasion.

Et dans sa bouche, cette naissance avait des allures de miracle.

La suggestion d'un loto nous arracha, à Marie-Anne et à moi, un sourire de connivence. Suivant les directives de mon amie, je m'exclamai en y mettant de la persuasion.

— C'est mon jeu favori !

Nous avions omis, Marie-Anne et moi, tant nous avions de choses à nous raconter, de veiller à la cuisson du poulet. Nous avions retiré le volatile du four, brûlé et à peine consommable. Tante Léontine avait eu l'élégance de ne pas nous en tenir rigueur.

Son soupirant l'avait raccompagnée après la messe jusqu'au seuil de la ferme. C'était un homme plutôt courtaud, maigre et nerveux. Ses yeux aiguisés brillaient d'intelligence. Il était en adoration devant tante Léontine, à l'écoute de ses moindres exigences, prévenant, galant. Tante Léontine le rabrouait sans vergogne et pourtant elle n'abusait personne. Sa prétendue irritation cachait visiblement une réelle affection.

Ce que j'apprécie dans le loto, c'est qu'il ne nécessite aucune concentration. Mes yeux machinalement repéraient les chiffres, tandis que mon imagination vagabondait.

Je songeais à la nouvelle Marine qui s'éveillait en moi, une Marine peut-être plus communicative (quoique !), avec des centres d'intérêt différents, comme ma curiosité croissante à l'égard de certaines personnes dont l'âge, les fonctions m'auraient tenue éloignée d'elles il y a peu de temps encore et surtout qui, de fait, n'auraient suscité en moi aucune once d'un sentiment quel qu'il fût.

Nous jouâmes au loto une partie de l'après-midi, interrompant le jeu vers quatre heures pour goûter. Tante Léontine avait confectionné un appétissant gâteau de son invention. La pâte dorée croustillait sous la dent et nous en savourâmes jusqu'à la dernière miette.

Puis il me fallut partir. Le temps au cours de l'après-midi s'était considérablement dégradé et je craignais un retour de la pluie.

— Oh ! non, pas déjà ! s'écria Marie-Anne.

— Je reviendrai.

— Bientôt ?

— Promis.

— Eh bien ! Marie-Anne, dit tante Léontine avec
une fausse bonhomie, souris donc. Sinon ton amie
va croire, en voyant ta mine catastrophée, que je te
martyrise.

J'avais le cœur serré en embrassant Marie-Anne.
Ici pourtant, elle était chérie, chouchoutée. Existait-il
de meilleures conditions pour attendre la venue de
l'enfant !

Le crépuscule tombait. Il était temps pour moi de
rentrer sinon je me condamnais à accomplir le trajet
dans l'obscurité. Heureusement il ne pleuvait toujours
pas et je comptais atteindre rapidement la route nationale sur laquelle il me serait plus facile de rouler. Si
à l'aller le trajet m'avait semblé assez court, là, dans
la pénombre naissante, j'eus l'impression à plusieurs
reprises de m'être trompée de direction, tant la distance s'avérait interminable. Pour comble de malheur,
il commença à pleuvoir. En un instant, je fus trans-
percée. Les énormes gouttes me cinglaient la peau et
je dus affronter, en outre, les rafales d'un vent froid
qui s'était levé d'un coup. Des bruits divers, dont
je ne parvenais pas à déterminer l'origine, éclataient
autour de moi. Une véritable panique me gagna. Je
voulus courir, mais le chemin de terre, transformé en
marécage, m'empêchait d'avancer aussi vite que je
l'aurais souhaité. Je perdis une botte que je récupérai
à tâtons dans la boue.

Et subitement les éléments se déchaînèrent : pluie,
vent s'allièrent pour me déséquilibrer. Je m'affalai

sur mon vélo et m'entaillai le front avec la poignée du frein.

J'eus alors la tentation de revenir m'abriter à la ferme de tante Léontine pour finalement y renoncer. J'avais dû encaisser le gros de l'averse et je n'avais plus qu'une idée en tête : accéder à la route nationale pour obtenir de l'assistance en cas de problème. Et j'y fus enfin. Le trafic était quasi nul mais les rares voitures qui circulaient suffirent à me rassurer.

Je pédalais telle une forcenée, m'épuisant physiquement. J'étais gelée et le rideau de pluie qui venait face à moi m'obligeait sans cesse à cligner des yeux. L'alternateur de ma bicyclette générait un boucan d'enfer et la lumière de la lampe était si ténue que je ne reconnaissais même plus la campagne autour de moi.

Une voiture me dépassa et se gara plus loin, sur le bas-côté. Lorsque j'arrivai à sa hauteur, la vitre du conducteur s'abaissa.

— Je vous ramène ?

Par quel miracle Jean Jaouenn était-il là, m'interpellant ?

— Et ma bicyclette ?

— Trouvez-lui une cachette pour cette nuit, dans le fossé ou derrière cette haie. Mon père viendra la chercher plus tard avec sa fourgonnette.

Je protestai.

— On va me la voler.

Pour Jean Jaouenn cet objet n'avait aucune valeur, mais pour moi il représentait tout. Sans ma bicyclette, c'en était fini de mes balades, car grand-père ne pourrait pas, ou difficilement, m'en acheter une autre.

Je continuai mon chemin. Pas pour longtemps. Jean Jaouenn me rattrapa et m'ordonna.

— Montez dans la voiture.

Son ton sec, presque méchant, m'incita à lui obéir sans me rebeller. Il ouvrit le hayon de sa voiture, rabattit les sièges arrière et s'escrima à introduire ma bicyclette dans le coffre, pestant parce que l'entreprise se révélait aussi ardue qu'il l'avait prévue. Puis il se remit au volant.

— Vous êtes contente. Nous sommes maintenant deux à être trempés.

Je m'insurgeai.

— C'est vous qui vous êtes arrêté !

— Ne me le faites pas regretter.

Le docteur Jaouenn alluma le plafonnier et me détailla. L'émotion latente en moi, qui se ravivait en sa présence, mélange d'humiliation, d'attirance et de rejet, surgit à nouveau. J'en aurais pleuré.

— Qu'avez-vous au front ?

J'avais oublié ma blessure.

— Ce n'est rien. Une simple égratignure.

Il examina ma plaie. Je devais être affreuse, ensanglantée, maculée de boue et, mortifiée, mes nerfs lâchèrent et je fus prise de tremblements.

— C'est plus qu'une égratignure… Vous avez froid ? Ôtez votre parka. Il y a un plaid à l'arrière. Enveloppez-vous dedans, je vais augmenter le chauffage.

Une fois de plus, je m'exécutai et cette défaite supplémentaire me convainquit, si besoin en était, de ma faiblesse ou de son ascendant sur moi.

— Comment se fait-il que votre grand-père vous autorise à courir les routes par ce temps ?

— Mon grand-père est seul juge de ce qui est bien pour moi.

— Et moi, je me mêle de ce qui ne me regarde pas, c'est ça ?

Cet échange à la limite de l'agressivité, tout au moins de mon côté, m'ulcéra au-delà du supportable. Cette fois je pleurais pour de bon. Par chance, mouillée comme je l'étais, sur mon visage inondé, les larmes se confondaient avec des gouttes de pluie. Je tablai sur ce subterfuge, bien que Jean Jaouenn fût un homme trop intelligent pour que je puisse prétendre le duper de manière aussi puérile.

Il redémarra son véhicule et un silence terrifiant s'établit entre nous. J'étais mal à l'aise, mon comportement d'abord et cette intuition de toujours agir à l'inverse de ce que le bon sens commandait.

Les kilomètres se rajoutaient aux kilomètres. Engourdie par la chaleur à l'intérieur de l'habitacle et le ronronnement du moteur, je m'endormais peu à peu. Jean Jaouenn finit par rompre ce silence.

— Les études, ça va ?

— Ça va.

— De bonnes nouvelles de votre frère ?

Il n'aurait pas dû me parler d'Yves car aussitôt j'y associai l'image de Maëlle et cela eut pour résultat de réveiller ma hargne.

— Oui.

— Pourquoi ce oui rageur ?

J'étais transparente puisqu'il avait perçu ma contrariété.

— Pour rien. Et votre fille, toujours le même flirt ? Jean Jaouenn jubila.

— Nous y voilà. Vous êtes déçue pour votre frère

que ma fille l'ait remplacé. Mais enfin, Maëlle est à un âge où l'on a des tas de copains sans que cela porte à conséquences.

— Et mon frère est à un âge où l'on a envie de s'engager.

— Je suis navré pour lui… Et vous ?

— Quoi, moi ?

— Vous, vous êtes à un âge où vous avez envie de quoi ?

— Ne plus ressentir ce trouble en moi dès que je vous vois.

Avais-je réellement débité ces niaiseries ? Je ne pouvais croire à tant de sottise. Puisque c'était dit, je me préparai à la riposte de Jean Jaouenn.

— Je suppose que c'est de l'humour ?

— Vous supposez bien.

Ma hardiesse n'avait provoqué aucun remous. J'admirais le calme et la maîtrise de cet homme. Il ne devait pas perdre facilement son flegme. En cela, il me surpassait. Pour percer sa carapace d'insensibilité j'aurais voulu lui crier : « Embrassez-moi, caressez-moi, que votre souffle soit mon souffle, que les battements de votre cœur soient les battements de mon cœur, je veux vous respirer, vous espérer, faites-moi gémir, pleurer, et vous maudire, vous haïr, vous vouer aux cent mille diables, que vous subissiez le feu de l'enfer, les affres de l'amour et de la jalousie, que vous me suppliez "encore" et "assez". »

— Vous avez un petit ami ? me demanda-t-il au bout de quelques instants.

— Un petit ami, c'est-à-dire ?

— Vous avez quel âge ? Dix-huit ans, l'année du bac.

— Presque dix-sept. J'ai un an d'avance.

— Bravo. Alors, petit ami ou pas ?

— Tout dépend de ce vous mettez derrière cette appellation. Un petit ami genre avec lequel on se tripote dans les coins discrets ? C'est non. Petit ami genre avec lequel vous êtes bien sans vous poser de questions, avec lequel vous partagez les loisirs, les goûts, les copains, alors c'est oui.

Jean Jaouenn se tourna vers moi.

— Vous êtes de plus en plus surprenante.

Encore ce qualificatif !

— Pourquoi ? Parce que je ne ressemble pas à votre fille ?

— Laisse ma fille en dehors de ça !

Il m'avait tutoyée. Il avait baissé sa garde et cela, alors que nous évoquions sa fille. Était-ce son talon d'Achille ?

Nous arrivions au village. Jean Jaouenn tenait absolument à m'emmener jusqu'à son cabinet pour panser ma blessure. Je déclinai sa proposition. Il stoppa donc sa voiture devant notre maison, descendit ma bicyclette du coffre. Grand-père, averti par le bruit, traversa le jardin pour venir à notre rencontre. Il poussa un cri en voyant le sang sur mon visage.

— Ne vous alarmez pas, monsieur Le Guellec. C'est une coupure profonde mais sans gravité. Votre petite-fille refuse que je la soigne. Je vous abandonne cette demoiselle têtue. Nettoyez la plaie et il n'y aura pas de suites si ce n'est une petite cicatrice que Marine est prête à assumer, n'est-ce pas Marine ?

— Merci de me l'avoir ramenée, docteur.

— Bonsoir, monsieur Le Guellec. Bonsoir, Marine.

Il y avait de l'amusement dans ses yeux quand il me souhaita le bonsoir. Il devait croire que malgré mon opposition à lui dévoiler certains aspects de ma vie, nous avions progressé. J'étais d'accord sur ce point. Et pourtant, aucune confidence importante n'avait été échangée si ce n'est une vague indication de ma part et une réaction de la sienne. Je lui avais déclaré ne pas avoir de petit ami au sens où les filles de mon âge le comprennent (je n'étais pas sûre que cela l'intéresse vraiment) et lui, avait trahi une fêlure improbable, dès qu'il s'était agi de sa fille. Étions-nous satisfaits de notre apprentissage mutuel, lui de savoir que je n'étais pas une « Marie-couche-toi-là » et moi de savoir que son côté « play-boy » n'était sans doute qu'une façade ?

14

Yves rentra de son stage quelques jours plus tard. J'aurais voulu lui dire combien j'étais heureuse de le revoir, mais son air sombre ne m'encourageait pas à l'amabilité. Je soupçonnais la raison de son tourment et déplorais que son absence ne l'eût pas guéri de son penchant pour Maëlle. Il s'arrangea dès que possible pour me parler loin des oreilles attentives de grand-père.

— Tu as vu Maëlle ces jours-ci ?

— En classe, oui.

— Pourquoi ne m'a-t-elle pas écrit ?

La naïveté de mon frère me sidérait. Tant pis ! Je lui apprendrais la vérité sans plus de précaution.

— Ne sois pas bête. Pourquoi t'aurait-elle écrit ? Tu es parti, elle t'a remplacé, voilà tout.

— Tu mens ! cria-t-il.

— Si tu ne me crois pas, adresse-toi directement à elle.

Persuadé de ma mauvaise foi, Yves sortit en coup de vent.

— C'est ça. Va t'expliquer avec elle, bougonnai-je.

Je regardai grand-père. Il se montrait très absorbé

par une tâche qui l'accaparait depuis déjà quelques semaines. Il gravait notre patronyme sur une plaque en marbre promise à figurer au cimetière sur la tombe familiale. J'ai toujours pensé que grand-père était indestructible, c'est-à-dire qu'aussi longtemps que je vivrais, il serait à mes côtés, bon, indulgent, si fort. Et voilà que cette plaque funéraire, depuis qu'il en avait fait son dada, me rappelait à une réalité cruelle.

Ainsi, j'observais qu'il avait vieilli et ne paraissait plus aussi alerte. Cela tenait à son pas pesant en gravissant l'escalier, aux haltes fréquentes que nécessitait son souffle court avant d'atteindre l'étage. Il réfléchissait également beaucoup plus en conversant avec nous et pas pour se souvenir des mots en français, plutôt comme si le monde qui l'entourait ne le concernait plus. Il m'inquiétait. Si grand-père mourait, c'est mon cœur et mon âme qui me seraient arrachés.

C'est pourquoi j'avais accueilli la nouvelle du retour de mon frère avec autant de bonheur. Lui, si posé, dissiperait le relent de drame qui flottait dans la maison.

L'équipée d'Yves dura moins de cinq minutes. J'en conclus qu'il s'était heurté à une porte close ou alors que Maëlle lui avait notifié une fin de non-recevoir. Il marmonna un « bonsoir » pas même affable en passant devant la cuisine et monta se coucher. D'en bas, nous percevions ses pas rageurs sur le parquet, les objets qu'il déplaçait, les meubles qu'il maltraitait. Puis le silence.

— Il souffre, grand-père. Comment a-t-il pu s'enticher autant de cette fille ?

Le lendemain, je profitai de la récréation pour annoncer à Maëlle.

— Yves est revenu ! Il a essayé de te joindre hier soir.

Elle me toisa avec dédain et me répondit du bout des lèvres.

— Je n'étais pas chez moi.

Le ton aigre, destiné à couper court à toute discussion, n'eut pas l'effet escompté.

— Tu as un message à lui transmettre ? insistai-je.

— Oui. Tu lui diras que nous deux, c'est fini.

Quelle chipie et quelle indécence qu'une bouche aussi jolie, dessinée pour des mots d'amour, prononçât des paroles aussi peu charitables. Ah ! elle ne valait pas cher la fille adorée du docteur Jaouenn et il devenait urgent qu'Yves le réalisât enfin. Je lui restituai donc intégralement les propos de ma camarade. Yves subit l'épreuve avec dignité, ne s'abaissa pas à revoir Maëlle et s'abîma dans son travail avec un acharnement à la hauteur de sa déconvenue.

Si l'on se basait sur le calendrier, le printemps aurait dû être là depuis quelques semaines, mais le temps froid se prolongeait. Épuisés par un hiver sans fin, nous manquions tous d'entrain. De même en classe, la concentration me faisait défaut. Pourtant le bac m'attendait à l'issue de l'année scolaire et il n'était pas envisageable que j'échoue à cet examen.

Grand-père, si grand, si vigoureux, se voûtait chaque jour un peu plus, comme sous le poids d'un lourd fardeau. Son visage exprimait une extrême lassitude et l'angoisse que j'en retirais me déchirait les entrailles.

C'est début avril que se situa l'incident qui restera à jamais gravé dans ma mémoire. Nous venions de souper. Grand-père, qui avait à peine touché aux aliments, se leva de table en déclarant qu'il allait se coucher. Il était rare que grand-père ne terminât pas la soirée au coin de l'âtre en fumant une dernière pipe.

Mue par une crainte prémonitoire, je surveillai son pas irrégulier dans l'escalier et d'un seul coup, plus un bruit. Je me précipitai dans le hall et embrassai une scène poignante : grand-père, à genoux, agrippé à la rambarde, respirant avec difficulté.

Je hurlai.

— Yves !

J'enregistrai le choc d'une chaise repoussée avec fracas qui tombait sur le carrelage et mon frère accourut. Il analysa la situation en un éclair et tandis qu'il se portait au secours de grand-père, il commanda.

— Va prévenir le docteur.

Je sanglotais en actionnant le carillon de la porte d'entrée du cabinet médical. Ce fut Jean Jaouenn lui-même qui m'ouvrit.

— Marine, qu'y a-t-il ?

— C'est grand-père. Venez vite.

Je n'avais pas le courage d'en dire davantage. M'éloigner de mon aïeul en un moment pareil m'était intolérable et je refis aussitôt la route en sens inverse, toujours courant et toujours sanglotant. Aidé par Yves, grand-père avait regagné sa chambre. Je n'osais pas m'enquérir de son état, trop bouleversée. Je m'assis sur la plus haute marche de l'escalier, recroquevillée sur ma douleur. Le docteur intervint rapidement. La consultation, elle, dura une éternité. Enfin Jean Jaouenn apparut dans le cadre de la porte. Je scrutai son expression. Il souriait.

— Rien de grave. Il est juste très fatigué. Il serait temps qu'à son âge il se ménage un peu.

— C'est à cause de nous, tentai-je de démontrer.

Je voulais dire que nous n'étions pas riches et que grand-père, depuis seize ans, se battait avec ténacité pour nous garantir à tous une vie décente.

— Yves n'est plus à sa charge maintenant, objecta Jean Jaouenn et ton tour viendra.

J'étais tout endolorie. La commotion et aussi la peur. Que n'aurais-je donné pour me blottir contre une épaule compatissante et céder à l'infinie détresse qui m'accablait. Grand-père incarnait le centre de mon univers. Que ce centre chancelât et mon propre équilibre s'en trouvait compromis.

— Vous me promettez que grand-père va bien ?

— Il va bien, certifia le docteur.

Il fut décidé que pour épargner à notre aïeul l'effort que représentait l'escalier, nous aménagerions sa chambre au rez-de-chaussée. Nous disposions près de la salle à manger d'une pièce inoccupée qui nous servait de débarras. Yves et Jean-Marie s'employèrent à la rendre plus attrayante en la repeignant et en la retapissant. Puis les meubles de l'ancienne chambre de grand-père furent démontés et descendus un à un.

— Marine, on te confie la suite.

La suite, c'est-à-dire ranger les affaires de grand-père. Celui-ci était parti se promener le long de la falaise. Il marchait à pas lents avec, de temps à autre, comme des hésitations. La frayeur, qui avait été la mienne en le voyant malade, m'avait amenée à ce constat que sans lui, ma vie n'avait plus de signification.

J'entamai mon ouvrage par le remplissage méthodique de l'armoire avec les piles de draps et de serviettes, intercalant entre les diverses pièces de linge, l'incontournable sachet de lavande. J'eus bientôt tout remis en place, à l'exception d'un coffret en bois sculpté que j'avais découvert le matin, dissimulé derrière un amoncellement de vieilles nappes brodées, héritage d'une arrière-grand-mère. Je soulevai machinalement le couvercle, estimant que si grand-père avait eu quoi que ce fût à ravir à ma curiosité, il aurait retiré l'objet de l'armoire lorsque nous l'avions averti de notre déménagement.

Le coffret renfermait des articles de journaux. J'en parcourus les titres. Ils étaient vieux de seize ans et relataient le procès de mon père et son exécution. Me remémorant le conseil de monsieur Kernoa, je renonçai à les lire, tout au moins provisoirement. Outre les coupures de presse, la boîte contenait un anneau d'argent à l'intérieur duquel étaient inscrits ces mots « Breiz da virviken[1] » et un prénom, Yann. J'enfilai la bague à mon annulaire et la fis coulisser le long de mon doigt dans une sorte de réflexe qui reproduisait peut-être celui d'un homme, mon père, des années plus tôt. Au fond de la boîte, je remarquai un morceau de papier, plié menu. C'était une lettre. Je lus l'en-tête : « Père, je vais mourir »... puis sautai à la signature « ton fils Jean ».

Je n'avais pas le droit de prendre connaissance de ce courrier sans l'assentiment de grand-père. Pourtant je m'autorisai cette indélicatesse. Je m'en repentis sitôt lecture faite. Je ne l'avais pas cherché mais c'était ainsi. Désormais je partageais avec grand-père le nom de celui qui était responsable de l'incarcération de mon père, de sa mort et, par là même, de la mort

1. Bretagne pour toujours.

de ma mère. Je replaçai le coffret dans l'armoire et m'enfuis à travers la lande jusqu'au bord de l'océan. Face à l'horizon, bousculée par une bise pénétrante, je me répétai.

— Ce n'est pas lui. Ce ne peut pas être lui.

Je réfutais l'idée que l'être que je haïssais le plus au monde depuis que le prof de breton nous en avait révélé l'existence, celui-là même qui avait dénoncé mon père et auquel je ne pouvais attribuer un visage, se dévoilât soudain sous les traits d'un homme que je côtoyais pratiquement chaque jour. Mon instinct, que je croyais développé, aurait dû m'alerter et je n'avais rien suspecté. Le trouble suscité en moi par sa présence avait une origine différente.

Et grand-père ? Quelle force de caractère possédait-il donc pour se comporter avec le délateur de son fils comme avec n'importe quel familier. Avait-il tout effacé, tout pardonné ?

Dans la baie, les bateaux qui, depuis l'aube croisaient au large sur les bancs de pêche, revenaient au port en procession, escortés par la horde tapageuse des mouettes. La mer s'assombrissait, se teintait de reflets glauques. Les pins bruissaient au vent et j'étais devant ce spectacle ordinaire, foudroyée, vidée, incapable d'extérioriser ce que je ressentais. Et que ressentais-je ? Justement rien ou plutôt, tout et rien, une confusion, une impossibilité à ordonner mes pensées, prémices d'une explosion de réactions ultérieures que j'augurais aussi violentes qu'elles étaient longues à se manifester.

Nous étions à Pâques et le temps ne s'améliorait pas. Les plus belles journées étaient gâchées par un vent glacial qui soufflait sans presque de répit. Le dimanche de Pâques est par tradition le jour où chacun délaisse sa tenue d'hiver pour adopter des vêtements plus légers. Je gageai que cette année il en serait autrement.

Yves rédigeait ses invitations pour l'inauguration du manège. Il était prévu une bénédiction des installations par J. C. puis une animation folklorique avec un groupe costumé de notre village. Au terme de la journée, un buffet campagnard clôturerait les festivités de manière conviviale.

Nous étions tous les trois réunis dans la cuisine, sous la lampe qu'il était toujours besoin d'allumer de bonne heure.

— C'est dommage, regrettai-je, que Marie-Anne ne puisse venir.

Yves leva les yeux vers moi. La crudité de l'éclairage lui conférait un air lunaire.

— C'est pour quand la naissance ?

Depuis de longues semaines, il n'était plus question à la maison de Maëlle, encore moins de Marie-Anne. Je déplorais cette période transitoire au cours de laquelle il n'était pas sage d'agir. Le désappointement d'Yves après que Maëlle l'eut plaqué avait été immense, bien qu'il s'en fût caché, et il n'aurait pas été réceptif à une quelconque louange vantant mon amie. J'aurais au contraire desservi sa cause, en l'évoquant en un moment inapproprié. Je guettais donc les indices me confirmant qu'Yves, libéré de l'emprise de Maëlle, était prêt à tourner la page. Et tous ceux que je glanais comme un trésor précieux depuis quelques jours m'incitaient à croire que ce moment était arrivé.

— Fin août.

Une seconde de flottement et je lançai mon offensive.

— Il y a un truc bizarre.

Pour réussir mon plan, il fallait que l'un d'eux, soit Yves, soit grand-père, me priât de continuer. Mais mon frère et mon aïeul semblaient subitement atteints de surdité, l'un appliqué à la rédaction de ses enveloppes, l'autre, lunettes posées sur le bout de son nez, plongé dans la rubrique « Où sont nos navires » du journal. J'étais vexée du peu d'attention que l'on m'accordait et étais à deux doigts de m'en plaindre quand Yves s'informa du bout des lèvres, mais l'essentiel n'était-il pas qu'il eût écouté notre début de conversation ?

— Quoi donc ?

— Elle n'a jamais dit qui était le père de son enfant. Si je compte bien, celui-ci a été conçu fin novembre. C'était l'époque où tu avais accompli ton service militaire Yves et où Marie-Anne et toi étiez toujours ensemble.

Cette fois la réplique de mon frère fut immédiate. Il fronça les sourcils et me dévisagea durement.

— Qu'es-tu en train d'insinuer ?

— Je te fais simplement part de ma surprise qu'appréciant autant ta compagnie, elle ait pu dans le même temps sortir avec quelqu'un d'autre. C'est pas son genre.

Les yeux de grand-père pétillaient de malice. Il devait se féliciter de ma pugnacité, laquelle imposait à Yves de s'interroger sur son éventuelle paternité, presque sous la contrainte quoi qu'il en fût, et c'était bien là le plus étonnant de l'histoire.

Yves étant en droit d'exiger des explications et n'ayant que ma conviction pour unique argument, j'opérai un mouvement de repli en direction de ma chambre. J'avais engagé la réflexion, à Yves de la poursuivre.

Je m'accoudai à la fenêtre. Il pleuvait de fines nuées balayées par un vent mauvais. Notre chêne, toujours aussi dénudé, aspirait à une résurrection qui tardait.

Le lendemain matin, Yves me rejoignit dans la cuisine pour déjeuner avec moi. Il avait la mine battue de quelqu'un qui n'a pas dormi.

— Où habite Marie-Anne ?

Je faillis crier victoire. Je n'aurais pas misé un kopeck sur les chances que mes propos d'hier rencontrent un écho aussi rapide dans la conscience d'Yves.

— Tu vas la voir ? Je t'accompagne.

— J'irais seul, trancha-t-il fermement.

Yves n'avait pas jugé utile de m'aviser quand il se rendrait auprès de Marie-Anne. J'espérais que ce serait l'après-midi même. Toute la journée je fus fébrile, irritable. À l'école, je m'accrochai à plusieurs reprises avec sœur Philomène et ce fut miracle si ces amorces de chamaille n'aboutirent pas.

Grand-père m'agaçait par sa placidité coutumière. Je ne supportais pas qu'il jouât les indifférents alors que des événements déterminants se déroulaient presque sous nos yeux. Il m'exhortait au calme, affirmant qu'Yves en rentrant assouvirait ma curiosité.

Mais Yves à son retour ne fit aucun commentaire. Je devenais cinglée à spéculer sur ce qui s'était passé. Je voulus enquêter auprès d'Yves, grand-père m'en dissuada.

Alors je remontai aux sources. C'est-à-dire que le jeudi suivant, j'enfourchai ma bicyclette et pédalai comme une folle jusqu'à la ferme de tante Léontine. Je n'avais pas prévenu Marie-Anne de ma visite. Elle tricotait et en m'apercevant, elle me sourit, un pauvre sourire empreint de tristesse. Je humai des fragrances de tragédie. Je l'embrassai et attaquai sans préambule.

— Tu as vu Yves ?

Elle acquiesça d'un hochement de tête.

— Alors ?

Elle refusait de se livrer et je dus lui arracher les mots, un à un, pour reconstituer leur entretien, au moins la partie capitale, celle qui, de toute évidence, avait achoppé.

Yves avait demandé :

— Cet enfant est-il de moi ?

Mais il avait aussitôt ajouté.

— Je serai franc. Je ne t'aime pas. Cependant si l'enfant est de moi, je t'épouserai.

« Je ne t'aime pas. » Pour Marie-Anne, c'était la perte définitive de ses illusions. Son honnêteté naturelle l'empêchait de consentir à un mariage dicté par la seule obligation pour Yves d'assumer son acte. Elle l'avait donc rassuré en lui garantissant qu'il n'était pour rien dans son état. Et lui, par confort, par lâcheté, avait entériné ce mensonge.

— Tu es stupide ! l'invectivai-je. Il aurait fini par t'aimer, d'autant qu'il a rompu avec Maëlle.

Quel manque d'habileté ! Quelle droiture mal récompensée ! Décidément notre société n'était pas faite pour les purs. Il suffisait de voir Marie-Anne, crucifiée par le chagrin mais acceptant sans se révolter son destin de fille-mère, pour s'en persuader.

Je revins auprès de grand-père et laissai éclater mon écœurement envers ce monde dénué de beauté et de tolérance, qui ne savait pas distinguer les êtres vertueux. Que ne pouvions-nous vivre sans ce fatras de sentiments vains, puisque la plupart du temps en décalage avec ceux des personnes auxquelles ils s'adressaient !

— Une existence sans joie, sans peine, sans aucune émotion, l'imagines-tu fillette ? Pas moi.

En attendant, Marie-Anne souffrait. Yves aussi, pour d'autres motifs, et ces deux-là n'avaient même pas la faculté d'unir leurs souffrances pour mieux y résister.

Et Pâques fut enfin là. Un soleil timide mais agréable donnait à ce jour de fête un lustre particulier. Les gens se pressaient nombreux pour assister à la grand-messe. Ils débarquaient par familles entières, les enfants engoncés dans des vêtements trop neufs, les femmes chapeautées, les hommes le cou enserré dans des cols de chemise empesés. Quant à moi, peu soucieuse de me conformer aux usages, j'avais conservé mon manteau et je m'en réjouis car le fond de l'air était frais. Bientôt l'église fut pleine à craquer et monsieur le curé commença l'office à grand renfort de chasubles rutilantes, d'orgue, de fleurs blanches recouvrant le chœur et les autels.

J. C. assis dans les stalles au milieu d'autres prêtres, présentait un visage grave que je ne lui avais jamais vu, y compris au plus fort de la tempête déclenchée contre lui. Après l'évangile, monsieur le curé monta en chaire pour prononcer l'homélie. Auparavant il lut la chronique villageoise : mariages, décès... Après avoir refermé son registre, il se recueillit longuement, puis énonça :

— Par décision de notre évêque, monsieur l'abbé Jaouenn, qui s'est tant dévoué à notre paroisse, est nommé à…

Ma stupéfaction fut totale. J'étais mécontente que grand-père ne m'eût pas avertie de cette rumeur. De semblables événements sont forcément précédés de signaux avant-coureurs et mon aïeul avait probablement été l'un des premiers au courant de la disgrâce (je ne savais pas si ce terme était correct) de J. C.

L'inauguration du manège avait lieu l'après-midi vers quinze heures. Grand-père s'abstint d'y participer, prétextant une grande fatigue.

Je lui avais reproché de ne pas m'avoir annoncé le départ de J. C.

— Pourquoi ne m'as-tu rien dit ?

— Parce que, fillette, ce n'était qu'un bruit.

— Tu prétends que monsieur le curé ne t'en a pas parlé ?

— Monsieur le curé n'a pas à me communiquer les mesures prises par l'évêché à l'égard du clergé et l'aurait-il fait, que je n'ai pas à les propager.

Grand-père, pourrais-tu m'éclairer sur la genèse de cette retenue en toi ? Est-ce d'avoir expérimenté sur un proche les résultats de paroles inconséquentes ou de témoignages non vérifiés qui te procure cette appétence de ne t'exprimer qu'à bon escient, sur des faits avérés ?

Yves, qui était à pied d'œuvre à la ferme depuis le matin pour régler les ultimes préparatifs des festivités, détourna quelques minutes de son précieux temps pour venir me chercher en voiture. Pour qu'il fût fier de moi, j'avais soigné ma mise : un tailleur très féminin que grand-père m'avait acheté et que le réchauffement progressif de l'air m'avait permis de revêtir après déjeuner. J'avais aussi lâché mes cheveux que je coiffais invariablement en queue-de-cheval. Ainsi parée, et c'était peu pourtant, je n'avais plus aucune similitude avec Marine la sauvageonne qui courait les bois en tenue décontractée.

— Tu es magnifique !

De la part d'Yves, le compliment, direct, m'enchanta.

L'inauguration avait attiré du monde, surtout la bourgeoisie locale et monsieur Jaouenn père arborait un faciès triomphant. J'avais repéré J. C. près du buffet et sans manifester de hâte intempestive, je me glissai jusqu'à lui.

— Alors c'est vrai, vous nous quittez ?

— Ne t'inquiète pas, je serai remplacé.

Il ne m'importait guère qu'un autre ecclésiastique le remplaçât. C'était lui l'âme de notre communauté, celui qui nous portait, celui qui nous faisait dépasser nos dissensions, nos querelles mesquines, notre égoïsme aussi. Que resterait-il, après lui, du travail réalisé en commun ?

Ma déception était juste atténuée par un phénomène imprévisible. Sa nomination dans une autre paroisse m'affligeait mais moins que ce que j'aurais pu redouter. Je notais avec satisfaction (et un brin de nostalgie), que les errements se corrigeaient en douceur et que je parvenais enfin à juguler cette affectivité débordante qui s'était emparée de moi à la période des fêtes de Noël.

Le groupe folklorique de notre village créait dans la foule un joyeux tintamarre. Les sonneurs avaient attaqué les premières notes d'une gavotte et déjà le long ruban des danseurs s'étirait en ondes mouvantes dans la cour. Jean-Marie m'invita à me joindre à eux. Tout en respectant le rythme, j'examinais les invités. Maëlle, flanquée d'un nouveau soupirant, m'avait honorée à mon arrivée d'un coup d'œil à la fois méprisant et interloqué (eh oui ! Moi aussi je peux être jolie). Je la voyais maintenant graviter autour d'Yves. Aurait-elle des velléités de le reconquérir ? Je craignis que mon frère ne succombât à ses manigances, mais je m'alarmais inutilement. Sans se départir de cette amabilité dont il gratifiait chacun, il opposait à ce déploiement de charme, une attitude polie. Là aussi, la normalité reprenait ses droits.

Depuis un moment, j'étais consciente de monopoliser l'attention de Jean Jaouenn. J'ignorais ses façons pour une multitude de raisons, parce que je n'avais pas le cran d'affronter son regard, parce que je ne voulais pas qu'il lût dans mes yeux le reflet de ce que j'avais dans le cœur...

De danser tout à coup m'ennuya. J'abandonnai Jean-Marie et me dirigeai vers le buffet. Une profusion de charcuterie s'offrait à ma gourmandise. Je choisis de simples crêpes avec une bolée de cidre et emportai mes provisions pour les déguster dans un recoin de la ferme, loin de la frénésie générale.

Des nuées chargées de pluie s'amoncelaient à l'horizon et des rafales de vent soulevaient en tourbillons le sable de la cour. Un corbeau, affreux et sale avec ses plumes hérissées, s'était juché sur le bâtiment abritant les boxes des chevaux. Il ne croassait pas.

Il déambulait sur le faîte du toit et c'était pire que d'entendre son cri lugubre. Parfois, d'un vol pesant, il changeait de station et se perchait sur le poteau d'une ligne électrique voisine d'où il épiait la foule. Je surveillais ses agissements avec méfiance. Je déteste ces oiseaux. Ils sont les messagers non seulement de la pluie mais aussi du malheur. J'esquissai un signe de croix et le corbeau – coïncidence ? – s'envola en glapissant.

— *Glao ! Glao*[1] !

Je croyais avoir déniché un refuge privilégié à l'intérieur de la ferme, mais ma tranquillité fut de courte durée. Jean Jaouenn me rejoignit et s'assit à proximité de moi. Tout d'abord, je gardai mon sang-froid. Puis sa présence me décontenança à un point tel que je cessai de manger et repoussai mon assiette.

— Que me voulez-vous ?

— Rien.

— Vous êtes là, à m'observer. Cela me gêne.

— Excuse-moi. Ce n'était pas dans mes intentions.

Je remarquai qu'il persistait à me tutoyer depuis qu'il m'avait ramenée un soir en voiture. Pourtant notre degré d'intimité n'avait pas varié. Qu'est-ce que cela signifiait ? Qu'il ne voyait plus en moi qu'une ado trop jeune pour maintenir un vouvoiement de convenance ou pensait-il, à l'inverse, que notre relation méritait une plus grande familiarité ? Je n'étais pas capable d'en tirer des conclusions. Mes seuls rapports aux hommes (outre grand-père et Yves), Jean-Marie en l'occurrence, se situaient plutôt dans le registre de la loyauté et de l'estime et je manquais de pratique (et de subtilité) pour

1. Pluie ! Pluie !

gérer avec aisance un climat de séduction. Agacée, je me levai d'un bond et courus me mêler à l'agitation du dehors. Jean-Marie m'aperçut et vint au-devant de moi. Gentil Jean-Marie ! Dans quelques années, avec un peu de maturité, il serait l'époux fidèle, l'homme réfléchi, auprès duquel toute femme se sentirait en sécurité. Mais voilà ! L'amour ne se commande pas et le cœur a ses mystères qui échappent à la logique. Dans le mien, il n'y avait actuellement aucune place pour l'amour, presque plus pour l'amitié.

— Tu veux une boisson, un gâteau ? suggéra-t-il.

— Non, merci.

— Danser ?

— Non plus.

Jean-Marie eut l'intelligence de ne pas s'obstiner et s'éclipsa. Je fis, quant à moi, le tour des bâtiments, m'attardant auprès des chevaux. Des rires, des chants, montaient de la cour. C'est beau le bonheur. C'est beau les gens heureux.

Je basculai alors dans une espèce de rêve éveillé et n'en émergeai qu'à la nuit tombée pour constater que la majorité des convives avaient déjà déserté le manège.

Le crépuscule avait apporté un regain de froidure. Je grelottais dans mes vêtements légers et rentrai me mettre au chaud dans le salon de la ferme. La pièce était plongée dans l'obscurité qui valorisait le feu brûlant dans la cheminée. Ce ne fut que plus tard, quand mes yeux s'accoutumèrent au faible éclairage que je découvris, non loin de moi, la silhouette d'un homme.

— *Amzer fall a zo*[1] *!* dis-je.

1. Il fait mauvais !

— Oui. Le temps se gâte.

C'était la voix de Jean Jaouenn.

Les flammes crépitaient dans l'âtre et cette sonorité associée à celle très assourdie du bagad favorisait une atmosphère étrange, comme celle que dégageaient autrefois les veillées réunissant autour de la lampe l'auditoire et le conteur. Je discernais mal le docteur Jaouenn, mais je savais qu'il me regardait, encore et toujours. Nous demeurâmes de très longs instants, moi nerveuse, lui immobile. Pour me donner une contenance, régulièrement je saisissais les pinces pour redresser les bûches qui s'affaissaient. J'étais fiévreuse, dans cet état d'esprit qui encourage les élans, les phrases solennelles que l'on regrette une fois l'exaltation passée.

Une bourrasque secoua la ferme. Les portes et les fenêtres claquèrent.

— Voilà la tempête, murmura le docteur.

J'étais soulagée qu'il brisât le silence. Ce fut pour moi comme un signal, le signal de ma libération.

— Docteur Jaouenn, vous rappelez-vous de Jean Le Guellec, l'autonomiste que vous avez dénoncé en 1944 ? C'était mon père.

15

Les larmes coulaient le long de mes joues. Depuis combien de jours pleurais-je ainsi, sans bruit, sans parole ? Tout mon être était comme dilué dans cette eau qui ruisselait sur mon visage.

Tante Lucie posa sa main ridée sur mes cheveux et me sourit. Elle n'avait plus de mots pour m'arracher à mon désespoir, se contentant d'être là et de m'insuffler un peu de sa vaillance.

Comment avais-je appris la nouvelle ? Je rassemblai mes souvenirs. C'était le dimanche de Pâques, le jour de l'inauguration du manège.

J'étais à la ferme. Le temps se dégradait et… quoi donc ? Le vent. Il soufflait avec une telle force. C'était arrivé soudainement alors que l'après-midi avait été, finalement, plutôt ensoleillé. Et avant, il y avait eu un incident qui m'avait contrariée.

— Tu devrais aller te coucher, petite, me dit tante Lucie.

— Plus tard.

Le repos, plus tard. L'essentiel était de me concentrer sur cette soirée de Pâques, afin de la revivre minute par minute. C'était indispensable si je voulais extirper de mon cœur, toute la rancœur accumulée depuis.

L'incident désagréable resurgit. C'était le corbeau.

J'avais eu un sombre pressentiment en le voyant effectuer sa chorégraphie grotesque sur le toit des écuries. D'ailleurs c'est immédiatement après son apparition que la tempête s'était déclenchée. C'était bien un signe, non !

Dans l'ordre chronologique, il y avait eu ensuite mon face-à-face avec Jean Jaouenn. Notre échange m'avait précipitée dans un état de tension absolument incroyable.

« Vous rappelez-vous de Jean Le Guellec, l'autonomiste que vous avez dénoncé en 1944 ? C'était mon père. »

Ma voix jaillit au milieu du craquement des bûches. J'attaquais Jean Jaouenn avec une traîtrise dont je n'étais pas fière. Sans vouloir, coûte que coûte, divulguer aux quatre vents le nom de celui par qui le malheur était entré dans notre famille, je tenais malgré tout à ce qu'il sût que j'étais au courant de son indignité, juste pour intercepter dans son regard de la honte, en lieu et place de son arrogance.

Nia-t-il ? Pas exactement.

Il y eut d'abord son effarement. La pénombre m'interdisait de voir distinctement ses traits, mais je devinais son émoi. Il s'avança vers moi et je reculai d'instinct, tant j'appréhendais un contact physique qui d'avance me révulsait.

— L'autonomiste que j'ai dénoncé…

Je criai, furieuse qu'il pût réfuter mes propos.

— N'essayez pas de me mentir. Je suis en possession de la lettre que mon père écrivit la veille de sa mort et dans laquelle il vous accable !

Jean Jaouenn entreprit alors de me fournir des éclaircissements avec une patience dont on use généralement envers un enfant malade ou mentalement fragilisé et c'est cette patience même, inopportune et déplacée, qui le déconsidéra à mes yeux.

— Je ne l'ai pas dénoncé. Que Jean soit ton père est déjà pour moi une découverte, mais je te le répète, je ne l'ai pas dénoncé. Ton père était quelqu'un de séduisant, drôle, enjôleur, mais il comptait trop sur notre amitié. Je dirais presque qu'il s'en servait. Je suis parti à Rennes faire mes études de médecine. Il m'y a rejoint et s'est inscrit en fac de lettres. Un an après il se mariait. Lorsque ton père a intégré le mouvement nationaliste, je l'ai mis en garde, non contre ses opinions qui lui appartenaient mais contre son imprudence, la branche du PNB auquel il s'était rallié ayant la réputation d'être à cent pour cent germanophile. En vain. Et puis ce fut la débâcle et l'épuration. Il n'était pas utile de dénoncer ton père puisque, de notoriété publique, il était membre du PNB.

— Tous les nationalistes ont été arrêtés ou uniquement ceux qui ont été dénoncés ?

Jean Jaouenn était trop accaparé à puiser au fond de lui l'inspiration nécessaire à la poursuite de son plaidoyer pour me répondre. De l'inspiration, il lui en avait fallu, car son discours tombait dans un cœur fermé à toute mansuétude. Je l'écoutais par curiosité, pour vérifier jusqu'où, confronté à son crime, il s'abaisserait pour tenter de se disculper.

— Jusqu'à l'issue de son procès, Jean déniait la gravité des accusations portées contre lui.

— Et quelles étaient ces accusations ? le coupai-je à nouveau.

Il hésita avant de préciser.

— Dénonciation de patriotes. Tu l'ignorais ?

Exprimée aussi brutalement, la situation me paraissait beaucoup moins honorable que la perception que j'en avais jusqu'alors. Le professeur Kernoa avait décrit une collaboration avec l'occupant, justifiée par un dessein politique, aspect que j'avais privilégié, et j'étais à présent devant une version « crapuleuse » que me livrait ici, sans ménagement, Jean Jaouenn, version que j'avais plus de difficultés à accepter.

— Ton père a dû penser jusqu'à la dernière minute que quelque chose le sauverait, reprit Jean Jaouenn. Ou quelqu'un. Mais cette fois j'étais impuissant à lui venir en aide et pour lui ce fut, sans doute, comme si j'avais failli à ma mission de grand frère et il m'a haï pour cela. D'où cette lettre ignominieuse. Marine, je ne l'ai pas dénoncé. Bien au contraire, j'aurais donné ma vie pour épargner la sienne.

L'ardeur avec laquelle il se défendait, me révolta. Je soupçonnais qu'au terme de ses déclarations si vibrantes de sincérité, il m'aurait prouvé que le hasard ou la malchance et surtout l'aveuglement de mon père avaient, seuls, scellé son destin.

— Vous auriez donné votre vie pour lui, dis-je, oui mais voilà, c'est lui qui est mort. Si vous saviez mon chagrin quand je songe aux heures d'angoisse qu'il a traversées jusqu'à l'aube de son exécution. Fusillé, tandis qu'un jour pareil aux autres se levait pour les jurés qui sous couvert de justice décidèrent en leur âme et conscience de la vie d'un homme, se fiant aux apparences, aux témoignages discutables, condamnant du même coup une femme innocente, ma mère. Moi je crois que ce sont les jurés qui, dans cette histoire, ont perdu leur âme faute d'avoir nuancé leur colère d'un brin de compréhension et de clémence, ainsi que vous, Jean Jaouenn, pour qui un jour pareil aux autres se levait ce matin-là, et qui vous êtes peut-être apitoyé sur le sort de mon père à l'heure où tout était consommé.

— Aujourd'hui tu découvres la réalité et tu es choquée. Pourtant tu ne dois pas juger de manière aussi réductrice. La guerre, les années d'occupation, le climat délétère de l'épuration, rien n'était ordinaire dans cette période de grande confusion. Alors comment interpréter sans ambiguïté les rôles des différents acteurs ? Ton père croyait en la légitimité de son combat et œuvrait pour une reconnaissance de l'identité bretonne. Les jurés croyaient en leur devoir de justice. Ainsi, des comportements fondés pour les uns se sont avérés criminels pour les autres.

— Ne vous trompez pas. Je ne cherche pas à excuser mon père. J'ai trop peu d'indications sur ses actes et les motivations qui l'ont poussé à les commettre pour cela. Par contre, je m'insurge contre le fait qu'il ait été dénoncé et que des voisins, des amis, aient contribué par leurs dépositions à ce verdict de mort. Et quelle dérision de constater que tous les délateurs ne sont pas sanctionnés de la même façon. Pour mon père, ce fut la mort... Quelle a été votre récompense, docteur Jaouenn ?

Je comparais ce qui n'était pas comparable. J'étais de mauvaise foi, d'une mauvaise foi à la hauteur du cataclysme qui était sur le point de m'emporter et dont Jean Jaouenn ne mesurait pas l'ampleur.

Je n'aspirais plus, après ce duel épuisant, qu'à me pelotonner dans les bras de grand-père. L'orage venait d'éclater et une pluie torrentielle avait éparpillé les quelques invités encore sur les lieux, dans les abris offerts par les bâtiments les plus proches. Je peinai à retrouver Yves dans cette dispersion.

— Yves, tu veux bien me raccompagner ?

Mon frère se fit prier, puis adopta le principe d'un aller-retour rapide.

Et c'est parce qu'il roulait vite qu'en arrivant devant chez Marie-Anne, je faillis ne rien voir et aussi parce que mon altercation avec Jean Jaouenn m'avait anéantie et rendue moins sensible à mon environnement.

— Va te coucher, *merhig*, répéta tante Lucie. Tu es fatiguée.

Cette fois, j'obtempérai sans résistance. Comme une somnambule, je me lavai succinctement, embrassai tante Lucie et me réfugiai dans le lit clos, ce lit clos qui m'avait déjà consolée à une époque où je n'aurais jamais supposé que ce serait si dur d'entamer ma vie d'adulte.

Je me tournai et me retournai longtemps dans ma cage de bois, ressassant inlassablement la tragédie de ce dimanche de Pâques.

Où en étais-je ? Avec Yves, nous étions passés devant chez Marie-Anne. Je ne définirais pas ce qui, sur le moment, m'alerta. Mes yeux, inconsciemment, enregistrèrent un détail inhabituel, mais si ténu que je réagis avec un certain retard.

— Stop !

— Qu'y a-t-il ? demanda Yves surpris.

— C'est juste une impression.

— Je suis pressé. Si tu n'y vois pas d'inconvénient, je te laisse là.

Le désintérêt d'Yves pour Marie-Anne n'était désormais plus un mystère pour moi, néanmoins son attitude impatiente me remplit d'amertume. Je revins vers le domicile de mon amie. Tout le rez-de-chaussée était éclairé. Jusque-là rien d'exceptionnel. La porte d'entrée était ouverte sur le couloir et la vision de cet espace nu et illuminé était déjà une première source de questionnement mais qui n'expliquait pas à lui seul l'affolement qui me gagnait.

Je marquai une pause devant la clôture. Les parents de Marie-Anne ne me reprocheraient pas une visite impromptue, cependant je tergiversais. L'heure indue ou la peur d'être importune.

En ombre chinoise devant la fenêtre, se découpait le contour d'un couple enlacé. Les épaules de la femme étaient agitées de tressautements et je réalisai enfin que le détail qui avait attiré mon attention c'était ça, ces deux silhouettes qui, de l'extérieur, avaient un côté voyeur et incongru.

Yves, après avoir fait demi-tour au bout de la rue, saisi de remords, ralentit à mon niveau.

— Alors ?

J'étais plantée au milieu du trottoir, statufiée. Mon cœur battait à tout rompre et j'étais effrayée par son rythme infernal. J'eus à la seconde la certitude qu'une catastrophe s'était produite. Il est des circonstances comme cela qu'on devine, non pas qu'on devine, qu'on renifle. Et le malheur je le reniflais. Il empestait l'atmosphère.

Un troisième personnage que j'identifiai aussitôt

s'inscrivit dans le rectangle de lumière : monsieur le curé.

Lentement, comme pour surseoir à une révélation douloureuse, je pénétrai à l'intérieur de la maison. Dans le salon, la mère de Marie-Anne alternait les séquences d'hébétude et de sanglots, mue par une sorte d'automatisme qui aurait paru assez singulier s'il n'avait été bouleversant. Monsieur le curé m'aperçut sur le seuil de la pièce et se rua vers moi, me désignant la porte d'un doigt impérieux.

— Marine. Va-t'en !

Je le bravai avec une brusquerie au moins égale à celle qu'il me manifestait.

— Qu'y a-t-il ?

Volontairement je me vidai la tête. L'effort consenti pour me remémorer les faits excédait mes limites.

Je réussis enfin à m'endormir, la joue sur l'oreiller arrosé par mes larmes.

Tante Lucie m'avait préparé des crêpes. Elle s'ingéniait à me confectionner des mets distincts chaque matin pour aiguiser mon appétit. Devant tant de dévouement, je m'astreignis à manger, bouchée après bouchée.

— Je sors, tantine.

— Oui, va.

Le temps était beau, avec pourtant un fond de fraîcheur qui empêchait pleinement de goûter au printemps.

Je me dirigeai vers le phare. C'était le secteur de l'île où j'étais à peu près sûre de ne croiser personne. Sauf éventuellement mon ange gardien.

Sa simple évocation le fit surgir devant moi, adolescent blond aux yeux gris noyés d'embruns et au sourire ravageur.

— Dis-moi, Yann, tu me surveilles ?

Il était apparu le deuxième jour de mon exil sur l'île, touchant, charmant et charmeur, et surtout omniprésent. Il m'emboîtait le pas à chacune de mes promenades, me défiant avec sa chevelure d'or.

— Je ne vous surveille pas. Je veille sur vous. Nuance.

Je marchai le long de la plage et Yann me suivit en silence. Je m'assis sur le sable et il m'imita, un peu à l'écart. On se serait cru au milieu de l'océan, une légère brume escamotant au loin le continent. L'eau était d'une transparence étonnante et j'avais envie de m'y plonger, pour effacer mes péchés et conquérir un cœur vierge de toute blessure.

— Cet endroit est si beau !

Yann prit cette remarque pour un encouragement ou un appel au dialogue et se rapprocha de moi.

— Pourquoi êtes-vous triste ?

— Pourquoi je suis triste ? Je ne t'en parlerai pas.

— Vous ne voulez pas *m'en parler* ou pas en parler du tout ?

Il était grave et cette expression atténuait l'extrême jeunesse de ses traits.

« Je m'appelle Yann », m'avait-il annoncé quand nous nous étions vus la première fois. J'étais à l'extrémité de la jetée, absorbée par le spectacle des vagues qui s'élançaient à l'assaut de mon perchoir. Encore un Jean ou un Yann. Coïncidence ou destin ?

« Je m'appelle Yann et si vous persistez à vous

exposer ainsi, je ne saurai jamais quel est votre prénom. »

Il m'avait entraînée vers le port. J'avais protesté : « C'est absurde. Je ne courais aucun risque sur cette digue ! »

Sa grâce et son attrait ne l'autorisaient pas à tous les abus, en tout cas pas celui de me contraindre à le tolérer en un moment où j'ambitionnais de rester seule.

Pourtant la douceur de ses yeux avait vite balayé mes réticences. « Moi c'est Marine. »

Il avait seriné Marine sur tous les tons et cela avait eu le don de me faire rire.

— Je ne veux pas en parler.

Nous nous sommes amusés à envoyer des galets dans l'eau en comptant les rebonds.

— Pourquoi n'es-tu pas à l'école, Yann ?

— Et toi !

Il m'avait tutoyée. Il m'avait tutoyée et le bonheur, avec lui, était que je n'avais pas, comme avec Jean Jaouenn, à en approfondir les raisons. Elles étaient évidentes. Yann et moi, nous avions le même âge et aucun de nous n'essayait de prendre le pouvoir sur l'autre.

— Je suis en convalescence. J'ai été malade…

Il était normalement pensionnaire sur le continent et ne réintégrait l'île qu'aux vacances. Comme mon père autrefois.

Nous nous découvrîmes aussi un mois de naissance commun, août. « Deux lions superbes et généreux. »

C'était bon d'oublier pour un temps, avec un garçon attachant et pas compliqué, mes désarrois récents.

— Ça te dit de venir à la pêche avec moi cet après-midi ?

— La pêche à quoi ?

— Au maquereau, autour de l'île. Mon père a un bateau. Tu n'auras pas la trouille ?

La trouille, moi ! Issue d'un peuple de marins, j'en avais hérité les gènes et, en mer ou sur terre, en contemplation devant sa magique mouvance, l'océan était l'un des rares éléments aptes à me réconforter quand je désespérais de tout.

J'avais le teint plus frais, l'œil plus vif en rentrant chez ma tante. Celle-ci me scruta sans un mot et puis elle hocha la tête avec satisfaction.

— *Mad tre*[1] !

J'avais fui si rapidement le lundi de Pâques que je n'avais rien emporté ou presque. Les vêtements que j'avais sur le dos ce jour-là et que je remettais systématiquement chaque matin n'étaient guère indiqués pour une partie de pêche.

C'est ce dont convint Yann lorsque nous nous retrouvâmes sur le port.

— Allons chez moi. Ce serait bien le diable si nous ne dénichons pas de quoi t'équiper.

Nous avons emprunté le chemin du phare et j'ai cru une fraction de seconde que nous revenions chez tante Lucie. Mais Yann s'arrêta un peu avant, devant une maisonnette semblable aux autres, avec ses minuscules fenêtres et ses volets peints d'une couleur vive.

— Tu ne serais pas le fils de Marijanig, la karabassen ?

Si tel était le cas, ma rencontre avec Yann n'était pas le fruit du hasard. Très liée avec Marijanig, tante Lucie, affligée par la grande détresse morale qui était la mienne en débarquant sur l'île, avait dû réclamer

1. Très bien !

le soutien providentiel de Yann pour, discrètement, veiller sur moi.

— Oui.

— La première fois sur la digue, savais-tu déjà qui j'étais ?

— Ah ! non. Juré. Pourquoi ?

— Pour rien.

Dans le fond, quelle différence ! Il était gentil et sa compagnie m'était agréable.

J'avais changé. Grand-père n'en serait pas mécontent, lui qui désirait me voir plus féminine, moins solitaire, moins intransigeante aussi. Je devenais les plus et les moins à la fois. Et tout cela après deux événements majeurs qui avaient brisé net une existence jusque-là sans histoire.

De ces deux événements, l'un avait été le révélateur des sentiments les plus bas qui sommeillaient en moi et m'avait dressée, hostile et rancunière contre mes concitoyens. L'autre m'avait assommée par son caractère subit et imprévisible.

Qui aurait pu se douter que Marie-Anne qui avait l'air si détachée, qui avait renoncé à se battre pour conserver Yves, renoncerait aussi à se battre pour une vie qui, même dans l'attente de son enfant, n'avait pour elle plus de saveur, en mettant fin à ses jours ?

— Va-t'en. Ce n'est pas le moment ! rugit monsieur le curé.

— Que se passe-t-il ?

— Marie-Anne s'est suicidée. Mon Dieu ! faire ça à ses parents.

L'énormité de l'information m'incita à croire que j'avais mal entendu. C'était ce à quoi j'aspirais de tout mon être. C'est pourquoi je m'entêtai auprès de notre curé.

— Vous vous moquez de moi, n'est-ce pas ?

— Me moquer ! Cette mécréante s'est pendue. Cela lui vaudra l'enfer éternel !

— Taisez-vous ! hurlai-je, meurtrie par un jugement aussi féroce. C'est Dieu qui devrait être puni de l'avoir abandonnée.

— Marine, misérable ! Tu blasphèmes. Que dirait ton grand-père !

Mon grand-père qui était la bonté personnifiée ne se permettrait jamais de condamner un acte avant d'avoir analysé les mobiles l'ayant inspiré.

Des sanglots me déchiraient la poitrine. Quel immense découragement avait dû être celui de Marie-Anne pour l'avoir conduite à ce dénouement effroyable !

— Marine ! Marine !

Je négligeai Yves qui, depuis sa voiture, me hélait en s'époumonant, je négligeai le « c'est toi » de grand-père en constatant mon retour et me cloîtrai dans ma chambre. Au matin, échevelée, hagarde, j'avisai grand-père que je partais chez tante Lucie.

Yves, accablé, se risqua à quelques paroles de compassion. Je l'interrompis méchamment, me posant en ennemie de mon propre frère.

— C'est de ta faute. C'est toi qui l'as tuée.

— Marine ! s'insurgea grand-père.

— Cet enfant était de lui. Pourquoi n'a-t-il pas voulu l'admettre ?

Je n'étais que douleur en descendant du bateau qui m'amenait sur l'île et cette douleur, si pleine, si lancinante, qui ne me laissait aucun répit, me transforma

216

en quelques jours en un pantin incapable d'exécuter les gestes du quotidien : me laver, me nourrir, me dévêtir avant de me coucher. Le soir, je me jetais tout habillée sur le lit, les yeux levés vers ce ciel qui avait failli à son devoir d'assistance, la respiration lourde de colère et de chagrin.

Et puis je commençai à sortir le long des grèves désertes de l'île. J'étais plus calme. Je parvenais à reconstituer certaines scènes sans me raidir de souffrance.

Et aussi, il y avait eu Yann.

— Tiens, enfile celles-là.

Yann me tendait une paire de bottes.

— Yann, ne m'en veux pas. Je n'irai pas pêcher avec toi. Je rentre.

— Si c'est pour t'enfermer chez ta tante tout l'après-midi, tu seras mieux avec moi.

— Je rentre, c'est-à-dire sur le continent. Cela fait quinze jours que je suis ici. La récréation est terminée.

Cette intention s'était installée en moi tandis que je marchais. J'avais recouvré ma sagesse. Il y avait eu suffisamment de gâchis comme cela sans y adjoindre mon échec scolaire.

Je frôlai les lèvres de Yann dans un baiser pudique. Encore un comportement nouveau et naturel dont je n'étais pas coutumière.

— On se reverra.

Grand-père, à mon retour, me serra dans ses bras. Il s'abstint de mentionner le nom de Marie-Anne, et surtout d'évoquer son enterrement.

— J'ai prévenu les sœurs que tu étais malade. Il

te faut un certificat médical... Pour sœur Philomène, ajouta-t-il.

Je me rendis au cabinet de Jean Jaouenn, sans crainte, et patientai, droite et lisse.

— Marine ! s'exclama-t-il, interloqué, en me découvrant dans la salle d'attente.

Je lui exposai sobrement ma requête. En me donnant l'attestation, il eut un moment de gêne.

— Marine...

— De grâce, taisez-vous.

Je ne voulais plus de son verbiage oiseux ! L'irréparable était accompli et les regrets superflus.

Il n'y eut pas d'élève plus docile et plus studieuse que moi dans les semaines qui suivirent. Sœur Philomène en avait la coiffe de guingois, de rage devant mon impassibilité.

Rien n'altérait ma froideur. Rien ne me détournait de mon objectif : être reçue au bac. D'ailleurs, après l'accumulation des épreuves ayant perturbé ma vie ces derniers mois, celle-ci était devenue tellement uniforme que je ne voyais pas ce qui aurait pu me distraire de ce but. J. C. exerçait son ministère dans une paroisse à des kilomètres de la nôtre, mon amie avait quitté un monde où elle estimait ne plus avoir sa place, les cours de breton qui avaient largement animé notre communauté, suspendus un temps, n'avaient jamais repris. Quant à Yves, il ne mettait pratiquement plus les pieds chez nous. Pas par honte, simplement pour ne plus se heurter à moi et éviter ainsi d'entretenir ma peine.

De peine, je n'en avais plus. Mon cœur était mort et c'était bien ainsi. Ma conversion en adulte, et en adulte indifférente à tout, s'était opérée à mon corps défendant. Mais cela était et me vaudrait peut-être une suite de parcours sans autres égratignures.

Et puis ce fut le bac. J'abordai ce jour avec la même lucidité, le même manque d'appréhension, que si c'était un matin d'école ordinaire.

Je fus reçue avec mention.

— Quels sont tes projets après cette brillante réussite ? interrogea grand-père au comble du bonheur et de la fierté.

— M'inscrire en fac de médecine... Ne te fais pas de souci pour l'argent. J'aurai une bourse et s'il le faut, je la compléterai par des petits boulots.

Médecin ! Ce n'était pas pour concurrencer Jean Jaouenn ou le provoquer. L'idée avait traversé mon esprit lors de mon précédent séjour sur l'île. J'adorais cette terre, elle était une partie de moi. J'y puisais ma raison d'être. L'île n'aurait bientôt plus de docteur, celui encore en activité ayant presque atteint l'âge de la retraite. Je serais ce docteur, non pas dans l'optique de me consacrer à ces îliens dont la bassesse avait contribué à condamner mon père à mort, mais bien en échange des subsides requis pour couler des jours tranquilles, en dehors de toute modernité, ainsi que j'en rêvais.

Cette île était désormais le seul lien me reliant à un passé que ma mémoire chassait avec force.

Je n'avais qu'un vœu : gommer les épisodes tragiques qui avaient secoué la fin de mon adolescence, y compris ceux ayant trait au décès de mon père. Je respectais ses opinions sans pour autant y adhérer. Elles lui appartenaient, ainsi que l'avait dit justement Jean Jaouenn. Qu'il ait été dénoncé ou non ne modifiait pas le cours de l'histoire qui était que j'avais grandi sans lui. Et encore, son absence avait-elle été amplement compensée par les trésors de tendresse dont mon grand-père m'avait entourée !

Quant à mon amie Marie-Anne, la pensée de son décès m'avait été longtemps insoutenable. Elle me hantait surtout à la tombée de la nuit quand les ténèbres envahissaient la maison. Je n'ignorais pas que Marie-Anne s'était pendue dans la pénombre humide de la crèche, comme si elle avait exécré son geste par avance et avait voulu le cacher aux yeux de tous.

Pour enfin faire mon deuil, je résolus un jeudi, pour la première fois depuis la disparition de Marie-Anne, de rendre visite à tante Léontine.

J'avais en tête l'illustration de la ferme fumant dans le brouillard glacé d'un matin d'hiver et elle m'avait alors paru accueillante. Ce jour-là, malgré un soleil persistant et, peut-être à cause de ce soleil qui soulignait ses lésions, elle se montrait au pire de sa misère, avec ses fenêtres poussiéreuses, la peinture écaillée de la porte d'entrée et l'abandon visible du carré de pelouse à l'entrée de la cour.

J'eus beau frapper à la vitre avec de plus en plus d'insistance, rien ne bougea. J'étais devant cette porte close, indécise. Tante Léontine pouvait aussi bien être aux champs qu'en courses ou encore chez son galant, celui qui égayait tant Marie-Anne.

Le sourire de Marie-Anne, lumineux, sans fard, qui donnait envie de la chérir et de la protéger malgré elle. Que n'avait-il également séduit Yves !

Fatiguée d'attendre, je repris le chemin de terre battue qui m'éloignait de la ferme.

Quelle impulsion malsaine me poussa à pénétrer dans la crèche, bâtisse basse, éclairée par une étroite ouverture. J'aurais voulu remonter le temps et renouveler nos matins d'école quand j'appelais Marie-Anne et qu'elle accourait aussitôt, nos trajets immuables jusqu'au lycée.

Je murmurai son prénom « Marie-Anne » et en cette seconde, je me serais damnée pour un « j'arrive » lancé d'une voix enjouée.

— Ôte-toi de là... Dès demain je démolirai cette maudite crèche, pierre par pierre.

Une main ferme m'avait saisie par l'épaule et jetée au milieu de la cour.

— Que cherches-tu, vociféra tante Léontine. Des sensations fortes !

Elle avait le teint encore plus coloré, des yeux éteints et ses cheveux n'avaient jamais été plus gris, plus ternes.

— Excuse-moi, dit-elle d'une voix lasse. Viens. Je vais préparer du café.

Tante Léontine fit bouillir de l'eau et la versa sur un mélange de café et de chicorée. Elle avait le visage fermé et j'osais à peine remuer, tant les plis de sa bouche révélaient les batailles qu'elle menait contre ses cauchemars.

— Chienne de vie !

Tante Léontine reposa son bol si brusquement que je sursautai.

— Elle était si gaie... trop, sans doute. Cela aurait dû m'alerter... Et ce jeune homme. Elle le regardait avec tant de ferveur. J'ai supposé que c'était le père de son enfant et que tout allait s'arranger. Quand il est parti, Marie-Anne s'est sauvée dans la campagne en pleurant. J'ai cru à une querelle d'amoureux et j'ai minimisé l'incident. Je me suis absentée le jour de Pâques. Elle devait m'accompagner et elle y a renoncé à la dernière minute. À mon retour, c'était fini… Ma pauvre petite. Je n'ai pas vu au cours de tous ces jours que nous avons partagés, qu'elle était malheureuse. Satanée bête que je suis ! Je ne me le pardonnerai jamais.

De grosses larmes se répandaient sur ses joues en empruntant les sillons des multiples rides.

— Si j'avais pu prévoir !

Moi, j'aurais *dû* prévoir. Marie-Anne, je la connaissais si bien ! M'en persuader pourtant, c'était ouvrir la porte aux remords et rajouter une torture mentale à la liste déjà longue de celles que j'endurais. Constatant les ravages de la culpabilité sur tante Léontine, je pressentais qu'il ne fallait pas m'engager sur ce terrain.

16

Ma visite sur les lieux du drame eut pour effet de panser l'essentiel de mes plaies, qu'elles fussent relatives à mon amie ou à mon père. Dorénavant j'étais capable de me souvenir des êtres et non plus uniquement de leurs souffrances, celles qui jusqu'alors avaient alimenté les miennes.

Après le bac, pour me procurer un peu d'argent, je me décrochai un job d'été : serveuse dans un bar-restaurant du port. Ce n'était pas un boulot particulièrement réjouissant. Il me fallait souvent résister aux sollicitations des jeunes gens éméchés et entreprenants, mais les semaines écoulées m'avaient apporté une imperméabilité aux griffures de la vie qui m'aidait à tout encaisser.

Le hasard – mais était-ce le hasard ? – conduisit un soir Maëlle et son père dans l'établissement où je travaillais. Je ne fus pas plus empressée auprès d'eux qu'auprès des autres clients.

— Félicitations, Marine, dit Jean Jaouenn lorsque je m'approchai pour noter leur commande.

— Félicitations pour quoi ?

— Ton succès au bac.

— Tu nous serviras rapidement ? coupa Maëlle qui ne supportait aucune allusion à son propre échec.

— Il y a beaucoup de monde, arguai-je.

Toute la journée, j'enchaînais les heures dans la chaleur et le brouhaha des conversations. Dès que j'avais une pause, je me réfugiais sur le port. Mais même là, je n'avais d'autre ressource que de subir les commentaires indélicats des touristes qui se gaussaient de nos travers, de notre accent, de notre rusticité.

Cela ne m'amusait pas mais ne m'irritait plus. J'étais désormais sans émotion.

Une seule personne parvenait encore à m'attendrir, mon grand-père. Je l'observais qui perdait de sa vigueur chaque jour davantage et mon angoisse n'avait plus de nom quand, dans un geste machinal, il portait la main à sa poitrine.

— Marie-toi, fillette, implorait-il sans cesse. J'aimerais que tu sois heureuse.

— Mais je suis heureuse avec toi, grand-père.

Je terminai mon service, ce soir-là, complètement épuisée. Les clients s'étaient bousculés, nombreux, exigeants, et j'en conservais un goût amer qui s'apparentait à de l'humiliation.

Je frissonnai en passant de l'atmosphère enfumée du restaurant à la rue déserte. Pourtant je n'avais pas froid, malgré le vent du nord, piquant et vif, qui sévissait depuis le dimanche des Rameaux, donnant aux journées les plus ensoleillées des températures automnales.

Un homme m'aborda dès que je fus dehors.

— Je t'invite à boire un verre ?

— Il est tard, docteur Jaouenn.

— Puis-je te ramener en voiture alors ?

Je n'avais plus le courage de discuter et la perspective de parcourir à pied, par les ruelles abruptes, l'itinéraire jusqu'à notre maison perchée sur les hauteurs de la ville, s'avérait être pour moi un obstacle bien plus insurmontable que de tolérer un court instant la compagnie de Jean Jaouenn.

— Tu travailles jusqu'à quand dans ce restaurant ?

— Tout l'été.

— Et les vacances ?

— Ce sera pour une autre fois.

— Et après ? Tu t'es inscrite en fac ?

— Oui.

— Laquelle ?

— Médecine à Rennes.

— Tu choisis une voie difficile. Et…

Jean Jaouenn s'interrompit. Compte tenu de nos rapports conflictuels, je crus avoir deviné sa pensée.

— Vous voulez vous assurer que je ne fais pas ça pour vous narguer ? Pour le cas où… Soyez rassuré. Ma décision n'a rien à voir avec vous.

— Je n'avais pas à être rassuré, sache-le… Ton grand-père va se sentir bien seul quand tu ne seras plus là.

— C'est ainsi. Et qui dira ma solitude sans mes parents durant dix-sept ans !

— Nous y voilà. Toujours cette triste histoire. Tu n'accepteras jamais ma version, n'est-ce pas ?

— Non. Mais cela n'a plus d'importance. J'ai tiré un trait sur le passé.

— Alors, comment dois-je traduire cet œil dur et ce rictus au coin de tes lèvres… Oh ! Marine, ne pourrions-nous être amis ?

Il m'avait happé le bras et le broyait avec une force inouïe. Je me dégageai violemment.

— Pour quelle raison serions-nous amis ?

— En mémoire de ton père qui fut pour moi comme un frère et que je n'ai pas trahi.

— En mémoire de mon père, je devrais vous tuer.

— Tu es aussi excessive qu'il l'était.

— Voyez ! Nous ne pouvons être amis, j'ai tous ses défauts !

Grand-père était encore debout lorsque je rentrai chez nous. Bien que le sachant insomniaque, je m'alarmai.

— Ça va, grand-père ?

Il me tranquillisa.

— Ça va, fillette. Par contre toi, tu n'as pas bonne mine. Tu veux une tisane ?

— Laisse. Je m'en occupe.

Grand-père me regardait œuvrer en silence. J'étais à deux doigts de pleurer.

— Les touristes sont impossibles, me plaignis-je. Jamais contents. J'en ai assez d'eux. J'ai hâte que tout ceci soit derrière moi, ce boulot, mes études. Tellement hâte.

— Ne sois pas trop impatiente, fillette. Les jours qui défilent sont mes plus mortels ennemis.

Je me précipitai dans les bras de grand-père.

— Je suis une égoïste. Ne me quitte jamais, s'il te plaît. Que deviendrais-je sans toi ?

Grand-père rit, d'un rire qui se brisa.

— Que voilà une magnifique déclaration, jeune fille. J'en suis flatté.

Oh ! Mon merveilleux grand-père. Que le ciel m'entende et te garde auprès de moi très, très longtemps.

La pluie mit fin prématurément à une saison que les professionnels du tourisme considérèrent comme « ratée ».

À partir du 15 août, les clients se raréfièrent et je fus remerciée. J'avais encore quelques semaines de congé avant la fac, que j'employai à me replonger dans les paysages de mon enfance.

Je clôturais un chapitre de ma vie. Tous les ados ont vécu cette transition. Je ne sais pas pour eux mais moi, cela me rendait nostalgique, voire inquiète. Que me réservait l'avenir ?

Je n'avais pas revu Jean Jaouenn depuis le soir de notre légère altercation. Ma route croisa la sienne, un matin, quelques jours avant mon départ pour Rennes.

Il était en voiture et s'immobilisa à ma hauteur en faisant crisser les pneus.

— Marine, monte.

Le ton était péremptoire et n'admettait aucune contestation. J'obéis.

— Tu m'évites ?

— Même pas !

Il ignora ma réplique grinçante.

— Comment va ton grand-père ?

— Aussi bien que le lui permet son grand âge.

Nous étions toujours stationnés en pleine rue centrale de notre village. Les gens se retournaient sur l'étrange couple que nous formions et dans l'habitation voisine, un visage curieux nous épiait derrière un pan de rideau soulevé.

— Je vous signale qu'on nous espionne, dis-je.

Jean Jaouenn démarra brusquement. Il traversa le bourg en trombe et s'engagea quelques kilomètres plus loin, dans un sentier boueux.

Je raillai, par bêtise, par provocation.

— Avez-vous l'intention de me violer ?

— Cesse de persifler. Cela ne te va pas.

— Mais enfin, que me voulez-vous ?

— Tout d'abord que tu m'écoutes.

— Vos arguments me sont familiers et il n'est pas nécessaire de m'en rebattre les oreilles une fois de plus.

À perte de vue, la campagne était noyée de brume. L'humidité, partout présente, me pénétrait le corps. Je réprimai un tremblement. Jean Jaouenn s'en avisa et ébaucha un geste dans ma direction auquel je réagis immédiatement en m'écartant de lui avec une aversion qui ne lui échappa pas.

— Ne me déteste pas, je t'en prie.

— Pourquoi accordez-vous un si grand intérêt à ce que j'éprouve pour vous ?

— Parce que je voudrais avoir une place dans ta vie, être là si tu avais besoin de quelqu'un, si ton grand-père…

— Si mon grand-père quoi ?

— Il est âgé. C'est toute ta famille.

— Erreur. J'ai un frère.

— Saura-t-il prendre soin de toi ?

— Mais qu'essayez-vous de me dire ?

— Tu es si jeune…

Il se tut et me fixa avec une telle gravité, une telle… désespérance, que j'eus brutalement la vision d'un homme au bord du gouffre, prêt à commettre l'irréparable.

— C'est ridicule… ridicule, répéta-t-il en retrouvant peu à peu de la distance.

Qu'est-ce qui était ridicule et qu'avait-il été sur le

point de m'avouer qui l'avait tant effrayé ? J'en eus la soudaine illumination, et lui fus reconnaissante de s'être arrêté avant les mots. Sans mots précis auxquels me référer, je pouvais douter de mon bon sens, de mon imagination.

— Je me trompe n'est-ce pas ? Ce que je soupçonne est trop... quel serait le terme approprié ? Et cela pour réparer votre faute, pour remplir je ne sais quelle obligation envers moi, à la place de mon père. Ce n'est pas ainsi que j'oublierai, que je vous pardonnerai.

— Qu'aurais-tu à me pardonner ? rétorqua Jean Jaouenn à nouveau combatif. Et l'envie de veiller sur toi, ne résulte pas de remords inexistants mais d'une réelle affection.

— D'une... réelle affection ?

J'étais de plus en plus effarée. Était-ce la fatigue, les événements de ces derniers mois, mon proche changement de statut, je ne comprenais plus rien à ce qui m'arrivait. Tout était si simple quand j'abhorrais Jean Jaouenn et que celui-ci se contentait de se défendre. Et voilà qu'il brandissait un attachement insensé auquel je n'avais nullement le dessein de répondre, même si un temps il m'avait troublée. Aujourd'hui, Dieu merci ! je maîtrisais mes sentiments et n'en étais pas au stade de me perdre.

— Tu parais surprise. Sache seulement que, quoi qu'il advienne, je serai toujours là pour toi.

— Quoi qu'il advienne, vous n'aurez pas la satisfaction de me voir mendier votre aide.

— Il ne faut jurer de rien, Marine. La vie se charge de t'apprendre l'humilité. Mais c'est ton droit et ta liberté de refuser tout soutien de ma part comme c'est mon droit et ma liberté de croire et d'espérer...

— Croire en qui, en quoi ? criai-je.

Il savait que je le haïssais. Pourquoi malgré cela, se montrait-il aussi généreux ? Tablait-il sur la probabilité qu'avec les mois ou les années, j'évolue vers plus d'indulgence à son égard ? Qu'il croit et qu'il espère, et même qu'il prie et supplie Dieu, ou encore qu'il vende son âme au diable, ce qu'il avait fait était trop méprisable, trop abject, pour que je l'absolve aussi facilement.

17

François ferma à clé la lourde porte en bois derrière les fidèles. Encore une messe de minuit qui venait de s'achever. Il y avait eu foule, contrairement aux années précédentes. Les gens, depuis un an ou deux, recommençaient à célébrer Noël dans le recueillement, réservant les réjouissances pour le nouvel an.

François remonta à pas lents vers la sacristie, s'assurant que dans les recoins d'ombre des piliers et des confessionnaux ne se dissimulait pas quelque rôdeur. Mais tout était calme. Même madame Gonidec ne s'attardait plus après la messe. Et pour cause ! Victime d'une obscure langueur, elle avait été placée, « internée » aimaient à colporter les mauvaises langues du village, dans un établissement de santé et il était à craindre qu'elle n'en sorte pas de sitôt.

François atteignit la sacristie, abaissa l'interrupteur qui commandait le lustre au-dessus du chœur, jeta un dernier coup d'œil circulaire et s'apprêta à rentrer chez lui. Il se sentait usé, vieilli. Il se dit que l'heure de la retraite avait sonné et qu'il était temps pour lui de passer le relais.

Dehors, quelques flocons de neige tombaient timidement, sans conviction. François avait hâte de se mettre au chaud près de l'âtre. Le feu avait dû s'éteindre mais si les braises rougeoyaient encore, il n'aurait pas de peine à le rallumer. Ensuite, il hésitait sur l'utilité, ou le plaisir, de s'offrir un en-cas. Son estomac ne supportait plus les excès de nourriture. Un vin cuit peut-être, avec de la cannelle et beaucoup de sucre. Des pruneaux aussi. Oui voilà ! Son fauteuil à côté de la cheminée, il boirait tranquillement un vin cuit puis il irait se coucher.

La porte de la maison était ouverte. François s'en étonna. Avait-il omis de la verrouiller en partant tout à l'heure ? C'était plausible. Sa pauvre tête s'embrouillait de plus en plus. Il accrocha son manteau à la patère, enleva ses bottillons. Un instant, il garda ses pieds gelés dans le creux de ses mains pour les réchauffer, les frotta vigoureusement à travers les chaussettes de laine pour activer la circulation. Un jour prochain, il attraperait la mort dans cette église immense, véritable nid à courants d'air. En soupirant, il enfila ses chaussons et pénétra dans la cuisine.

— Marine, tu es là !

François recevait toujours le même choc en contemplant sa petite-fille. Dix-neuf ans révolus et une beauté dont elle n'avait même pas conscience. Si seulement dans ses yeux, il n'y avait pas cette lueur de dureté !

— Tu ne réveillonnes pas avec ton frère ?

— Je préfère être avec toi.

François était comblé. Il avait redouté de fêter Noël abandonné de tous. Yves s'était marié en août avec une jeune femme qu'il avait rencontré au manège et dont le père était directeur du lycée d'une ville voisine. Les époux, très épris, en négligeaient les politesses envers la famille et on évitait de les importuner. Marine, elle, poursuivait ses études de médecine avec un brio, une maestria qui indisposait presque. Cette détermination en elle avait de quoi déranger. Rien ne semblait l'atteindre en dehors de cet acharnement à réussir, à être la meilleure. Pas par ambition mais par une sorte d'impératif qu'elle s'était imposé.

— Tu veux un vin chaud, grand-père ?

— Volontiers, fillette. Je suis transi.

— Va t'asseoir. Je te l'apporte.

Sur le coin du fourneau mijotait le vin dans lequel les pruneaux avaient eu tout loisir d'exhaler leur parfum. François se cala dans son fauteuil et se laissa servir. Il huma d'abord le fumet qui se dégageait du bol de vin puis y trempa le bout des lèvres car le liquide était brûlant. Juste à point. Les pruneaux, la cannelle. C'était parfait.

— *Mad eo*[1] !

Marine s'installa sur un tabouret aux pieds de son grand-père. Ses yeux accompagnaient la danse des flammes. Impossible de prévoir leur direction. On croyait qu'elles allaient s'élever droites et nettes, et dans un souffle d'air elles se rabattaient, s'enroulaient autour des bûches. François ne souffrait pas de voir Marine mélancolique. Il était totalement démuni devant ce qu'elle était devenue : une jeune femme trop austère et trop réfléchie pour son goût. Quels étaient donc ces démons qui finissaient par dévorer jusqu'à son âme ?

— Et Jean-Marie, il n'était pas disponible ?

— Grand-père ! Cesse de croire que je suis ici par

1. C'est bon !

devoir. Tu sais que je n'ai pas de plus grand bonheur que d'être auprès de toi. Et j'ai invité Jean-Marie à déjeuner avec nous demain. Es-tu content ?

François haussa les épaules.

— Si cela te convient.

Marine prit les pinces et réorganisa sur les chenets les rondins à moitié consumés. Le feu recouvra aussitôt une nouvelle vigueur.

François observait sa petite-fille. Il ne s'expliquait pas cette froideur qui désormais la caractérisait. Ce comportement datait selon lui d'il y avait deux ans environ. Un peu plus même. Oui, c'était cela, deux ans depuis Pâques. Un fait s'était produit qui avait transformé l'adolescente spontanée en un être distant et résolu. Et ce n'était pas le suicide de Marie-Anne. Il y avait eu autre chose, de bien plus profond, de bien plus fort, que François n'osait envisager. Longtemps il avait attendu que Marine se confiât à lui. Mais la jeune fille ne suscitait plus comme autrefois les moments d'effusion, quand elle se blottissait dans ses bras, pareille à un chaton en mal de caresses.

Triste nuit ! François augurait qu'il n'y aurait plus pour eux de Noëls d'antan, pleins de joie et d'allégresse. Pour dérider Marine, François lui raconta les derniers potins.

— On dit que la veuve Postec a entrepris très sérieusement la conquête du docteur Jaouenn.

Comment aurait-il deviné que le nom du docteur Jaouenn avait fait naître dans le cœur de sa petite-fille un malaise indéfinissable ?

Le rendait-elle encore responsable de la mort de son père ? Probablement avait-elle dépassé sa rancœur. La présence immuable et l'amour indéfectible de son grand-père l'avaient peu à peu éloignée de pensées et de sentiments morbides.

— La veuve Postec ! Mais quel âge a-t-elle ? Cinquante ans !

— Au moins.

— Et lui ?

Marine l'apercevait chaque fois qu'elle revenait au village. Ils ne se parlaient pas et c'était toujours elle qui détournait son regard du sien, anxieuse de ce qu'elle pourrait y lire.

— Encore un peu de vin chaud, grand-père ?

François acquiesça et Marine versa à son aïeul le liquide odorant, ensuite elle rajouta une bûche dans le feu qui se mourait.

— À propos de mariage, quand donc épouseras-tu Jean-Marie ?

— Il n'a pas terminé ses études. Et moi, je ne suis qu'en troisième année. Nous avons le temps.

— L'épouseras-tu au moins ? C'est un gentil garçon, honnête et courageux.

Marine s'était dirigée vers la fenêtre et le front contre la vitre, elle fixait l'horizon. Là-bas, si proche et si lointaine, son île. Il lui tardait d'aller respirer sur la grève l'âcre odeur de poisson séché. Revoir la maison où tante Lucie déclinait doucement. Et Yann, avait-il conservé sa candeur et sa capacité de séduction ?

— Grand-père, il neige !

François ne réagit pas. Marine en conclut que son aïeul s'était assoupi et, pour ne pas le réveiller, elle se glissa avec précaution sur le tabouret près de lui.

Mais le vieil homme songeait. Il songeait que son séjour sur terre arrivait à son terme. Il était fatigué.

Tant de chagrins accumulés ! Pourtant au bout de vingt ans, il était parvenu à arracher de son cœur et de ses entrailles, sa colère, ses tourments, et jusqu'à l'identité de l'homme désigné par son fils comme étant à l'origine de son arrestation. Jean avait-il misé sur une vengeance familiale ? François s'était mille et mille fois posé la question au cours de longues nuits sans sommeil et comprenant que plus rien ne ramènerait son garçon, et surtout pas d'absurdes représailles, il avait pris la décision que lui conseillait sa bonté naturelle : faire abstraction de cette fameuse lettre. Cela n'avait pas empêché, à l'époque, les rumeurs de dénonciation de se propager. François les avait dédaignées. C'était le mieux pour lui, pour éduquer ses petits-enfants dans un climat de paix.

Et maintenant il était au bout du voyage. Yves était marié, Marine avait Jean-Marie, solide et sûr. Il avait enfin la permission de se reposer.

La tête de François s'inclina sur sa poitrine. Il dormait.

DEUXIÈME PARTIE

1

La nuit s'était écoulée, interminable. L'appréhension de la matinée à venir l'avait tenue éveillée.

Toutes les péripéties l'ayant conduite à son choix de vie et de carrière s'étaient déroulées dans son esprit, insidieusement : les bonnes ou mauvaises fortunes qui avaient jalonné son existence, la révélation du destin tragique de son père, la fin tout aussi dramatique de sa mère, de Marie-Anne, sa presque sœur, et le hasard funeste que le facteur déterminant du malheur de celle-ci, eût été son frère Yves. Elle en voulait moins à ce dernier qu'auparavant du suicide de son amie. Elle était toujours convaincue qu'il était bien le père de son enfant mais que le reste relevait de la sensibilité de Marie-Anne et de la densité regrettable qu'elle avait accordée à ce fait.

Aujourd'hui, mûrie par ces divers éléments, Marine était devenue médecin, sans vocation et sans altruisme. Mais elle se connaissait assez pour savoir qu'elle accomplirait sa mission avec la rigueur voulue.

Elle se leva et après avoir déjeuné, inspecta la salle d'attente, aligna les chaises, les revues sur la table basse, se dit machinalement qu'il faudrait les renouveler car elles n'étaient plus d'actualité. Puis elle passa dans le bureau où elle constata le bon rangement des instruments et accessoires dont elle aurait à se servir. Les horaires de consultation étaient affichés à la porte d'entrée. Elle voyait les gens s'arrêter et lire les inscriptions. Bientôt, grâce au bouche-à-oreille, l'île disposerait des renseignements touchant le nouveau fonctionnement du cabinet médical. Inutile de stresser. Elle n'avait plus qu'une chose à faire : patienter.

Et Marine patienta la matinée entière, guettant le claquement des pas qui lui signalerait la venue d'un malade. Ponctuellement, elle ouvrait la porte de la salle d'attente pour vérifier que quelqu'un ne s'y était pas introduit à son insu. À chaque fois elle ravalait sa déception. La pièce était vide, inexorablement vide.

Peu avant midi elle eut un espoir, vite étouffé, quand le docteur Le Guen vint voir comment elle s'en tirait.

— Je n'ai pas eu un seul patient, dit-elle dépitée. Est-ce que cela vous est déjà arrivé ? Soyez sincère.

— Il n'y a pas foule tous les jours. Allons mon enfant, ne vous laissez pas abattre. Donnez aux îliens un peu de temps. Sortez, discutez avec les gens pour qu'ils s'aperçoivent que vous n'êtes pas fière. Tout s'enchaînera et c'est alors que vous vous plaindrez d'avoir trop de travail.

Malgré l'heure avancée, Marine invita le docteur Le Guen à boire un café. Il accepta, pressentant que c'était là ce qu'elle attendait. Ils devisèrent de la clientèle, des différentes pathologies rencontrées. Il la rassurait, lui jurant que les malades feraient bientôt appel à elle.

Marine avait programmé une autre consultation

entre quatorze heures et seize heures. Sans plus de résultat. À seize heures et une minute, elle partit se promener au bord de l'océan.

C'était l'avantage, étant inoccupée, de pouvoir jouir pleinement d'un environnement privilégié. Par habitude, elle s'achemina vers le secteur de l'île où habitait sa tante. Le temps était gris, mais il ne pleuvait pas. Les mouettes sur la grève becquetaient le sable en quête de nourriture. D'autres planaient dans le vent. Elle croisa plusieurs marins, quelques femmes en coiffe. Elle s'appliqua à les saluer, selon les recommandations du docteur Le Guen. Les femmes la dévisageaient sans aménité et sans répondre à son bonjour. Les hommes, après un temps de réflexion comme pour s'interroger sur l'attitude à adopter, hâtaient le pas, le regard fuyant.

Elle rejoignit le chemin qui menait au phare et dès lors, elle ne vit plus personne. C'était l'endroit de l'île qu'elle prisait, quasi désertique et loin de l'agitation du bourg. Elle marchait sur une bande de terre, avec l'océan de part et d'autre. Et la sérénité qui émanait de ce paysage, simplement rythmé par la marée et le cri des mouettes, apportait au corps un bien-être si intense qu'il en était douloureux.

Rien hormis cette quiétude n'avait plus d'importance. Tant pis si les patients la boudaient, tant pis si elle allait devoir batailler pour gagner leur confiance, elle était sur son île. C'était ce qu'elle avait désiré le plus au monde. Dès lors, les probables difficultés à surmonter lui apparaissaient dérisoires. Elle ne les niait pas, elle ne leur attribuait que le prix requis. Ce ne serait pas facile, moralement, financièrement. Elle aurait des épisodes où elle risquait de s'effondrer, mais elle comptait en triompher en s'appuyant sur ses souvenirs qui participaient de sa force intérieure, avec le soutien du docteur Le Guen. De celui de tante Lucie aussi. Sans remplacer son grand-père, elle était de sa parenté et Marine savait qu'elle serait toujours là pour elle, ainsi que Jean-Marie. En dernier ressort, si toutes ces composantes ne lui procuraient pas l'apaisement souhaité, elle aurait recours à la maison du continent, au bord de la falaise pour se ressourcer. Elle aurait tort de se lamenter. Son avenir était on ne peut plus prometteur et elle était bien entourée.

La balade de Marine s'acheva chez sa tante Lucie. Celle-ci ne s'étonna pas de sa visite, se contentant de lui sourire, de ce sourire chargé d'une infinie tendresse.

— Alors ? questionna-t-elle en référence à sa première consultation.

— Alors ? Je suis un médecin sans patients, ma pauvre tantine.

— *Spontuz eo !* Ils sont sans cesse à geindre pourtant. Ils viendront.

Oui, mais quand ?

Marine s'attarda auprès de sa tante, évoquant son grand-père, ses années d'enfance. Tante Lucie s'inquiétait de savoir qu'Yves et elle n'étaient plus aussi soudés et elle la supplia de se rapprocher de lui.

— La famille, c'est sacré. Tu ne dois pas te fâcher avec ton frère.

— Nous ne sommes pas fâchés, tante Lucie, mais trop de différends nous ont éloignés. En particulier, je lui reproche d'avoir voulu se débarrasser de notre maison. Sans l'aide du notaire, elle s'en allait entre des mains étrangères. Tous les bons moments que nous y avons vécus ! Est-ce juste ?

— Yves avait ses raisons. C'est ton frère. Ne sois pas rancunière.

Avec tout l'amour qu'elle leur portait, tante Lucie reviendrait sur le sujet jusqu'à ce que le frère et la sœur fussent à nouveau liés par cette affection unique qui était leur ciment depuis le décès de leurs parents.

Tante Lucie voulut retenir Marine à dîner, mais celle-ci préféra rentrer et contrôler qu'il n'y avait pas eu d'appels en son absence.

Le vent s'était levé, la mer se creusait et les vagues se brisaient sur les rochers dans des gerbes d'écume. Un sérieux coup de tabac s'annonçait.

Il ne faisait pas très chaud à l'intérieur de la maison. Marine bourra le poêle de bois jusqu'à la gueule. Demain, elle demanderait au docteur Le Guen de lui installer un autre poêle dans la chambre. Elle n'était pas spécialement frileuse mais n'avait aucune envie de s'infliger des habillages et des déshabillages laborieux, au cœur de l'hiver, dans une pièce glacée.

Elle dîna sommairement et monta se coucher. En débloquant les volets de la chambre, elle reçut les embruns des vagues qui se cassaient avec fracas sur le mur du quai. Elle se figura les jours de tempêtes, les vraies, démesurées, extrêmes et imagina leur impact sur l'ordinaire de l'île et de ses habitants. Une averse s'abattit avec violence. Elle entendait les gouttes marteler le pavé et le bruit entêtant se mêler aux rafales du vent.

Elle dormit plutôt mieux que la nuit précédente et le lendemain, elle se prépara à une nouvelle attente.

Elle était dans son cabinet à lire une revue médicale

243

abandonnée là par le docteur Le Guen, lorsqu'elle se figea. La porte d'entrée s'était ouverte et des pas résonnaient dans le couloir. Cette fois, pas de doute possible, elle avait un patient.

— Tante Lucie ! s'exclama-t-elle en découvrant sa grand-tante dans la salle d'attente, serrée dans son manteau noir. Tu es malade ?

— Qui sait ?

Elle comprit que sa tante, contrariée que la population de l'île se défiât d'elle, se dévouait pour servir d'exemple, en escomptant que sa venue au cabinet aurait été repérée par le voisinage et l'information propagée pour avoir valeur d'encouragement.

— Entre, tantine. Puisque tu es là, je vais m'assurer que tu vivras centenaire.

— Surtout pas ! s'écria tante Lucie. Dieu m'en préserve !

2

Les jours se succédaient et les îliens se montraient toujours aussi réticents à venir la consulter. Elle commençait à croire qu'elle ne vaincrait jamais leur hostilité.

Marine subodorait que l'effet boule de neige se ferait à partir des hommes, et femmes surtout, de sa génération. Les personnes plus âgées, qui avaient fréquenté ses parents et grands-parents, se rappelaient vraisemblablement encore trop les années de guerre et d'épuration, pour se livrer à son diagnostic aussi aisément.

Cela pouvait être de la méfiance ou de la honte (elle n'osait parler de regrets), en se remémorant de qui elle était la fille.

Marine savait que, tôt ou tard, les malades finiraient par échouer dans son cabinet. À moins de se rendre sur le continent, ils n'avaient pas d'autre option. Elle devait s'armer de patience. Sauf qu'avant que ce jour n'arrivât, elle avait besoin d'argent, ne serait-ce que pour se nourrir.

Pendant ses heures d'inactivité, elle s'était mise à la pâtisserie. Elle expérimentait toutes sortes de recettes et dévorait ensuite sa production. À ce stade, elle allait rapidement grossir et ressembler à un Bibendum, bonhomme éminemment sympathique mais avec des rondeurs qu'elle ne briguait pas.

Tante Lucie avait pris la mesure de la situation et partageait avec elle le poisson que lui fournissait gracieusement Marijanig, la karabassen.

— Gardes-en pour toi, tante Lucie, protestait Marine.

— J'en ai suffisamment, petite. Autant que tu en profites.

Avec cet écot et ses pâtisseries, Marine avait déjà les ingrédients d'une partie de ses repas. Dès qu'elle était libérée de ses obligations (patients ou pas, elle se tenait stoïquement à son bureau durant les horaires indiqués) et que la marée était favorable, elle arpentait la plage à la recherche de bigorneaux et de moules. Elle prévoyait, dans le carré de jardin qui se situait derrière la maison, de planter des légumes, pommes de terre, carottes, salades. Ce serait pour le printemps prochain, si elle était encore sur l'île. Elle subsisterait ainsi quelque temps. Combien ? Devrait-elle en plus se transformer en couturière et fabriquer ses propres vêtements ? Elle rit. Ces tristes perspectives ne ternissaient en rien le bonheur qu'elle avait à vivre seule, sur ce caillou, en plein océan. Seule ! L'était-elle vraiment ? Outre sa tante Lucie qu'elle voyait régulièrement, il y avait la mer, le vent, les oiseaux, mouettes et goélands qui criaient à longueur de journée, les bateaux qui quittaient le port ou y entraient. Tout cela lui remplissait la tête et les yeux. Elle avait l'impression d'un tableau en mouvement permanent et son attention était constamment en éveil.

Il n'y avait que le soir, une fois les volets clos, calfeutrée chez elle, que Marine pénétrait dans un univers incertain. Elle redoutait qu'à la faveur de la nuit, les fantômes du passé ne surgissent et ne l'entraînent avec eux dans un abîme sans fond qui l'engloutirait à jamais. Pour conjurer cet instant de vulnérabilité, elle plaçait son « fauteuil » près du poêle, s'enveloppait dans un châle, feuilletait une revue et s'efforçait d'échapper à ses frayeurs.

Elle écoutait les vagues qui pilonnaient la digue, les bruits de pas qui frappaient le bitume, les paroles échangées qui lui parvenaient par bribes. La vie l'environnait, même si cette vie, provisoirement, se déroulait sans qu'elle y contribuât. Elle avait foi. Cela viendrait... ou ne viendrait pas. Ce serait alors à elle de se reconstruire ailleurs. La pensée de son grand-père l'y aiderait. Elle le sentait à ses côtés. Il ne permettrait pas qu'elle chancelât sans intervenir, même de là-haut.

La consultation n'ayant pas attiré grand monde, Marine jugea que cela n'aurait pas de conséquences si elle fermait le cabinet avec un peu d'avance.

Elle était sur le point de verrouiller la porte lorsqu'une jeune femme accompagnée d'un gamin de trois, quatre ans, hurlant avec une énergie incroyable, fit irruption dans le couloir.

— Je veux voir le docteur, dit-elle affolée.

— C'est moi. Qu'y a-t-il ?

— Mon fils s'est blessé dans les rochers.

Elle guida la mère et le fils vers la salle de consultation et examina l'enfant.

— Ce ne sera rien. Je vais juste désinfecter ses coupures.

La mère poussa un gros soupir de soulagement. Calmée, elle observa Marine avec curiosité.

— Qu'est-ce que vous faites sur l'île ?

— À votre avis ?

— Vous devez vous ennuyer ici, non ? reprit la jeune femme.

— Vous vous ennuyez, vous ? ironisa Marine.

— Moi, c'est pas pareil. Je suis née sur l'île. Et puis, j'ai mon mari, mon fils, mes parents et ma belle-famille. Je vois des gens, je m'occupe !

— Et moi je ne suis pas occupée avec mes patients ?

— On raconte que les vieux, surtout les hommes, ne veulent pas consulter une femme docteur.

— Ah ! on dit ça ! Et que dit-on encore ?

— Les gens s'interrogent. Pourquoi l'île et pourquoi pas une ville sur le continent.

— Et les gens ont des réponses à ces questions ? persifla Marine.

La jeune mère ne se démontait pas.

— Chacun y va de sa version. Pour moi, vous avez eu un chagrin d'amour et vous vous êtes réfugiée sur l'île pour oublier.

On débattait de son cas comme de celui d'une inconnue. Étrange. Sa parenté avec son grand-père et son père n'avait pas transpiré. Ou alors les commentaires restaient confidentiels. Il est vrai qu'entre l'époque où elle venait sur l'île avec son aïeul et aujourd'hui, elle avait beaucoup changé. Ses visites à sa tante Lucie n'avaient pas non plus soulevé de passion. Si quelqu'un l'avait aperçue à proximité de son domicile, ce quelqu'un avait dû supposer que la vieille dame recevait le médecin.

Après ce dernier patient, Marine s'octroya une pause dans la cuisine. Elle prépara du thé et coupa une tranche d'un gâteau au chocolat qu'elle avait confectionné la veille. Cet intermède gustatif lui redonna du tonus.

Pour ne pas faillir à la tradition instaurée depuis son adolescence, elle s'habilla chaudement et sortit pour une courte balade.

La nuit était tombée. Il faisait froid. La marée était basse et les vagues se disloquaient plus loin, au bout de la cale. Marine remonta le quai et s'assit sur le parapet, à l'écart du bourg.

Elle aimait ces moments. Fondue dans la nuit, elle devenait réceptive à tout ce qui l'entourait : les lumières, les bruits. Elle contemplait le ciel, croyait parfois distinguer dans les nuées sombres qui l'envahissaient, une forme, des détails qui lui suggéraient son grand-père : sa silhouette, ses cheveux épars, dressés sur le dessus de son crâne ou encore son éternelle pipe. Elle lui retraçait alors tous les obstacles auxquels elle se heurtait pour se faire accepter de ces îliens farouches, pendant que lui se prélassait au milieu des étoiles.

« Pourquoi l'île ? » lui avait demandé la jeune maman. Cela lui paraissait évident. Parce que ses racines la ramenaient sur cette terre. Elle y était chez elle. La preuve ? Ici elle dialoguait avec son grand-père rien qu'en regardant la voûte céleste. Sur le continent, elle ne réussissait pas à établir cette relation. L'île, c'était sa bulle, le lieu où tout était possible et elle était aussi légitimée que n'importe quel autre îlien pour y vivre.

Au retour, elle s'arrêta à l'épicerie près de son cabinet pour acheter des provisions. Les marins, accoudés au bar, levèrent le nez de leur verre lorsqu'ils entendirent la porte tinter.

— Bonjour, lança Marine à la cantonade.

Son salut n'eut pas d'écho. Elle choisit une salade et tiqua devant son prix.

— C'est cher !

— Dame. On est en hiver et elles viennent du continent, rétorqua la commerçante, la bouche pincée. Le transport ça se paie. Un médecin, c'est pas à la rue.

Drôle de formulation pour lui signifier que sa profession devait, selon elle, lui procurer des revenus substantiels.

— Un médecin sans patients c'est comme un bistrot sans clients. L'argent ne rentre pas. Pourtant je suis un bon médecin. Vous devriez essayer !

— Je suis pas malade, cracha la femme entre ses dents.

— Continuez ainsi, alors ! susurra Marine aimablement.

Elle aurait voulu se cacher dans un recoin du bar pour surprendre les réflexions qui ne manqueraient pas de fuser après son départ. Elle aurait gagné du temps à apprendre des gens eux-mêmes, et sans hypocrisie, l'opinion que l'on avait d'elle !

Marine voyait se rapprocher les fêtes de Noël avec un peu d'angoisse. Elle ne savait que décider. Demeurer sur l'île ou partir quelques jours dans la maison de son grand-père. Obstacle de taille ! À trop tergiverser, elle n'avait entrepris aucune démarche pour se trouver un intérimaire. Étant l'unique médecin de l'île, elle ne pouvait s'absenter sans avoir anticipé cet éloignement. Les familles avaient toujours la faculté de recourir au SAMU mais on n'envoyait pas l'hélicoptère sur l'île comme ça, outre le fait qu'en cette saison, les conditions atmosphériques l'empêchaient souvent de décoller.

Peut-être le docteur Le Guen consentirait-il à la suppléer deux ou trois jours.

Un soir, après sa consultation, elle se rendit chez lui. Il habitait avec sa sœur une maison dans l'entrelacs des ruelles du bourg où Marine se perdait avec une facilité qui la désarçonnait.

Ce fut la sœur du docteur qui lui ouvrit. Elle avait un visage avenant et un sourire accueillant.

— Oui ? dit-elle.

— Je viens voir le docteur Le Guen. Il est là ? Je suis Marine Le Guellec.

Son sourire s'agrandit.

— Entrez. Louis ! appela-t-elle.

Le docteur Le Guen s'avança à la rencontre de Marine.

— Rien de grave, j'espère ?

L'intérieur du logis était confortable et arrangé avec goût. Marine aurait plutôt imaginé un décor à l'image de ses hôtes, suranné, encombré d'antiquités et elle fut frappée par l'ambiance claire et harmonieuse qui s'en dégageait.

Le docteur Le Guen tira une chaise devant la cheminée et lui proposa :

— Vous prendrez quelque chose ?

Elle n'eut pas le loisir de décliner son offre que déjà il s'adressait à sa sœur.

— Sers-nous un porto.

— Toi tu ne rates jamais une bonne occasion de boire, répliqua-t-elle.

— Si celle-ci n'est pas une bonne occasion, laquelle le sera !

Le frère et la sœur formaient un duo jubilatoire, empreint de complicité et d'humour et leur numéro avait l'air de les réjouir autant que Marine qui assistait, amusée, à leur conversation.

Le docteur conféra avec la jeune femme de ses patients, enfin ses « rares patients ».

— Ils viendront, lui affirma-t-il une fois encore.

— Ils viendront mais quand ?

— Quand ils verront que c'est trop dur d'aller sur le continent, surtout en hiver, quand ils craindront pour leur vie.

— Quand ils auront confiance en moi ?

— Quand ils auront confiance en vous, confirma le docteur le Guen. Et ils auront confiance en vous lorsque vous ferez partie de leur environnement, c'est-à-dire petit à petit.

— Pour lors, je serai morte de faim, couverte de dettes.

— Est-ce si difficile ?

— Non, j'exagère.

Pas tant que ça, mais elle n'était pas là pour se plaindre. Elle aborda l'objet de sa venue.

— Vous partez à Noël ?

— Non, nous ne bougeons pas. Si vous êtes seule, vous pouvez vous joindre à nous pour le déjeuner.

— C'est gentil. En fait, j'aurais voulu prendre quelques jours de vacances…

— Et vous n'avez pas de remplaçant !

— C'est exact, avoua Marine piteusement.

— Soyez tranquille. J'assurerai une permanence.

— Ne me dis pas que tu regrettes tes malades ! s'exclama sa sœur pour le taquiner.

— Sinon, le cabinet, ça va. Vous n'avez pas froid ?

— Puisque vous en parlez. Un poêle dans ma chambre…

— Je vous l'installerai pendant votre absence, pour ne pas vous déranger.

Marine quitta la maison du docteur satisfaite et un brin pompette avec son porto. Ce n'était pas le moment d'avoir une urgence.

Le vent avait forci dans la journée. Marine était sur le chemin du phare pour aller voir sa tante. Depuis qu'elle était sur l'île, elle n'avait pas essuyé de tempêtes. On était à deux jours de Noël et le baromètre chutait. Mauvais pour son voyage en bateau.

Elle se jucha sur la digue ainsi qu'elle le faisait avec son grand-père, pour mieux observer l'océan. Il était très agité, avec des creux importants. De ce côté, on ne discernait pas le continent et la sensation vertigineuse d'être au milieu de rien lui vint, comme d'habitude. Elle était fascinée par le déferlement incessant des vagues et se demanda ce qui pouvait à ce point l'hypnotiser dans ce spectacle en apparence répétitif et qui lui semblait pourtant différent à chaque mouvement du flux et du reflux. Sans doute parce qu'il l'était : la hauteur de la vague, son intensité, son cheminement après s'être écrasée.

— Si vous persistez à vous exposer ainsi…

Marine se retourna, interdite.

Un homme se tenait en bas de la digue. Elle l'identifia sans mal. Son expression était toujours la même.

Pour le reste, la stature, la musculature, l'air plus dominateur qu'angélique, ce n'était plus lui.

— Yann ?

— Bonjour, Marine.

Elle descendit de la jetée et hésita à l'embrasser. Il n'eut pas d'états d'âme quant à lui et lui serra la main, une poignée de main ferme, presque brutale.

— Comment as-tu... avez-vous su que c'était moi ?

— Je vous ai aperçue sur le chemin, devant notre maison. Ma mère m'a dit qui vous étiez.

— Vous habitez l'île ?

— Non. Je suis là pour les fêtes.

— On se reverra alors ?

— J'y compte bien.

Marine s'éclipsa rapidement pour qu'il ne remarquât pas son embarras. L'adolescent charmeur était devenu un homme particulièrement séduisant et il l'avait troublée.

Et ce que Marine prévoyait, se produisit. La tempête se déchaîna le lendemain. Plus question de rejoindre le continent. Elle fêterait Noël sur l'île, avec tante Lucie.

Le soir du réveillon, celle-ci exprima le vœu de participer à la messe de minuit. Marine parvint à l'en dissuader. Le vent soufflait avec une telle violence que la vieille dame aurait été déséquilibrée dans les rafales.

Tante Lucie improvisa un repas avec des pommes de terre trempées dans du lait, suivies de crêpes aux pommes.

Assises près de l'âtre, elles s'entretinrent de François. Marine confessa à sa tante combien son grand-père lui manquait. Combien son bon sens, sa droiture, sa sollicitude lui manquaient.

— Tantine, parle-moi de maman.

— Ma Doue ! s'affola tante Lucie. Que te dire ? Elle était douce et ne vivait que pour ton père.

— Et nous, elle nous aimait ?

— Bien sûr qu'elle vous aimait, ça n'empêchait pas ! La guerre l'a beaucoup marquée. Quand l'île a été occupée par les Allemands, elle pleurait sans cesse. Elle avait peur. Pour Yves, pour votre père, pour toi plus tard. Elle ne voulait plus mettre un pied dehors. C'est ton grand-père qui veillait à tout.

— Et mon père ?

— Il était sur le continent. Les derniers temps, il ne venait plus qu'exceptionnellement sur l'île.

— Est-ce vrai, tout ce dont on l'a accusé ?

— D'où tu tiens ça, toi ?

— J'ai discuté un jour avec quelqu'un qui a suivi le procès.

En réalité, Marine avait fini par parcourir, après le décès de son grand-père, les coupures de presse qui étaient toujours rangées dans la boîte, au fond de l'armoire. Le choc avait été rude et elle avait versé des quantités impressionnantes de larmes.

— On a raconté tant de choses !

— Mais mon père, il t'a expliqué, à toi ou à grand-père ?

— Dès l'instant où il a adhéré à ce parti, ce PNB, ton père a changé. Ce n'était plus le jeune homme enjoué que nous connaissions. Je voyais bien que ton grand-père se tourmentait, mais que faire ? Et puis il y a eu l'épuration, ton père a été arrêté et nous avons vécu l'enfer. Les ragots, les rumeurs, ceux qui savaient ou croyaient savoir, ceux qui ne savaient rien mais qui faisaient comme si... Les journaux ont ensuite relaté son procès. On y décrivait ton père comme...

comme… Sainte Vierge ! Et ta mère qui lisait ces horreurs ! Maudits journalistes, au lieu de rapporter les faits et uniquement les faits, il fallait qu'ils rajoutent des appréciations à eux, pleines de fiel et de partialité. *Bec braz*[1] ! Aussi, tout s'est passé si vite ! À peine arrêté, à peine jugé, déjà fusillé. On aurait dit que les autorités d'alors cherchaient à effacer tout ce qui pouvait rappeler les années de guerre. Mais peu importe le portrait qu'on a tracé de ton père, dans mon cœur il restera toujours le neveu que j'ai chéri. C'était l'être le plus charmant qui soit. Pour moi, ce sont les dirigeants du parti, ceux qui fréquentaient les Allemands, qui lui ont embrouillé l'esprit. Il ne s'y est pas mis seul dans ce pétrin, c'est pas possible, il n'y avait aucune once de méchanceté en lui ! Après, peut-être qu'il n'a plus su comment se sortir de là et qu'il s'est entêté, un peu comme un gamin qui comprend qu'il n'a pas raison et qui s'obstine néanmoins à défier le monde, par fanfaronnade. *Penn Kaled*[2] ! Cette guerre, petite, a été un grand malheur. Sans elle, ton père aurait continué à distribuer ses tracts, à parler breton et à rêver d'autonomie pour la Bretagne. Et au moins, il n'aurait causé de tort à personne et surtout pas à ton grand-père.

— C'est-à-dire ?

— Ton grand-père se faisait des reproches, des bêtises qui lui trottaient dans la tête… Ta grand-mère était morte en donnant naissance à ton père et ton grand-père n'a jamais voulu se remarier. Il a réfléchi après, que la présence d'une femme à leur foyer…

1. Grande gueule !
2. Tête dure !

— Une femme qui n'aurait pas été sa véritable mère ! En cas de conflit entre eux, la situation aurait pu être pire... Ainsi grand-père se sentait coupable ou pour le moins responsable d'une carence dans l'éducation de son fils, lui que j'ai toujours vu s'activer pour agir au mieux des intérêts de chacun. C'est injuste... Et maman, comment supportait-elle tout ça ?

— La pauvre ! Il y avait ce qu'on disait sur ton père et il y avait ce qu'on disait sur elle. Les îliens, ces misérables, pas tous Dieu merci ! venaient devant votre maison et lançaient des pierres dans les fenêtres en proférant des injures. Ton grand-père avait beau les chasser, ils revenaient, encore et encore. Après la mort de ton père, ta mère a supplié ton grand-père de vous emmener loin de l'île. Il a vendu la maison mais quelques jours avant votre départ, ta mère, qui n'avait plus goût à vivre, s'est jetée dans l'océan, près du phare, là où l'eau est profonde et les courants mauvais. Ton grand-père, ainsi qu'il l'avait promis à ta mère, a alors quitté l'île avec Yves et toi.

— J'avais quel âge ?

— Cinq mois.

— Comment grand-père s'organisait avec deux enfants, dont un bébé ?

— Il fallait qu'il travaille pour vous élever. Quand il était en mer, il te laissait aux bons soins d'une voisine. Yves, lui, allait en classe. Ou je venais vous garder. Mon mari était mort, je n'avais pas d'enfants.

— Et Yves ? Il se souvient de cette période ?

— Il avait plus de six ans au décès de votre mère et il était déjà très mûr pour son âge.

— Aucun d'eux n'a jamais évoqué ces événements.

— Ils voulaient t'épargner.

Marine s'étendit cette nuit-là dans le lit clos qui lui avait si souvent servi de refuge. En se remémorant les propos de tante Lucie, elle s'aperçut qu'elle était plus apte à affronter la vérité. Les confidences de sa tante ne l'avaient pas blessée comme il y avait dix ans lorsqu'elle avait découvert les circonstances de la mort de ses parents. Depuis, elle avait appris à gérer avec moins d'émotivité les informations qu'elle recevait les concernant. Elle pouvait ainsi se polariser davantage sur les personnes que sur les actes, se persuader par exemple, que sa mère les avait aimés mais que son amour pour son mari avait été le plus fort, se jurer que son père, sans cette guerre, aurait démontré qu'il était quelqu'un de bien.

Le lendemain, jour de Noël, le vent était un peu tombé. Cette fois, tante Lucie insista pour se rendre à la messe. Marine se joignit à elle. L'église était comble et résonnait des cantiques chantés à tue-tête par l'assemblée, les hommes surtout, dont les voix graves et puissantes dominaient celles des femmes. Une ferveur oubliée l'envahit, elle qui avait boudé les offices religieux des années durant, à l'écoute de ces prières qui montaient et s'épanouissaient sous les dorures du sanctuaire.

Après la messe, le curé se tint sous le porche pour souhaiter à ses ouailles, un joyeux Noël. Tante Lucie présenta fièrement Marine à l'homme d'Église.

— C'est ma petite-nièce. Le nouveau docteur de l'île.

— Bienvenue, mon enfant. Je me demandais quand j'aurais le plaisir de vous voir à l'office.

— J'ai la foi un peu vacillante en ce moment, répondit Marine.

— Nous pourrions en disserter un de ces jours.

— Volontiers.

— Tu as la foi vacillante, toi maintenant ? interrogea tante Lucie offusquée.

— C'était pour rire, tante Lucie.

— Ah ! ces jeunes. Je suis un peu dépassée, concéda la vieille dame.

Les deux femmes déjeunèrent ensemble dans la maison du quai. Plus tard dans l'après-midi, en ramenant sa tante chez elle, Marine ralentit volontairement l'allure devant le domicile de Marijanig. S'attendait-elle à ce que Yann jaillît du néant, comme autrefois quand il n'avait qu'une préoccupation, la traquer dans ses moindres déplacements ? Si oui, elle dut être déçue car aucun incident ne perturba cette fin de journée.

La tempête s'étant calmée entre Noël et le jour de l'an, Marine prit le bateau pour le continent.

Dès qu'elle ouvrit la porte de la maison de son grand-père, une odeur de moisi s'en échappa et après avoir déposé ses affaires, elle s'empressa d'allumer du feu dans la cheminée pour assainir l'atmosphère. Elle était devant une évidence : cette demeure ne se maintiendrait pas en état sans quelqu'un pour y loger en continu. Cependant, la louer ne l'emballait pas. L'idée que des étrangers s'approprient l'endroit où elle avait été heureuse avec son grand-père la dérangeait. Elle y songerait, mais plus tard.

Le lendemain, elle vaquait à ses occupations ménagères quand elle entendit crisser le gravillon de l'allée. C'était Jean Jaouenn. Elle ne l'avait pas revu depuis le décès de son grand-père.

— Bonjour Marine.

— Bonjour docteur Jaouenn.

— Je peux entrer ?

Il était sur le pas de la porte. Marine avait envie de refuser mais elle n'était plus au temps de ses seize ans, quand elle se permettait d'accorder ses actes et ses pensées. Aujourd'hui, elle était plus mesurée et savait tempérer ses réactions. Elle s'effaça devant Jean Jaouenn.

— Tu m'offres un café ?

Leurs piètres relations ne s'opposaient pas à ce geste séculaire d'hospitalité. Elle mit de l'eau à chauffer.

— Tu es arrivée quand ?

— Hier. De chez vous, vous avez vu qu'il y avait du monde dans la maison, non ?

— C'est vrai, admit-il.

Un silence gêné s'installa entre eux. Il l'observait. Il n'avait pas perdu cette fâcheuse habitude de l'observer.

— Tout se passe bien sur l'île ?

— Oui.

— Pas de difficultés avec les habitants ?

— Pourquoi en aurais-je ?

— Ce sont des gens méfiants. Il faut les apprivoiser. Ce qui ne doit pas être une tâche aisée pour une femme, une jeune femme qui plus est.

Le café était prêt. Marine en versa une tasse à Jean Jaouenn.

— Tu t'en sors financièrement ?

— Vous tenez absolument à ce que j'aie des problèmes ? s'irrita Marine.

— Tu te trompes. Je veux simplement m'assurer que tes premiers pas dans la profession s'effectuent sans trop de heurts.

— Soyez donc rassuré. Et votre fille, que devient-elle ?

Devant son mutisme, elle s'agaça.

— Serait-ce un sujet tabou ?

— Non.

— Alors ?

Elle avait espéré le faire réagir, se rappelant que c'était l'un des rares terrains sur lequel il évitait de s'aventurer.

De nouveau ce silence, si pesant, si plein de leurs incompréhensions, de ses vieux ressentiments à elle, de ses regrets à lui.

— Je déjeune chez mon père pour le nouvel an. Ton frère sera là, avec sa femme et ses enfants. Veux-tu te joindre à nous ?

— Merci. C'est non.

— Alors, dînons au restaurant ce soir.

— Pour que demain toute la ville en parle !

— Chez moi ?

— C'est toujours non.

Dans ses yeux, Marine lut une grande tristesse.

Elle avait fermé le cabinet un peu plus tôt que prévu, gageant que la salle d'attente, vide, le resterait.

Elle était appuyée au parapet, au bout du quai, pas loin de la cale d'embarquement pour le continent. On était le 2 janvier. Les familles et les touristes qui avaient séjourné sur l'île pendant les fêtes repartaient vers leur quotidien. La sirène du bateau retentit. Le moteur accéléra. Les hélices brassèrent des bouillons d'écume et Marine le vit, accoudé au bastingage. Yann. Lui aussi la vit. Il lui sourit et lui adressa un signe de la main. Marijanig qui était venue accompagner son fils, se retourna, étonnée, vers la personne à qui ce salut était destiné. Elle la regarda, regarda son fils. Le regard de Yann allait, lui aussi, de l'une à l'autre. C'était presque cocasse. Marine se dépêcha de rentrer avant que le bateau appareillât. Son souci, en s'esquivant ainsi, était de ne pas se trouver nez à nez avec Marijanig lorsque la foule des spectateurs se disperserait. Elle devait s'imaginer que Marine n'était pas là par hasard, alors que si, justement, le hasard seul avait décidé pour elle.

Jolie aubaine, ma foi. Et Marine était ravie de cette marque de connivence entre Yann et elle. C'était comme s'ils renouaient des liens, des liens anciens puisque datant de dix ans maintenant.

3

Elle était sur l'île depuis bientôt trois mois et le nombre de ses patients n'augmentait pas. Ou à peine. Elle avait en effet une poignée de fidèles, des jeunes femmes qui, pour un oui pour un non, venaient la consulter avec leurs marmots, des rhumes, des dents qui poussaient dans les larmes et les cris. Mais les autres ? Certains souffraient vraisemblablement de pathologies qui nécessitaient un suivi. Où allaient-ils se faire soigner ?

Marine avait besoin d'un allié sur cette île pour amadouer la population. Et cet allié ne pouvait être que le curé, vénéré par les îliens, fervents catholiques, celui qu'ils côtoyaient le plus en dehors de leur famille ou de leurs voisins et dont l'opinion comptait.

Il l'avait conviée à lui rendre visite. Ce serait donc aujourd'hui.

Elle avait le souvenir du presbytère, sorte de masure, dans le prolongement de l'église. Une fois sur les lieux pourtant, rien n'était conforme à l'image qu'elle en avait conservée.

Elle avisa un gamin qui traînait sur la place, devant le sanctuaire.

— Bonjour. Tu peux me dire où est le presbytère ?

Le gamin lui désigna une ruelle du doigt.

— Par là ? Tu veux bien m'y conduire.

Le garçonnet accepta avec fougue une mission qui l'extirpait d'un ennui perceptible.

— Comment t'appelles-tu ?

— Jean-Noël.

— Et tu n'es pas à l'école, Jean-Noël ?

Il répliqua, se gaussant d'elle.

— Y a pas école aujourd'hui, madame. C'est jeudi.

— Oh ! pardon. Je ne suis pas très au fait de ces choses.

— Vous n'avez pas d'enfants ?

— Tu ne crois pas que tu es indiscret !

— C'est quoi indiscret ?

— Ça signifie que tu poses des questions trop personnelles pour que j'y réponde. Tu comprends ?

— Non, dit le gosse sans aucun complexe.

Il shoota dans une pierre et déclara à Marine, l'œil brillant d'espièglerie.

— Je sais qui vous êtes. Le nouveau docteur.

À force d'être le nouveau docteur, elle finirait par être aussi âgée que sa tante Lucie.

— Tu en es sûr ?

— Oui. Je vous ai vu à la boutique.

— Quelle boutique ?

— Celle de ma grand-mère.

— Mais encore ?

— L'épicerie. Près de chez vous.

Ainsi, Jean-Noël était le petit-fils de la rombière qui la vouait aux gémonies dès qu'elle franchissait le seuil de son établissement. Le gamin n'avait pas hérité des gènes de son aïeule car il paraissait plus aimable.

— C'est là.

Le presbytère ne se distinguait pas des autres maisons de l'île : pierres apparentes et volets peints, ici en bleu cobalt. Le jardinet, par contre, en place d'une végétation cacochyme, se parait d'une profusion d'hortensias, taillés ras en cette saison hivernale. Elle cogna à la porte.

— J'arrive ! cria quelqu'un à l'intérieur… Madame la doctoresse ! Entrez, charmante enfant.

Le curé était un homme âgé, près de la retraite assurément. Il avait des traits mobiles et un sourire qui, lorsqu'il se dessinait, lui donnait l'air d'un jeune homme.

— Vous n'habitiez pas ici, autrefois ?

— L'ancien presbytère s'est écroulé. Ma foi, rien n'est éternel.

— Si ce n'est le royaume de Dieu ! plaisanta Marine.

Le curé l'évalua en plissant les yeux.

— Pour quelqu'un dont la foi vacille…

Il ne termina pas sa phrase.

— Je possède mes classiques, affirma Marine.

Elle rit et il l'imita, avec des tressautements d'épaules.

— Vous riez de tout, comme ça ? interrogea-t-il.

— Non et en aucun cas de la religion. Mon grand-père m'a éduquée dans des préceptes un peu périmés de nos jours : l'honnêteté, la droiture, le respect d'autrui. J'essaie de ne jamais oublier ce qu'il m'a inculqué… même si je ne vais plus ou guère à l'église.

— Y a-t-il une raison ?

— À l'origine sans doute, aujourd'hui c'est ainsi.

Avant je pratiquais, je ne pratique plus. Cela n'enlève rien à ma façon d'être.

— Ça me va. J'ai parmi mes ouailles des bigotes, tout le temps fourrées aux offices, qui sont les pires langues de vipères que je connaisse, toujours à cancaner, à jalouser leurs semblables. Et elles se croient de bonnes chrétiennes ! Je préfère votre sincérité… Alors, racontez-moi. Vous ne vous sentez pas trop seule sur cette île ?

— Je me sentirais moins seule si j'avais plus de patients. Savez-vous pourquoi les îliens rechignent à venir me voir ? Vous allez m'objecter « *c'est parce qu'ils ne sont pas malades* ». J'admets qu'ici l'air est vivifiant et que les gens ont une hygiène de vie qui les maintient en forme, il n'empêche que cette explication ne me satisfait pas ! Est-ce que vos paroissiens vous parlent de moi ?

— Quitte à vous froisser, non. Et à supposer qu'ils le fassent, je ne me risquerais pas à répéter leurs propos. Je chercherais juste à vous alerter par quelques conseils. Or là, je n'ai pas de conseils à vous dispenser. Il faut attendre. Attendre et gagner leur estime. Quelques mois après ma nomination ici, j'ai supplié mon évêque de me confier un autre ministère. Je ne parvenais pas à m'acclimater à cette île et surtout au caractère renfermé et méfiant de ses occupants. Aujourd'hui, je ne quitterai pas cet endroit pour tout l'or du monde. Voyez. On s'adapte !

Ils bavardèrent de choses et d'autres pendant une petite heure et lorsqu'elle sortit du presbytère, Jean-Noël traînassait toujours sur la place de l'église. Il accourut vers elle.

— Vous l'avez trouvé ?

— Qui ? monsieur le curé ? Oui.

— Où vous allez maintenant ?

— Je rentre chez moi. J'ai des consultations.

— Grand-mère dit qu'il n'y a personne à vos consultations.

— Ah ! elle dit ça, ta grand-mère. Tu lui demanderas si elle me surveille pour être aussi catégorique.

— Je peux vous accompagner jusque chez vous ?

— Si tu veux. Tu n'as pas de copains ?

— Non. Avant j'avais des copains mais ils sont en pension sur le continent. Moi aussi l'année prochaine, j'irai en pension.

— Ça n'a pas l'air de t'enthousiasmer.

— Non. C'est mieux ici.

À partir de la sixième, les enfants de l'île étaient scolarisés sur le continent. Cela chamboulait complètement leurs habitudes. Pensionnaires, ils n'avaient plus cette faculté d'aller et venir à leur guise. Sur l'île, cernée par l'océan, ils avaient été initiés dès leur plus jeune âge aux plaisirs mais aussi aux dangers de la mer et ainsi instruits, les parents les laissaient jouer en toute liberté après l'école, en vertu également d'un territoire communal restreint et d'une protection quasi permanente (qui ne s'affichait pas comme telle) des îliens, perpétuellement à l'affût d'une histoire à colporter, d'une machination à fomenter, et dont bénéficiaient les enfants. C'était une autre réalité que de vivre reclus dans un pensionnat.

Après sa consultation de l'après-midi à laquelle Marine n'avait eu que deux patients, elle partit se balader. Les mêmes coins de l'île l'attiraient inéluctablement et pourtant elle n'éprouvait aucune lassitude. Elle pouvait rester des heures à observer l'horizon, à goûter le vent sur son visage. Elle aimait aussi la pluie. Lors des grosses averses, les quais étaient déserts et elle s'accoudait au parapet pour contempler les gouttes rebondir sur la surface de la mer. Cela faisait comme un voile de perles qui s'élevait au-dessus de l'écume des vagues.

Ce soir-là, il ne pleuvait pas. Le temps était très froid et elle se réjouit que le docteur Le Guen eût installé un poêle dans sa chambre. Les levers et les couchers étaient moins pénibles avec un peu de chaleur ambiante.

Elle marchait dans une des ruelles de l'île lorsqu'elle remarqua un chaton qui trottinait derrière elle. Elle s'arrêta, apitoyée.

— Alors le chat, tu es perdu ?

Il se tenait prudemment à distance. Elle reprit sa promenade, toujours escortée de l'animal qui miaulait par intermittence pour se signaler.

— Désolée, le chat. Je n'ai pas la traduction de tes miaous désespérés.

L'un sur les talons de l'autre, ils furent bientôt chez elle.

— Tu as faim ? Je regarde si j'ai de quoi te nourrir et ensuite tu t'en vas. Tes maîtres doivent s'inquiéter.

Peut-être pas. L'animal avait le pelage noir et les chats noirs n'avaient pas bonne réputation, que les gens fussent ou non superstitieux.

Elle l'emmena dans la cuisine et lui versa de l'eau dans une soucoupe.

— Pas de lait. À moins que tu ne sois pas encore sevré. Quel âge as-tu ?

Au jugé, dans les trois à quatre mois.

Elle fouilla dans ses placards qui ne contenaient

rien qui pût assouvir un appétit de chat. Un sentiment de responsabilité (n'avait-elle pas incité l'animal à la suivre jusque chez elle en le noyant de commentaires d'une niaiserie désarmante ?) la fit se propulser à l'épicerie voisine.

La commerçante la reçut, l'air encore plus revêche qu'à l'accoutumée.

— Avez-vous des croquettes pour chats ?

— Comme ça, vous dites à mon petit-fils que je vous surveille !

Le message avait été transmis et la femme ne l'avait apparemment pas pris sur le mode humoristique !

— Il faut bien que vous me surveilliez pour prétendre que je n'ai pas de patients.

La commerçante s'énerva.

— Vous habitez à côté. Aveugle je serais, si je ne voyais pas qui entre chez vous !

— C'est ça, vous me surveillez. Moi aussi j'habite près de chez vous et pourtant j'ignore la quantité de clients que vous avez.

L'épicière pinça les lèvres, vexée, moins de la repartie de Marine que des gloussements des marins qui buvaient un coup au comptoir.

— Je n'ai pas de croquettes. Je n'ai que des boîtes de pâtée.

— Alors donnez-moi une boîte.

Le chat avait faim car il se jeta sur les bouchées de viande avec voracité.

— Allez ! Dehors ! maintenant que tu as le ventre plein.

Le chat, conscient de la sentence, courut se réfugier derrière le poêle de la cuisine.

— O.K. ! Tu peux dormir ici cette nuit, abdiqua Marine.

Elle confectionna une litière de fortune avec un emballage en carton dans lequel elle disposa un journal haché menu, puis elle monta se coucher. Au milieu de la nuit, elle fut réveillée par des feulements étouffés à la porte de sa chambre. Elle se leva en bougonnant, ouvrit la porte et se recoucha aussitôt. Silence. Le chat devait se repérer ou alors statuer sur ses droits. Au bout de quelques minutes où il se tint aux aguets, il sauta sur le lit et se pelotonna sur l'édredon et sur les pieds de Marine. La machine à ronronner se mit en route et ils se rendormirent tous les deux.

Au cours de son entretien avec monsieur le curé, Marine avait retenu qu'il organisait un loto dans la salle paroissiale, le vendredi suivant. Elle décida de s'y montrer afin de rencontrer un maximum d'îliens à la fois et ce dans un cadre plus convivial que la rue ou les échoppes du village.

Elle arriva en retard et l'ecclésiastique achevait son discours de bienvenue. Il s'interrompit en la voyant.

— Voici notre charmante doctoresse. Venez, mon enfant, que je vous présente… ou plutôt, présentez-vous vous-même.

Elle n'aurait pas rêvé entrée plus spectaculaire. Elle qui se voulait toujours discrète, c'était raté.

— Bonjour à tous. Pour ceux, rares je l'espère, qui ne le savent pas encore, je suis la remplaçante de monsieur Le Guen, autant dire votre nouveau médecin. Je m'appelle Marine Le Guellec.

— La fille du collabo…

L'attaque, rapide et malveillante, la surprit. Monsieur le curé voulut s'interposer pour, elle le présumait, tancer ses fidèles et clore l'incident, mais elle n'était pas d'accord.

Devant elle, des dizaines de têtes. Les îliens appréciaient le loto car la salle était bondée. Elle n'avait pas localisé la voix masculine qui l'avait aussi grossièrement apostrophée.

— Je m'adresse à l'auteur de cette délicate réflexion : ayez le cran de vous manifester !

Nul ne bougea. Elle s'attarda sur les visages. Le provocateur aurait pu avoir vingt, trente ans en 1944, soit aujourd'hui dans les cinquante, soixante ans. C'était le cas de la majorité des hommes présents. Ils avaient presque tous la cinquantaine et jusqu'à plus de soixante-dix ans. Était-ce celui-ci, casquette vissée sur la tête, en pull à col roulé et vareuse, qui détournait les yeux, ou encore celui-là, copie conforme, qui avait l'air de la narguer : « Comment vas-tu te sortir de ce guêpier, ma belle ? »

— Me faudra-t-il m'exprimer devant un couard ? Soit ! « Fille de collabo. » Bigre ! Vous ne m'épargnez pas, car j'ai perçu comme un reproche dans le terme « fille de collabo ». Serais-je fautive ? Et de quoi ? Des agissements de mon père ? Seconde réserve. Par ce qualificatif, vous semblez renvoyer dos à dos les nationalistes et les vrais collabos. Or l'action des nationalistes résultait d'un engagement politique antérieur de plus de vingt ans à la déclaration de guerre.

— Collabo par idéologie ou collabo par opportunisme, quelle différence ? beugla une voix dans la salle.

— Bien dit ! proféra une autre voix. Il n'y avait qu'à lire les journaux pour se rendre compte que,

nationalistes ou collabos, c'était du pareil au même !
Les témoignages en font foi.

— J'aurai du mal à infléchir votre croyance, surtout si elle s'est fondée à la lecture des journaux de
l'époque. Je les ai lus ces journaux, moi aussi. J'avoue,
à votre décharge, avoir été ébranlée par le portrait
qu'on y faisait des accusés, un portrait caricatural qui
les déconsidérait d'emblée. Avant leur procès déjà, on
les voulait coupables ! Ceci pour le ton des articles.
Quant aux témoignages ! Dès le début de l'épuration,
les autorités avaient exhorté à la dénonciation, les
esprits étaient échauffés, les gens tremblaient pour leur
liberté, les cours de justice créées spécialement pour
juger ceux qui étaient suspectés d'intelligence avec
l'ennemi avaient reçu pour consigne d'être sans pitié
et pour les nationalistes, d'éradiquer le mouvement
breton dans son ensemble. Je me pose la question. Les
jurys étaient-ils juges ou vengeurs ? Que valaient ces
témoignages dans un tel climat de haine ? D'ailleurs
vous devez le savoir mieux que quiconque car pour
mon père, ces témoignages ont trouvé leur origine
ici, sur cette île. Je me trompe ? Lesquels d'entre
vous ont comparu à son procès… Personne, bizarre.
Je me demande : ceux qui ont témoigné, étaient-
ils des victimes, des témoins directs, ou se sont-ils
contentés de rapporter des rumeurs ? La distinction
est importante car je doute que, dans l'urgence, les
cours de justice aient pu ou aient eu envie d'établir
la crédibilité de tous ceux qui sont venus à la barre
discréditer les nationalistes. Clairement, je ne suis pas
en train de vous stigmatiser. Je soulève juste des points
ambivalents qui m'interpellent. Mon père est né et a
grandi sur cette île, la plupart d'entre vous ont grandi

avec lui, partagé les mêmes jeux, vous messieurs, les mêmes filles, qui sait ! Vous mesdames, peut-être étiez-vous amoureuses de lui et, brusquement, pff ! tout cela est effacé. Le voisin, l'ami, le flirt, que chacun estimait, est devenu l'homme à abattre et puis l'homme abattu. Pourquoi ? Dites-le-moi que je comprenne, car je m'interroge, sur la conclusion que l'on tire de ce que l'on a vu ou cru voir, l'interprétation des paroles que l'on a entendues ou cru entendre, le sens donné à certains actes, les intentions que l'on met derrière ces actes. Mille contextes, mille explications. Il y aura éternellement la vérité de celui qui a assisté à l'événement et la vérité de celui qui l'a vécu personnellement. Mon père n'étant plus là, qui peut se prévaloir de *sa* vérité ? Désirez-vous maintenant que nous parlions de ma mère ? Son cas est plus simple et vous ne pourrez en contester l'exactitude. Vous l'avez harcelée, poursuivie de vos soupçons, de votre mépris. Vous l'avez rejetée, bannie de la société, *votre* société si vertueuse, n'est-ce pas ? et vous l'avez conduite au suicide. Personne ne vous a donc jamais appris la fraternité, la compassion, le pardon ? Je suis la fille du collabo et de la suicidée. C'est ainsi. Vous ne m'aimez pas ? Parfait. C'est votre droit. Mais je suis votre médecin. Et le seul. Vous n'avez donc pas le choix. Jusqu'à quand pensez-vous pouvoir aller sur le continent consulter un confrère ? Jusqu'au jour où dans une situation gravissime, vous aurez besoin de moi. Rassurez-vous. Je ne ferai pas l'amalgame entre ce qui relève du privé, c'est-à-dire de ce qui s'est passé ici il y a près de trente ans, et l'exercice de mes fonctions. Ayez confiance en moi. Je suis un bon docteur. Tout au moins je le crois. À vous de me prouver éventuellement le contraire. Mais pour cela, faudrait-il encore que vous n'hésitiez pas à me consulter. Ah ! une précision. Pour les messieurs qui s'alarmeraient de se déshabiller devant moi, soyez tranquilles. Durant mes études, j'ai vu des hommes nus, je suis donc vaccinée et je ne leur ferai subir aucun outrage, promis.

Des rires de femme fusèrent de tous côtés, francs, mêlés à ceux, gênés, des hommes.

Après ce plaidoyer, très éloigné des quelques mots qu'elle envisageait de prononcer il y avait à peine un quart d'heure, Marine se dit qu'il serait judicieux de s'éclipser en laissant l'auditoire digérer ses propos, les analyser si nécessaire avec l'arbitrage du curé. Par contre, lucidement, elle se dit aussi qu'elle venait de tuer dans l'œuf l'émergence d'une future clientèle. À dater de cet instant, elle n'aurait plus un seul patient... ou alors une affluence record. Elle misa sur « plus un seul patient ».

Le chat était plongé dans sa gamelle lorsqu'elle rentra.

— Mange, le chat. Demain nous risquons d'être au régime sec.

Les jours suivants, elle ne vit pas de changement. La salle d'attente était toujours trop vaste pour le nombre de malades.

Ah ! si. En se promenant dans les ruelles du bourg, elle eut la satisfaction d'être, à maintes occasions, saluée par un « bonjour, docteur » émanant de vieilles femmes. Les hommes, qui ordinairement la croisaient sans la regarder, osaient un bref coup d'œil dans sa direction, sans toutefois aller jusqu'à esquisser un sourire ou formuler une quelconque amabilité. Mais il y avait un progrès. Elle n'en revenait pas.

Elle se distingua à nouveau trois jours plus tard. Un marin, affolé, la prévint qu'un accident était survenu sur le port. Elle accourut. Un homme avait glissé sur la cale humide et était tombé sur les rochers en contrebas. Elle parvint jusqu'à lui de manière acrobatique et diagnostiqua une fracture du péroné.

Il n'y avait pas de pompiers professionnels sur l'île, uniquement des volontaires. Elle envoya le marin avertir celui qui était de permanence. Il rappliqua avec un collègue et un brancard. Elle avait immobilisé la jambe du blessé et téléphoné pour avoir un hélicoptère afin d'évacuer l'homme sur un hôpital du continent.

Le lendemain, la femme du blessé offrit à Marine, avec ses remerciements, des crêpes, des œufs et un crabe. Sa première victoire et sa première récompense culinaire !

4

Le printemps approchait. L'air était plus doux. Elle s'arrêta à une idée qu'elle avait eue lorsqu'elle s'était installée dans la maison du quai, qui était de créer un potager dans le jardin. Elle se rendit donc au domicile du docteur Le Guen afin de solliciter son autorisation. Ce fut sa sœur qui l'accueillit.

— Mademoiselle Le Guellec. Entrez… Louis, tu as une visite !

Le docteur Le Guen apparut, le nez chaussé de petites lunettes par-dessus lesquelles son regard soucieux la scrutait. Elle se remémora son grand-père qui avait la même façon de l'observer quand il se tracassait à son sujet.

— Tout va bien ? s'informa Louis Le Guen. On m'a relaté votre intervention au loto, l'autre soir.

Elle craignait de se faire sermonner d'un : « Vous n'auriez pas dû ». Mais avec une mine réjouie, le docteur Le Guen lui déclara :

— Vous ne vous êtes pas démontée, bravo ! Je m'en suis entretenu avec le curé. Il est comme moi. Il admire votre courage. Ne croyez surtout pas, mon enfant, que tous les îliens soient des gens mauvais.

276

Il s'agit de quelques-uns, plus grandes gueules que méchants d'ailleurs, mais dont la bêtise, hélas, rejaillit sur l'ensemble de nos concitoyens.

Marine pensait, quant à elle, que celui qui l'avait agressée verbalement à la salle paroissiale ne l'avait pas fait juste dans le but de plastronner devant l'assistance. Il avait agi avec l'objectif de l'atteindre dans ce qu'elle avait de plus sensible : la mémoire de son père. Elle renonça à s'ouvrir à Louis Le Guen de cette intime conviction, préférant qu'il conserve sa vision utopique d'une population charitable.

— Corentine, sers-nous un petit quelque chose.

— Ben, voyons !

Corentine râlait pour la forme mais elle apporta une bouteille de cidre et de la crème de pêche, pour confectionner une sorte de kir breton.

— Qu'est-ce qui vous amène, mon enfant ?

Elle lui dévoila son projet, redoutant de s'attirer des remarques, soit sur la pénibilité du travail (comme si les femmes ne possédaient pas *à l'évidence* la force des hommes – la force peut-être mais la résistance et la ténacité ?), soit sur le choix de l'activité (comme si les femmes devaient *à l'évidence* se cantonner à des tâches qui leur étaient spécifiquement dévolues, tricot, cuisine…), mais Louis Le Guen n'était pas le genre de personnage à ergoter, surtout quand l'enjeu ne le justifiait pas.

— L'utilisation que vous ferez du jardin ne concerne que vous. Mais ne soyez pas trop optimiste quant à la réussite de votre entreprise. La terre ici est trop pauvre.

— Elle pourrait prendre conseil auprès de Youenn Le Gall, suggéra Corentine.

— Qui est ce monsieur ? s'enquit Marine.

— C'est un vieil îlien qui cultive un terrain près du phare et qui est quasiment le seul à obtenir des résultats.

Le docteur Le Guen lui expliqua où joindre le fameux Youenn et Marine résolut d'aller séance tenante jusqu'au potager de ce monsieur.

Elle se perdit un peu en chemin, les ruelles de l'île se ressemblant toutes. C'est ainsi qu'au détour de l'une d'entre elles, elle avisa une habitation comparable à une maison de poupée, casquée d'une toiture en chaume avec des murs badigeonnés à la chaux et des fenêtres étroites. Derrière ces fenêtres, des aquarelles étaient exposées. Elle les examina avec soin. Les aquarelles représentaient des paysages de l'île, dans des tons dégradés de bleu et de gris. Le dessin en était très épuré et cela lui plut. Elle pénétra dans ce qui s'apparentait à une boutique, sans trop savoir si tel était le cas (peut-être violait-elle là un espace privé !). Un carillon retentit lorsqu'elle actionna la poignée de la porte et le son aigrelet persista longtemps. Pour autant, personne ne se montra. Elle entama un tour de la pièce. Au fur et à mesure de sa prospection, son opinion ne varia pas sur l'artiste. Par contre, un alignement de galets décorés, des morceaux de filets de pêche accrochés à des flotteurs avec, piégés dans les mailles, des poissons en bois sculpté lui arrachèrent une moue agacée et ce fut à ce moment qu'une jeune femme entra en scène.

— Ce sont mes œuvres qui vous font grimacer ?

— J'adore vos aquarelles. Par contre ces objets pour touristes, moins.

— Ces objets pour touristes me permettent de manger et de continuer à peindre.

— Excusez-moi, dit Marine. Je n'ai pas voulu vous froisser.

— N'êtes-vous pas…

— Le nouveau docteur, oui. Dans dix, vingt ans, je serai encore le nouveau docteur !

— Moi je suis bien « l'artiste ». Je n'ai pas de nom, pas d'identité. Seulement « l'artiste ».

Elle était fascinante. Plus âgée que Marine, trente-cinq à quarante ans, élancée, elle avait une peau très blanche, presque transparente et une chevelure d'un roux flamboyant.

Marine était intriguée par cet aspect, peu conforme à celui des îliennes, plus trapues, noires de peau et de chevelure.

— Êtes-vous originaire de l'île ?

— Je suis née sur une île, pas celle-ci, une autre, plus grande, répondit la jeune femme amusée par la curiosité qu'elle suscitait. En fait, je suis Bretonne par ma mère et Irlandaise par mon père.

Marine aurait aimé approfondir ce premier contact mais elle avait désappris à nouer des liens amicaux et ne savait comment poursuivre la conversation. Elle quitta le magasin, satisfaite néanmoins d'avoir éprouvé un sentiment d'empathie à l'égard d'un (d'une en l'occurrence) de ses semblables, ce qui ne lui était pas arrivé depuis très longtemps. Elle s'éloigna du bourg et se mit à la recherche de Youenn Le Gall.

Près du phare, au milieu d'un lopin de terre délimité par un muret en pierres sèches, elle vit un vieux monsieur qui inspectait le sol avec attention. Elle le héla :

— Monsieur Le Gall ?

Il se retourna et la dévisagea.

— Vous me voulez ?

Le ton était bourru. Pas suffisant pour la déstabiliser.

— Je viens de la part du docteur Le Guen. Je
voudrais me lancer dans la réalisation d'un potager
et il paraît que vous êtes le plus indiqué pour me
conseiller.

— Pas plus flatteur que Louis Le Guen. Et où c'est
qu'il est votre jardin ?

— Derrière la maison du docteur... celle qui est
sur le quai.

— Vous êtes...

— Le nouveau docteur, dit Marine en soupirant.

— ... La petite-fille de François Le Guellec ?

Que bénie soit cette journée historique ! Enfin
quelqu'un qui la prenait pour ce qu'elle était, une
îlienne de souche.

— Vous vous rappelez de lui ?

— Dame oui. Comme si c'était hier. Ainsi, vous
êtes sa petite-fille... Et vous voulez quoi comme
légumes ?

— Des pommes de terre, des salades, peut-être des
carottes... ou des poireaux.

— Et pourquoi vous voulez tout ça ?

Marine s'interrogea objectivement. Était-ce toujours
un problème d'argent ou le besoin de ne pas être
oisive ?

— Y a pas de légumes dans les magasins ?

— Si.

— Alors ?

— Ce n'est pas pareil.

— Pas pareil que de les faire pousser soi-même ?

Avant, faut préparer la terre, la bêcher. Vous saurez ? C'est de la besogne.

Il la considéra de bas en haut et de haut en bas.

— Eh oui ! dit-il, dubitatif.

— Après ?

— Après vous reviendrez me voir. Mais lambinez pas sinon il sera trop tard pour planter.

Marine retint qu'il lui fallait retrousser ses manches rapidement et prit congé du vieil homme avec un peu plus de chaleur que n'aurait mérité leur causerie. Ne l'avait-il pas traitée comme un membre à part entière de cette communauté et non comme une étrangère ! C'était la première fois en cinq mois.

En revenant vers son cabinet, elle s'arrêta chez sa tante. Assise sur une chaise, emmitouflée dans un châle aux dimensions généreuses, elle sommeillait sur le pas de sa porte.

— Tu n'as pas froid, tantine ?

Marine réalisa brusquement que tante Lucie commençait à être très âgée. Jusqu'alors elle avait démontré sa bonne santé physique, qu'en serait-il les mois à venir ? La situation était d'autant plus préoccupante que sa maison était à l'écart du bourg. Bien sûr, elle avait pour voisine immédiate Marijanig, la karabassen, qui était très empressée auprès de la vieille dame. Elle lui procurait du poisson frais, pêché par son mari, lui ramenait ses courses du village. Mais la nuit ! Tante Lucie avait sa chambre à l'étage. Était-ce raisonnable de la laisser monter et descendre cet escalier sans aucune surveillance ? Elle pouvait avoir un malaise, manquer une marche, chuter et attendre les secours pendant des heures.

— Tantine, est-ce que ce ne serait pas mieux d'installer ta chambre au rez-de-chaussée ?

— Pourquoi tu me parles de ça maintenant ?

— Je ne sais pas. Je me dis que tu risques de tomber dans l'escalier, la nuit. Tandis qu'en ayant ta chambre en bas…

— Je suis encore alerte.

— Peut-être, mais ce serait plus prudent. Réfléchis, tantine.

— Tu es gentille, petite. J'y songerai.

— Tantine, aurais-tu une bêche ?

— Une bêche ! Pour quoi faire, grand Dieu ?

Elle lui raconta son désir de jardinage. Tante Lucie s'angoissa.

— Va pas attraper un tour de reins. C'est toi le docteur. Si tu es malade, qui te soignera ? Ou alors, réclame l'aide de ton frère !

— On verra tantine, on verra.

Le docteur Le Guen avait convié Marine à dîner le samedi suivant. Elle projeta, à cette occasion, de lui offrir une aquarelle de « l'artiste ». Elle reprit donc le chemin de son échoppe.

Le visage de la jeune créatrice s'éclaira à la vue de Marine.

— C'est sympa de me rendre visite, dit-elle en souriant.

— Je souhaite acquérir une de vos créations pour un de mes amis.

Marine n'avait pas vérifié le prix des aquarelles quand elle était venue la fois précédente et elle s'aperçut que le coût dépassait, et de loin, le budget qu'elle s'était fixé. Embarrassée, elle n'osait pas s'en aller sans rien acheter. La jeune artiste nota sa gêne et proposa :

— Ni vous, ni moi, ne roulons sur l'or. Voulez-vous que nous échangions nos savoir-faire ?

— C'est-à-dire ?

— En quoi êtes-vous douée ?

— Drôle de question ! Voyons, je suis plutôt douée dans mon métier, en pâtisserie aussi… enfin, je crois.

— Eh bien ! Je troque une aquarelle contre un ou plusieurs gâteaux (quantité à déterminer), ou si je suis souffrante, une consultation gratuite. Ça vous va ?

Marine remercia « l'artiste » et repartit avec une toile reproduisant le port de l'île.

Le samedi soir, le docteur Le Guen l'accueillit en lui annonçant :

— Nous avons une autre invitée. Elle sera là dans quelques instants.

Un quart d'heure plus tard, Corentine introduisait la nouvelle venue. À sa vue, Marine s'esclaffa. C'était « l'artiste », *son* « artiste ».

— Je ne savais pas que vous connaissiez le docteur Le Guen, dit-elle en lui tendant la main.

— Et vous, vous vous connaissez d'où ? s'étonna le docteur.

— J'ai découvert son atelier par hasard en allant chez ma tante. Et à propos… Ceci est pour vous.

Louis le Guen déballa le paquet que Marine venait de lui donner, avec une gourmandise d'enfant. En voyant l'aquarelle, il protesta « il ne fallait pas ! » mais son sourire béat démentait ses paroles de politesse. Eileen et Marine se regardèrent, ravies de l'accord qui avait rendu possible ce plaisir tangible.

La soirée fut agréable. Marine en apprit un peu plus

sur Eileen Murray, tel était le nom de « l'artiste ». Elle avait trente-huit ans, était née à Galway d'un père irlandais et d'une mère bretonne. Elle avait sillonné la Bretagne lors d'un voyage de fin d'études et avait eu un vrai coup de cœur pour la région en général, et l'île en particulier. En réalité, elle ne vivait là qu'une partie de l'année, de mai à septembre. Le reste du temps, elle habitait Paris où elle partageait un atelier avec une amie. L'hiver elle peignait, des toiles qu'elle exposait dans une galerie, Marine n'avait pas retenu où. Elle s'abstint également de demander à Eileen quel était son style de peinture, son ignorance en matière d'art était totale et les commentaires, quelle qu'eût été leur teneur, ne l'auraient pas renseignée. Mais si les peintures d'Eileen se révélaient aussi harmonieuses que ses aquarelles, elle était prête à se proclamer sa plus fervente admiratrice.

Après ce dîner, Marine et Eileen se séparèrent sur la promesse de se revoir, gageant que la taille de l'île favoriserait leurs rencontres. Marine se coucha, ce soir-là, en prenant le temps de humer à la fenêtre les flagrances d'iode qui lui parvenaient. Il lui semblait que les choses se mettaient en place petit à petit. Elle avait la fragile illusion de s'être fait une amie. Elle avait toujours aussi peu de patients mais les gens qu'elle croisait la saluaient plus volontiers qu'avant. Elle s'était trouvé un expert en culture maraîchère... et elle avait sa tante Lucie pour l'aimer et la soutenir. Que vouloir de plus !

5

Elle avait retourné la terre de son carré de jardin, énormément peiné pour cela, s'était fait nombre d'ampoules, mais elle s'en était sortie. Elle avait ensuite recontacté Youenn Le Gall pour qu'il lui expliquât quoi et comment planter. Et elle avait à présent un potager en devenir avec quelques rangs de pommes de terre, un rang de salades et un rang de carottes.

Le vieil homme lui avait recommandé de désherber, d'arroser et de ne pas omettre de surveiller les patates, à cause des doryphores... ou du mildiou, elle ne s'en souvenait plus.

Cette tâche l'avait largement accaparée et empêchée de se morfondre en espérant des patients qui ne venaient pas.

Elle avait aussi passé du temps avec Eileen. C'était la première amie qu'elle avait depuis la mort de Marie-Anne. Quand elle était en fac, elle s'abrutissait de travail et tous ses loisirs étaient dédiés à son grand-père. Difficile de glisser une relation dans un programme aussi chargé.

Marine appréciait la jeune Irlandaise. Elle avait une nature complètement opposée à la sienne, exubérante, légère, sans préjugés. Le soir, elle s'invitait chez Marine, extrayait de son sac une bouteille de whisky et clamait qu'elle voulait faire la fête. Marine avait beau lui dire qu'elle préférait ne pas boire pour le cas où elle serait appelée en urgence, Eileen n'en avait cure et remplissait son verre, « fiche-nous la paix avec tes scrupules ».

C'était très plaisant de l'avoir et en même temps, quelquefois, la vitalité d'Eileen épuisait Marine.

Il n'y en avait qu'un pour résister à son charme : le chat. Dès qu'il flairait la présence de « l'artiste », il détalait en direction de l'étage et on ne le voyait plus de la soirée.

— C'est bizarre qu'il te fuie ainsi, s'ébahissait Marine.

— Quelle importance, ce n'est qu'un chat ! répondait Eileen avec désinvolture.

Depuis le jour où Marine l'avait recueilli alors qu'il errait dans les rues de l'île, le chat ne l'avait plus quittée. Il se promenait dans la maison, rarement dans le jardin, somnolait sur le rebord de la fenêtre mais ne s'aventurait plus au-dehors. La nuit, il dormait sur ses pieds, comme au premier soir. Elle avait tâtonné pour le baptiser d'un nom quelconque et après plusieurs tentatives peu probantes, « le chat » lui était resté. Il s'en accommodait apparemment, de sorte qu'elle avait arrêté de culpabiliser sur son absence d'imagination.

Le printemps se mourait doucement. Les jours allongeaient, le temps était meilleur.

Marine avait recruté un confrère pour la remplacer deux semaines en juillet. Elle avait envie d'aller dans sa maison du continent s'assurer que tout était en ordre. Elle était finalement contente de ne pas l'avoir louée, s'interdisant ainsi d'y séjourner à son gré.

Le mois de juillet fut très vite là. Marine réceptionna à la descente du bateau son suppléant, un jeune diplômé qui naviguait d'un cabinet à l'autre en attendant de pouvoir s'installer à son compte.

Elle lui fit les honneurs de la maison du quai, lui communiqua ce qu'il y avait à savoir sur ses malades et l'adresse du docteur Le Guen, le plus qualifié pour le guider s'il avait, entre autres, une évacuation à gérer. Ayant réglé tous les détails, Marine partit dormir chez sa tante. Elle ne prenait le bateau que le lendemain matin.

Avant d'embarquer, elle se rendit chez Eileen.

— Tu ne voudrais pas m'accompagner ?

— Impossible, objecta son amie. C'est en été que je bosse le plus.

— Trouve quelqu'un pour te garder la boutique un week-end. Tiens, Corentine. Je suis sûre qu'elle ne te refusera pas ce service.

Eileen s'engagea à la consulter et à téléphoner à Marine si Corentine s'accommodait de ce court intérim.

Sur le pont du bateau, alors que l'île disparaissait à l'horizon, Marine constata que six mois s'étaient déjà écoulés depuis sa dernière escapade, sans qu'elle eût éprouvé le besoin de se confronter à la civilisation. Preuve que la société de consommation ne lui manquait pas. Sur l'île, on ne vendait que les produits de base et cela lui suffisait. Elle n'avait jamais été coquette et ne le serait jamais. Sauf événement extérieur comme… comme quoi ? Être amoureuse ? Cela pouvait-il lui arriver ? En fac, elle avait appro-

287

ché beaucoup de garçons. Aucun ne l'avait excitée, troublée, touchée. À tel point qu'elle finissait par croire qu'elle était désormais imperméable aux élans du cœur.

La maison du continent n'avait pas souffert d'une carence d'occupation. Le jardin était un peu en friche mais maintenant qu'elle avait quelques notions de jardinage, elle saurait le remettre en état. Les pièces, elles, empestaient l'humidité et elle se dépêcha d'ouvrir les fenêtres pour laisser entrer le soleil.

Les jours qui suivirent, elle fut très affairée et le coup de fil d'Eileen (reçu au presbytère par tante Soaz qui administrait toujours la cure et qui vint en courant l'avertir) la surprit en plein nettoyage. La jeune femme avait réussi à se libérer le week-end et serait sur le continent le samedi dans la matinée. C'était parfait. Marine avait récuré le plus gros de la maison et pourrait dès lors se consacrer à son amie.

Le samedi, en revenant du débarcadère, Marine et Eileen tombèrent sur le docteur Jaouenn.

— Bonjour, Marine. De retour au pays ? Je vous offre un café ?

— Non, dit Marine après avoir fait les présentations.

— Oui, rectifia Eileen.

— Eileen ! se récria Marine.

— Quoi ? On a cinq minutes quand même !

Marine pesta contre son amie qui ne comprenait pas ou ne voulait pas comprendre que la proposition ne l'enchantait pas. Elle se joignit néanmoins à Eileen et Jean Jaouenn qui avait choisi un bar près de l'église, endroit idéal pour être sous le feu des regards et des commérages !

Jean Jaouenn bavardait avec Eileen, tout en observant Marine. Celle-ci n'avait aucun désir de se mêler de leur conversation et plongea le nez dans sa tasse.

— Comment se déroule la vie sur l'île ? questionna Jean Jaouenn.

— Calmement, répondit Eileen.

— Et les... garçons ?

— Et les hommes, vous voulez dire ? Il y en a peu de disponibles, ceux qui le sont, après c'est une histoire de goût !

— Marine ? interrogea Jean Jaouenn.

— Je ne me soucie que de mes patients. Eileen, on y va ?

Eileen exprima ses regrets à Jean Jaouenn et en bougonnant, emboîta le pas à Marine.

— Tu es pénible ! Pour une fois que nous sommes en bonne compagnie...

Marine commençait à croire qu'Eileen et elle, ça ne collerait pas. À l'origine, elle était convaincue que leurs personnalités si différentes seraient un atout pour renforcer leur amitié. Elle prenait conscience aujourd'hui qu'elle s'était peut-être leurrée et que ces différences étaient trop notables pour ne pas au contraire les diviser.

Le soir, au dîner, Eileen essaya de savoir ce que Marine avait contre Jean Jaouenn.

— Je ne veux pas en parler.

Elles allèrent se coucher, un peu en froid. Le lendemain, le soleil brillait et Marine suggéra à Eileen de rendre visite à son frère.

— À pied, c'est un peu loin. Par contre à vélo, c'est jouable.

— Sinon ?

— Il faut que je téléphone à Yves pour lui demander de venir nous chercher.

Eileen opta donc pour les vélos. Marine exhuma sa vieille bécane de la cave et en dénicha une autre qui avait dû appartenir à son grand-père, pour son amie. Les premiers kilomètres furent laborieux puis Marine les enchaîna avec de plus en plus d'aisance. Eileen, par contre, traîna et ronchonna durant la totalité du parcours.

Après toutes ces années, Yves logeait toujours à la ferme, dans une dépendance réhabilitée spécialement pour lui et sa famille. Il était encore aux commandes du centre d'équitation mais sa principale fonction dorénavant consistait à cultiver les terres, réalisant ainsi un rêve ancien.

Une voiture stationnait dans la cour de la ferme quand Marine et Eileen atteignirent leur but. Marine aurait dû le prévoir. On était dimanche, jour de réunion familiale chez les Jaouenn.

Jean Jaouenn se montra à leur arrivée et le visage d'Eileen s'illumina instantanément.

— Quelle coïncidence, chuchota-t-elle.

— Ce n'est pas une coïncidence. Nous sommes chez son père.

— Pourquoi ne m'en as-tu rien dit ? Et ton frère…

— … Est un employé de son père, oui. Tu viens ? Mon frère habite là-bas.

Elle lui désigna la longère rénovée.

— Je te rejoindrai plus tard, déclara Eileen en se dirigeant vers Jean Jaouenn.

« Eileen, Eileen ! Qu'est-ce que tu me fais là ? »

Marine essaya de ne pas céder au dépit. Après tout,

Eileen avait le droit de fréquenter qui elle voulait sans qu'elle y mît son grain de sel.

Alors qu'ils s'étaient peu vus depuis la mort de leur grand-père, Yves l'accueillit comme le grand frère qu'il n'avait jamais cessé d'être pour elle. Il la serra très fort dans ses bras.

— Bonjour, sœurette. C'est bon de te voir.

Elle embrassa sa belle-sœur avec laquelle elle n'avait pas plus d'affinités qu'avant et ses deux nièces de neuf et huit ans. Petites, elles étaient déjà compassées. Elles n'avaient pas changé. Yves avait l'air heureux. C'était le plus important.

Il s'informa de sa vie sur l'île, de son boulot. Elle lui cacha ses difficultés.

— Comment va tante Lucie ?

— Elle est encore vaillante. Mais elle ne voit plus très bien et a du mal à marcher. Je m'inquiète de la savoir seule chez elle.

— Et la maison de grand-père ? Envisages-tu d'y mettre des locataires ?

— Dans *ma* maison ? corrigea Marine. Non, pas dans l'immédiat.

— Tu n'y es pas souvent. Elle va se dégrader.

Où voulait-il en venir ? À y résider après s'en être séparé ? Ce serait bien le comble !

— Si tu le souhaites, je peux me charger de l'aérer, de vérifier qu'elle ne s'abîme pas et d'entretenir le jardin.

— Excellente idée !

À la fin de sa rencontre avec son frère, Eileen ne s'était toujours pas manifestée. Ce pouvait être par discrétion mais Marine n'y croyait pas. Il n'y avait personne dans la cour lorsqu'elle sortit pour donner à son amie le signal du départ. Elle appela :

— Eileen !

Une voix assourdie lui parvint des écuries.

— Je suis là.

Marine s'approcha du bâtiment.

— J'admirais les chevaux, se justifia Eileen.

Elle avait un sourire radieux et les yeux constellés d'étoiles. Jean Jaouenn était-il responsable de ce bonheur qu'elle irradiait ?

— Il est temps de s'en aller si tu ne veux pas rater le bateau, dit Marine.

— Jean m'a proposé de me ramener en voiture. Cela ne te dérange pas ?

— Et je fais quoi du deuxième vélo ?

— Tu te débrouilles, ma grande ! Je n'ai pas le temps de repasser chez toi, n'oublie pas de me rapporter mes affaires de toilette.

La déception de Marine fut-elle perceptible ? Pour Jean Jaouenn certainement, car le visage de celui-ci refléta de l'embarras. Il fut à deux doigts d'intervenir mais Marine, les yeux larmoyants, avait déjà enfourché sa bicyclette et s'éloignait de la ferme à grands coups de pédale rageurs. Elle se sentait trahie, d'autant qu'Eileen, absorbée par sa volonté de plaire, ne s'était pas aperçue de la peine qu'elle provoquait. « Décidément, songea Marine, je ne réussis pas plus en amitié qu'en amour. » Toute sa vie, elle avait été solitaire et c'est ce qui, en définitive, lui convenait le mieux.

Vers la fin de sa deuxième semaine de congé, Jean Jaouenn vint frapper à sa porte. Elle aurait voulu l'ignorer mais elle connaissait sa technique. Si elle ne le recevait pas maintenant, il insisterait jusqu'à ce qu'elle cède.

— Bonjour, Marine. Je tenais à m'excuser pour l'autre jour.

— Vous excusez de quoi ? De succomber au charme de mon amie ?

— Non pas de succomber à son charme ainsi que tu l'affirmes, mais de t'avoir privée de sa compagnie plus rapidement qu'escompté. J'ai remarqué que cela t'avait blessée.

— Ce n'était qu'une apparence.

— Tant mieux… Tout va bien sur l'île ? Si tu as besoin d'un conseil, je suis à ta disposition…

— Merci. Le docteur Le Guen que j'ai remplacé, remplit très bien ce rôle.

Pourquoi, dix ans après, était-elle toujours aussi agressive avec Jean Jaouenn ? C'était un réflexe. La révolte en elle sourdait à sa vue. C'était comme un volcan endormi et qui soudain s'éveille sans raison.

Elle n'était plus très sûre qu'il eût vraiment dénoncé son père. Celui-ci avait pu se méprendre. On imagine parfois des situations fausses. Son père avait été incarcéré à cause de la trahison de son ami, croyait-il. Mais ses activités autonomistes étaient notoires. Alors ? Ainsi elle détenait toutes les clés pour s'affranchir du passé. Mais elle n'était pas encore prête à cela. Et surtout, le fait que, malgré les années, Jean Jaouenn continuât de la poursuivre de ses attentions la mettait hors d'elle. Il était clair qu'il se considérait investi d'une mission à son endroit : la protéger. Elle allait sur ses vingt-huit ans et cette attitude lui était insupportable.

Marine, ses vacances terminées, regagna l'île. Elle s'enquit auprès de son suppléant des dernières nouvelles concernant ses patients puis se rendit au domicile d'Eileen afin de lui restituer les effets qu'elle avait abandonnés chez elle lors de son retour précipité. Son intention était de laisser le paquet devant la porte et de filer aussitôt mais elle n'échappa pas à la vigilance d'Eileen.

— Hé ! Marine, tu es rentrée.

— Oui. Voici tes affaires.

— Tu veux un thé, un café ?

— Non, merci.

— Tu es fâchée ?

— Non.

— Si. Je le vois bien. Que représente cet homme pour toi ?

— De qui parles-tu ?

— De Jean. Tu te comportes comme une femme jalouse.

— Tu délires !

— Alors pourquoi es-tu si contrariée que je m'y intéresse ? Si c'est chasse gardée, tu me préviens.

— Il n'est rien pour moi.

— Ravie de te l'entendre dire. Il faudra pourtant qu'un jour, tu m'expliques ta réaction.

Quelle réaction ? Sa gêne à voir Eileen se jeter à la tête de Jean Jaouenn ? Elle s'était fait une joie d'inviter la jeune femme chez elle pour le week-end et, en échange, celle-ci la dédaignait au profit du premier venu. Elle estimait que c'était la manière d'agir sans tact et sans élégance d'Eileen qui était au cœur de la polémique et non une crise de jalousie ainsi que l'insinuait son amie. Et si même elle était jalouse, de qui l'était-elle ? D'Eileen, en refusant que quelqu'un s'immisçât entre elles ? De Jean Jaouenn qui en préférait une autre ? Quelle absurdité ! Pourtant Marine, mortifiée, devait admettre qu'il y avait dans cette seconde hypothèse, un fonds de crédibilité.

Après sa visite à Eileen, elle poussa son chemin jusque chez sa tante Lucie. La vieille dame lui sembla affaiblie et pourtant son absence n'avait duré que deux semaines.

— Te voilà, petite. Tu t'es bien reposée ? As-tu vu ton frère ?

— Oui.

— *Mad tre !*

Son remplaçant ne prenant le bateau pour le continent que le lendemain, Marine décida de coucher chez sa tante.

Au cours du dîner, celle-ci évoqua la profonde détresse d'une îlienne, âgée et sans famille, qui allait être placée dans une maison de retraite sur le continent. Tante Lucie en était très affectée.

— Tu n'es pas seule, toi, tantine, dit Marine pour la réconforter. D'ailleurs, cela fait un moment que je réfléchis à dormir ici tous les soirs.

Tante Lucie protesta.

— Ce n'est pas parce que je t'ai raconté cette histoire qu'il faut te croire obligée… !

— Je sais tantine. Mais j'ai toujours peur qu'il t'arrive quelque chose et que tu restes des heures sans assistance. Marijanig passe te voir régulièrement, d'accord, mais elle n'est pas là en permanence ! De toute façon, ce ne sera pas une corvée, j'aime être avec toi.

— Dans ce cas, se réjouit la vieille dame, j'aurais tort de ne pas accepter.

Cela ne modifiait en rien, ou presque, les habitudes de Marine. Tante Lucie n'avait pas le téléphone mais en spécifiant à la porte de son cabinet le lieu où elle était joignable après ses consultations, l'information, compte tenu de la superficie en cause et de la tradition orale des îliens, circulerait sans même de publicité.

Elle avait juste à aviser Marijanig des arrangements pris, eu égard à la grande amabilité que celle-ci témoignait à la vieille dame.

En allant travailler le lendemain matin, Marine s'arrêta chez la karabassen. Ce fut Yann qui lui ouvrit la porte.

— Bonjour Marine. Vous paraissez surprise ?

— Je pensais avoir affaire à votre mère. Elle est là ?

— Non. Je peux vous être de quelque utilité ?

— Merci. À bientôt.

Elle avait tourné les talons et s'éloignait déjà, maudissant sa gaucherie qui l'empêchait de prolonger son dialogue avec Yann, lorsque le jeune homme la héla :

— Au fait, Marine, il y a douze ans, nous avions prévu d'aller pêcher et notre sortie a été annulée. Voulez-vous que nous remettions ça ?

— Une partie de pêche ? Pourquoi pas.

— Quand êtes-vous libre ?

— Le week-end.

— Samedi alors. Je viendrai vous chercher.

— Chez ma tante Lucie, précisa-t-elle.

— Chez votre tante Lucie. À samedi.

— À samedi.

Elle était toute chamboulée. Yann avait des yeux

d'une incroyable transparence qui lui chavirait le cœur. Était-il marié, fiancé ? Il devait avoir une femme dans sa vie. Impossible qu'il en fût autrement.

Sur le quai proche de son cabinet, Marine perçut une petite voix qui lui criait :

— Bonjour, docteur !

— Bonjour, Jean-Noël. Tu n'es pas en vacances ?

— Je suis en vacances, répondit le gamin étonné.

— Je veux dire... en colo ou chez tes grands-parents ?

— En colo, pff ! Et mes grands-parents habitent ici. Pourquoi vous me demandez ça ?

— Les vraies vacances, c'est partir, non ?

— Pour aller où ? se défendit Jean-Noël scandalisé. Ici, y a la mer, la plage...

— Tu as raison. Je suis stupide !

Et son manque de finesse survenait comme par hasard tout de suite après son entrevue improbable avec Yann. Étrange ! Dire qu'il y a peu, elle s'interrogeait sur son incapacité à ressentir des émotions d'ordre amoureux ! Elle n'avait plus qu'à se féliciter de sa normalité.

— Et vous ? Vous étiez où ? Je vous voyais plus.

— Ah ! Ah ! Toi aussi tu me surveilles. Tu imites ta mémé ?

— Vous êtes sans personne. Faut bien que quelqu'un s'occupe de vous.

Son petit chevalier servant. Comme Yann autrefois.

— Jean-Noël, voudrais-tu m'aider à transporter quelques affaires chez ma tante Lucie ? Après le départ du bateau.

Le gamin acquiesça. Elle accompagna son suppléant jusqu'à l'embarcadère, revint chez elle organiser son transfert dans la maison de sa grand-tante. Puis elle appela Jean-Noël qui jouait au ballon sur le quai. Quand celui-ci constata le nombre de paquets que Marine emportait (un sac de vêtements, la litière et le panier du chat, le chat, la provision de boîtes de pâtée, une pile de livres, plus différentes babioles), il soupira, l'air accablé par la propension des femmes à trop se charger (sa mine consternée amusa beaucoup Marine).

— Bougez pas. Je vais emprunter la carriole de mon pépé, ce sera plus facile.

Il rappliqua dix minutes plus tard avec une petite charrette à bras. Ils entassèrent son bric-à-brac dedans et prirent la direction de la route du phare.

6

Le samedi, il pleuvait. L'horizon était totalement bouché. Pas question de s'adonner à une activité comme la pêche avec cette pluie qui tombait sans discontinuer, pourtant elle attendait Yann. Elle ne savait pas s'il viendrait ni à quelle heure, mais elle l'attendait. Après le repas, tante Lucie se retira pour une sieste tandis que Marine s'asseyait dans le fauteuil, près de la fenêtre, avec le chat sur les genoux.

Yann surgit du rideau de pluie vers quinze heures. Marine se leva précipitamment, faisant sursauter le chat qui miaula d'indignation.

— Je crains que notre partie de pêche ne soit à nouveau ajournée. Par contre, que diriez-vous d'une promenade, si vous n'avez pas peur d'être mouillée ?

Elle s'équipa pour braver l'avalanche d'eau qui se déversait du ciel et ils se dirigèrent vers le phare. Ils marchaient côte à côte. Les capuches des cirés les privaient d'une conversation soutenue et ils avançaient en silence. Marine avait du mal à refréner le trouble qui la gagnait en sentant l'épaule de Yann contre son épaule. Les hommes n'avaient jamais soulevé en elle de sentiments forts (à part l'animosité qu'elle éprouvait pour Jean Jaouenn et qui pouvait être assimilée à un sentiment fort) et il suffisait que Yann apparût avec ses yeux gris et sa gueule d'ange et elle fondait.

Peut-être lui rappelait-il Marie-Anne, les circonstances particulières de leur rencontre et c'était comme si un lien invisible les unissait et la rendait plus réceptive (ou plus sensible) à sa présence. Les excuses qu'elle se donnait pour justifier son émoi, elle en avait conscience, ressemblaient davantage à de la psychologie de bazar qu'à une véritable explication rationnelle. Pourtant cette explication rationnelle existait : Yann l'attirait. Qu'elle l'admît et tout devenait simple.

Ils étaient sur la langue de terre qui menait au phare. En haut de la plage, un amoncellement de pierres formait une cahute qui leur offrit un abri. Ils s'y assirent et se débarrassèrent de leurs capuchons.

Yann prit un galet et le lança dans l'eau, geste qui les renvoya des années en arrière.

— Pour quelle raison étiez-vous si triste à l'époque ? demanda-t-il.

— Je venais de perdre une amie, la seule que j'aie jamais eue.

— Non ? Je n'y crois pas.

— C'est malheureusement vrai. Je ne suis guère sociable.

— Et d'amis, au masculin ?

— J'en ai un… enfin, j'avais.

— À quoi pensent les hommes ?

Elle rit.

— Je les effraie.

— Comment est-ce possible ?

— Je suis trop réservée et les hommes s'imaginent,

je le suppose car aucun n'a été assez franc pour me l'avouer, qu'ils vont s'ennuyer en ma compagnie.

— Vous n'avez jamais eu…

Yann s'arrêta, embarrassé.

— De relations sexuelles ? Si. En fac de médecine. Mais elles étaient plus… sexuelles justement, qu'affectives. Et vous, avez-vous des amis ?

— Quelques-uns.

— Une… amie ?

— Oui.

Forcément ! Un tel homme ne pouvait avoir échappé à la convoitise d'une femme.

— Marié ?

— Pas encore.

Le « pas encore » prouvait qu'il y songeait.

— Je viens de créer mon entreprise. J'y consacre tout mon temps, précisa Yann.

— Une entreprise de quoi ?

Elle faisait encore semblant d'être captivée mais sans y mettre de la conviction. Pour une fois que quelqu'un lui plaisait, ce quelqu'un aimait ailleurs.

— De pub.

— De pub !

— Quoi ?

— Cela ne vous correspond pas.

Qu'est-ce qu'elle savait de ce qui lui correspondait ou non ? Elle était bien présomptueuse de prétendre à un jugement le concernant.

Ils se turent. Yann l'observait, perplexe.

— Ai-je eu un mot maladroit ?

— Que voulez-vous dire ?

— Je vous sens distante tout à coup.

« Je suis déçue. Je vous croyais libre », lui aurait-elle volontiers répondu. Au lieu de ça, elle lui certifia :

— Vous vous trompez. Si nous rentrions ?

Yann plongea ses yeux clairs dans les siens. Elle ne put affronter son regard et détourna la tête.

Elle se sépara de lui devant la maison de sa tante.

— Au revoir, Yann.

— Au revoir, Marine. Je suis là une semaine encore. Je n'oublie pas notre partie de pêche.

Marine aurait voulu se battre. Quel besoin de réagir toujours de la même façon, à l'encontre de ses intérêts ! Elle était entière, manichéenne. Yann avait une petite amie et alors ? Cela contrariait-il leur amitié ? Et pourquoi, tant qu'il était sur l'île, se tenir à l'écart sous prétexte que son cœur appartenait à une autre. Que cherchait-elle enfin ? Finir sa vie gavée de solitude ?

Même Jean-Marie la délaissait. Pendant ses années de fac, elle avait résisté à ses demandes en mariage : « je dois d'abord terminer mes études ». Il avait été contre son retour sur l'île : « Où trouverais-je un emploi ? (Il était diplômé d'une école de commerce.) La ville la plus proche susceptible de me fournir des opportunités est Rennes, éventuellement Nantes. Quand nous verrons-nous, toi sur l'île et moi à plus de deux cents kilomètres ? » Finalement, il avait accepté un stage aux États-Unis et, depuis, elle n'avait plus de nouvelles.

Le lendemain, la pluie avait cessé. Elle ne put s'empêcher de guetter la venue de Yann. C'était bien elle, ça. Tranchante mais déplorant tout aussitôt son attitude intransigeante et souhaitant qu'elle n'eût pas engendré de situation irrémédiable.

Pour une fois, Marine eut de la chance. En début

d'après-midi, alors que tante Lucie se reposait dans sa chambre, Yann frappa à la porte.

— Je vous emmène à la pêche ?

Elle ne fit pas de manières, forte de ses dernières réflexions. À l'extrémité du quai, Yann l'aida à grimper dans une annexe et godilla pour atteindre un des nombreux bateaux de pêche amarrés sur des corpsmorts, un peu au large. Ils montèrent à bord et le jeune homme mit le moteur en route.

— Nous n'allons pas trop loin ? questionna Marine.

— Vous avez peur ?

— C'est-à-dire… Le bateau est petit et les courants sont violents.

— Vous savez nager ?

— Pourquoi ? plaisanta-t-elle. Vous voulez me jeter à l'eau ?

— Peut-être, déclara Yann le plus sérieusement du monde. Si je ne parviens pas à déchiffrer vos sautes d'humeur !

Et il ajouta :

— Je vous croyais plus téméraire !

— Je l'étais… ado.

— Qu'avez-vous fait toutes ces années pour vous assagir autant ?

— J'ai étudié.

— Sans prendre le temps de vivre ?

— Tout dépend de ce que vous appelez vivre.

— Sortir, s'amuser… aimer !

— Si c'est votre définition de vivre, je vous répondrai que travailler m'amuse et j'ai aimé… mon grandpère.

Les yeux de Yann s'écarquillèrent.

— J'ai du mal…

Il s'interrompit.

— Oui ? l'encouragea-t-elle.

— Nous nous entendions si bien avant. Ça paraissait si facile.

— C'est l'impression qu'il vous reste. Nous avions quel âge ? Moi seize ans et vous… Quatorze, quinze ?

— Quatorze.

Il était en pleine adolescence. Elle en émergeait à peine. Depuis, il s'était passé tant de choses.

Le bateau progressait vers un amas de récifs à moins d'un mille de la terre. Yann ancra l'embarcation à proximité et s'affaira autour des lignes et des appâts.

— Prête ? dit-il.

— Avec quelques conseils, prête.

Ils pêchèrent scrupuleusement deux bonnes heures. Puis les jambes de Marine commencèrent à fourmiller et elle se dandina sur le banc.

— Fatiguée ? interrogea Yann.

— Un peu.

— Quart d'heure de pause ! J'ai apporté du café et un far que nous devons à la générosité de ma mère.

Il lui tendit un gobelet de café et une part de far aux pruneaux. Le gâteau était excellent et le café corsé.

— Ça va mieux ?

— Beaucoup mieux… Votre mère est-elle au courant de notre balade ?

— Je lui ai annoncé que j'allais pêcher mais sans lui dire avec qui.

Marine détailla le produit de sa pêche : quelques maquereaux (des lisettes), plus un bar à l'actif de Yann, puis elle regarda autour d'elle. La mer clapotait, infligeant à la coque du bateau des coups réguliers. Les énormes roches granitiques auprès desquelles ils avaient mouillé l'ancre les protégeaient de la houle. La jeune femme ferma les yeux. Peu après, une caresse effleura ses lèvres, tout en douceur, comme si cette caresse, avant de s'épanouir davantage, posait le principe de sa légitimité. Marine oscillait entre le présent, un présent un peu flou, et une sorte de songe éveillé. Où se situait la frontière entre la réalité et ses fantasmes ? Elle rouvrit les yeux. Yann était penché au-dessus d'elle, souriant et attentif. « Ai-je rêvé ou m'a-t-il embrassée ? » Elle n'eut plus de doute quand il réitéra et cette fois avec une fougue qui emporta ses maigres défenses.

— Houa ! dit-elle après que Yann se fut détaché d'elle.

— Excusez-moi. J'en mourais d'envie... Je crois que nous avons assez pêché pour aujourd'hui.

Yann rangea les lignes, démarra le moteur et mit le cap sur l'île. Il ne desserra pas les dents pendant le trajet jusqu'au port. Se reprochait-il son geste ? Marine se le demandait, elle qui n'arrivait pas, après les instants flamboyants qu'elle venait de connaître, à recouvrer une contenance naturelle.

Au lieu de se diriger sur le corps-mort pour récupérer l'annexe, Yann manœuvra pour accoster à l'autre extrémité du quai où Marine avait son cabinet. Il s'approcha de la jetée, la pria de descendre.

— J'arrime le bateau. Va devant. Je te rejoins à ton cabinet.

Le tutoiement de son enfance avait resurgi en un moment où il lui fallait cette intimité pour se rassurer.

Marine gagna son cabinet, se déchargea des lisettes dans la cuisine. Elle aurait voulu pouvoir analyser calmement la tournure, imprévisible (et qui la déroutait), que prenaient les événements mais Yann était déjà là. Sans autres paroles superflues qu'un « chut ! ne dis rien » comment allait-elle protester ? se justifier ? Il l'enlaça.

Quels qualificatifs caractériseraient le mieux ce qui s'ensuivit ? La chambre nuptiale du docteur Le Guen n'avait pas dû être le témoin de tels ébats depuis sa nuit de noces ! C'était le 14 juillet après l'heure… ou avant, elle en perdait la notion du temps, avec le feu d'artifice, les flonflons et tout ce qui va avec. L'avantage de ce « lâcher prise » était qu'elle n'avait plus d'angoisses, plus de rancœurs et ceci, grâce à un adolescent devenu grand qui avait renouvelé, douze ans après, l'exploit de faire s'écrouler les murs qu'elle avait dressés autour d'elle.

Elle demeura une éternité dans les bras de Yann avec l'idée que si elle s'en évadait, son bonheur s'évanouirait aussitôt. Ce fut pourtant lui qui, le premier, les précipita dans la banalité du quotidien.

— Je vais mettre le bateau sur son corps-mort, chuchota-t-il.

Elle n'osait pas lui réclamer : « Quand nous revoyons-nous ? » Cela n'aurait pas été digne d'elle, d'eux, de l'implorer, de quémander.

Sur le chemin du retour, elle s'arrêta chez Marijanig pour l'entretenir de sa grand-tante.

— Bonjour. Je suis…

— La petite-nièce de Lucie, je sais. Elle me parle souvent de vous.

— Elle vous a dit alors que je dors chez elle toutes les nuits. Par contre la journée, pendant que je suis à mon cabinet, pouvez-vous vous assurer qu'elle va bien et m'alerter le cas échéant ?

Marijanig l'assura de sa bonne volonté à veiller sur la vieille dame et lui proposa un café. Marine refusa. Yann ne tarderait pas à rentrer et elle préférait éviter cette configuration. Une mère perçoit d'instinct tout ce qui a trait à son enfant et ils risquaient, Yann et elle, d'avoir, même inconsciemment, une expression, des regards propres à lui faire découvrir la nature de leurs rapports. Marine n'était pas sûre que Marijanig en tirât vanité surtout si son fils avait une petite amie qu'elle estimait.

La chambre de la maison du quai les réunit, chaque soir, durant l'ultime semaine de vacances de Yann. Ils y vécurent des heures exaltantes qui réconciliaient Marine avec la terre entière.

Ils ne faisaient pas de projets. Ils étaient juste ensemble, intensément et déjà pour elle, *douloureusement* ensemble.

Sa voisine épicière, si elle l'épiait toujours, avait certainement remarqué ce jeune homme qui entrait furtivement chez elle dès le dernier patient parti. La réputation de Marine allait en pâtir une fois de plus. Une fois de trop ? Cela lui était égal. Elle était sur son nuage, hors d'atteinte.

Le samedi fut là, ce samedi sonnant la fin du séjour de Yann sur l'île.

— Tu me donneras de tes nouvelles ?

— Tu y tiens ?

— À toi de voir.

Devant son air peiné, Yann avait précisé :

— Marine, j'ai adoré cette semaine avec toi. Mais je ne vais pas te mentir. Nous deux, c'est tellement soudain.

Tellement soudain qu'il ne voulait pas se hasarder

à prononcer de vaines promesses, mais surtout, ce qu'il ne disait pas, c'était qu'il n'avait pas d'avenir avec elle sur l'île. Personne n'avait d'avenir avec elle sur l'île. Les seuls hommes de son âge sur ce caillou étaient des marins qui ne s'intéresseraient jamais à elle ni elle à eux. De fait, à moins d'une transformation radicale de son mode de vie qui n'était pas à l'ordre du jour, elle était vouée à une existence monacale. Mais elle avait choisi cette île en étant instruite des limites qu'elle offrait et elle s'en tiendrait à ce choix, tant qu'elle réussirait à maintenir l'harmonie entre son corps et son esprit.

Le samedi, depuis la fenêtre de son cabinet, Marine observa la file des touristes qui embarquaient pour le continent. Marijanig était venue accompagner son fils. Ils se pressèrent dans les bras l'un de l'autre. Yann se maintint sur le pont tandis que le bateau s'éloignait et agita la main. Cet au revoir lui était-il destiné autant qu'à sa mère ? Il n'y avait que lui à pouvoir le confirmer.

7

Yann lui manquait. Elle avait tout le temps envie de hurler sa rage, sa détresse, cette détresse qu'elle pensait ne pas avoir méritée et qui la terrassait, la minait, l'explosait en mille éclats de souffrance. Était-ce cela aimer, ce ressenti anormal, indécent, cette impression que votre corps est éparpillé aux quatre coins de la pièce et que seule la présence de l'être cher pourra vous permettre de vous recomposer, de faire en sorte que vous redeveniez un tout, une entité à nouveau capable de fonctionner comme lors de votre création, de manière coordonnée, pertinente et raisonnée ?

Yann ne lui avait communiqué ni son adresse ni son numéro de téléphone et elle était désorientée devant ce comportement en retrait. Elle n'aurait jamais imaginé qu'il fût homme à se satisfaire de liaisons éphémères. Cela ne collait pas avec ce qu'elle savait de lui.

À vrai dire, quelle opinion objective pouvait-elle en avoir ? Ils s'étaient si peu vus. Une première fois dans une relation platonique et touchante et une deuxième fois où ils s'étaient, à l'inverse, livrés l'un à l'autre avec une complète impudeur. Progression fulgurante qui ne les autorisait pas à juger de leurs qualités réciproques.

En fait, c'était peut-être lui qui se posait des questions à son sujet. Elle s'était vautrée dans le plaisir sans y ajouter, au moins en apparence, une dose de sentiment. Lui avouer un quelconque attachement aurait-il modifié le cours de leur aventure ? Pour cela, il aurait fallu qu'elle déterminât, sans se fourvoyer, ce qu'elle éprouvait pour lui. Et comment, alors qu'ils n'avaient eu qu'une semaine pour s'apprécier, isoler au milieu d'une cohorte d'émotions (la plupart charnelles) celle pouvant se changer en affection durable ?

Et Marine traînait chaque jour, chaque heure qui s'égrenait comme on traîne un boulet.

Septembre fut beau. Les touristes envolés, elle profitait de ses lieux de prédilection rendus à leur solitude. Dès qu'elle avait un instant de libre, elle se promenait ainsi qu'elle en avait toujours eu l'habitude. Elle contemplait l'océan et, dans cet exercice, elle se vidait la tête de tout ce qui pouvait nourrir sa nostalgie.

Elle déplorait de plus en plus son entente avortée avec Eileen. Avec une amie, le temps lui aurait paru moins long. Peut-être n'était-il pas trop tard ? Elle avait cependant des réticences à aller carillonner à la porte de la jeune Irlandaise. Et était-ce utile ? À l'automne, Eileen regagnait son atelier parisien pour ne revenir qu'à la fin du printemps. Renouer avec elle aujourd'hui ne servirait à rien, si ce n'est à favoriser leurs retrouvailles l'année prochaine.

Après bien des hésitations, Marine se rendit pourtant un soir chez « l'artiste ». La boutique avait été dégarnie des œuvres exposées.

— Tu prépares ton départ ? demanda Marine.

Eileen la considéra, mains sur les hanches.

— Tu as fini de bouder ?

— Je ne boudais pas.

— À d'autres !

— Et si nous ne reparlions plus de ça !

— Pourquoi ? Parce que cela t'arrange ? Parlons-en au contraire.

Marine fit volte-face, décidée à s'en aller. Eileen la rattrapa.

— Ne te défile pas. Oui, j'ai revu Jean. C'est un amant merveilleux et je n'envisage pas de m'en séparer. J'ignore ce qu'il y a entre vous deux. Vas-tu enfin t'expliquer ?

— C'était un ami de mon père, confessa Marine, comprenant que son silence obstiné sur le chapitre ne faisait qu'irriter Eileen.

— Et ?

— Et ils se sont fâchés.

— Et donc, tu soutiens ton père et tu en veux à Jean ?

— Oui.

— Eh bien ! Voilà. Ce n'était pas plus compliqué que ça… Et excuse-moi d'avoir été impolie chez ton frère.

Marine avait un peu altéré la réalité en omettant de détailler les rapports assez particuliers qui la liaient à Jean Jaouenn et qui n'avaient pas tout à voir avec son père. Elle préférait garder secrète cette partie de l'histoire.

Elles se rabibochèrent et trois jours après, Eileen quittait l'île.

— Viens me voir à Paris. Nous pourrions aller au théâtre, au cinéma, *te* cultiver un peu, quoi !

Paris c'était aussi Yann.

— Je vais y réfléchir.

Marine aida Eileen à porter ses bagages jusqu'au bateau. Cette fois, il n'y avait plus grand monde de son âge sur l'île avec qui converser.

En rejoignant son cabinet, elle avisa Jean-Noël qui trompait son ennui en jouant les acrobates sur le parapet du quai. Elle l'interpella :

— La rentrée scolaire s'est bien passée ?

— Oui.

— Et tu as des copains ?

— Non.

— Pourquoi ?

— Les garçons de ma classe sont nuls.

La vie n'était pas simple. Même pour un gamin de onze ans.

En octobre, un brouillard persistant recouvrit l'île, la dissimulant aux regards des continentaux. La corne de brume beuglait en continu et ce son monocorde entretenait un climat sinistre. Marine ne savait plus vers qui se tourner pour échapper à la morosité. Elle fréquentait assidûment la maison du docteur Le Guen et de sa sœur Corentine. Le docteur Le Guen avait perdu son fils unique et sa belle-fille, remariée, habitait l'île de la Réunion. Il ne voyait presque jamais ses petits-enfants et s'était pris de sympathie pour elle. Marine venait régulièrement manger chez le frère et la sœur et ces quelques moments de convivialité contribuaient à lui faire supporter le cortège uniforme des jours.

Elle avait un autre ami en la personne du curé.

Quand celui-ci l'apercevait à la porte du presbytère, il devinait qu'elle avait besoin de bavarder et il lui offrait un thé. Ils devisaient de tout, rarement de religion. C'était un vieux monsieur, pétri de bonté et de tolérance.

Novembre fut vite là et elle eut le fol espoir que la fête de la Toussaint qui rassemble les familles lui ramenât Yann. Mais elle eut beau scruter la file des voyageurs au débarcadère, guetter un signe révélateur au domicile de Marijanig, elle fut déçue.

Le froid et les tempêtes surgirent avec décembre.

Tante Lucie déclinait doucement. Elle n'était pas malade. Elle s'éteignait comme une chandelle. Marine prévint Yves de son état et lui suggéra de venir fêter Noël chez leur tante.

— Ce sera peut-être son dernier Noël.

Yves ne souhaitait pas s'engager sans en référer à sa femme.

— Tante Lucie serait si contente que nous soyons tous ensemble, insista Marine.

Il ne promit rien. Cela dépendrait du bon vouloir de son épouse. Comme toujours !

Mi-décembre, ils essuyèrent une tempête mémorable. L'île était dévorée par l'océan. À marée haute, l'eau s'infiltrait partout. Le quai, où se situait le cabinet de Marine, était submergé par des vagues gigantesques qui aspergeaient la façade des maisons. Les patients se faufilaient chez elle entre deux paquets de mer. Elle avait cessé d'ouvrir les volets des fenêtres donnant sur la rue et la salle d'attente était plongée dans une obscurité à peine atténuée par le lumignon d'une lampe à pétrole. L'électricité étant dispensée par le groupe électrogène du phare, Marine avait à cœur de ne pas la gaspiller.

Le soir, à la fin de ses consultations, elle devait lutter contre les embruns, les rafales de vent, la pluie et elle parvenait au domicile de sa tante, trempée et frigorifiée.

Tante Lucie se désolait.

— Reste à ton cabinet quand il fait mauvais comme ça ! Ce n'est pas un temps à mettre le nez dehors.

Marine la rassurait en lui disant qu'elle aimait les tempêtes et que les affronter la fortifiait. Tante Lucie n'était pas dupe.

Yves avait convaincu son épouse de venir sur l'île. Marine les attendait pour le déjeuner du 25 décembre.

Deux, trois jours avant, bénéficiant d'une accalmie, la jeune femme fit une rapide incursion sur le continent pour se procurer des cadeaux pour ses nièces. Elle s'assura en même temps que la maison de son grand-père n'avait pas trop pâti des intempéries des jours précédents. Des branches d'arbres jonchaient la pelouse. Yves s'emploierait sûrement à tout nettoyer après les fêtes.

Le jour de Noël, tante Lucie tint absolument à assister à la messe. Marine lui déconseilla cet effort mais la vieille dame persévéra dans son projet et Marine céda à ses prières. Bras dessus, bras dessous, elles cheminèrent à pas lents vers l'église, se blottissant l'une contre l'autre pour se protéger du vent.

Le sanctuaire était chauffé avec parcimonie et Marine, pendant l'office, se demanda quelles seraient les conséquences, sur sa tante, d'une température aussi glaciale. Par bonheur, le curé n'était pas homme à prêcher des heures durant et la messe fut vite achevée.

Au retour, tante Lucie, très fatiguée, dut s'arrêter à plusieurs reprises, la respiration sifflante. Elle tremblait dans son manteau trop léger et ses lèvres étaient bleues de froid. Une fois à la maison, Marine enveloppa la vieille dame dans le grand châle qu'elle lui avait acheté pour son Noël et l'installa près de la cheminée où brûlait un feu d'enfer.

— Ça va, tantine ? s'alarmait-elle à chaque instant.

Tante Lucie la regardait avec tendresse.

— Ça va, petite. Ne t'inquiète pas autant pour moi.

Marine renonça à accueillir Yves au bateau pour concocter le repas et quand la famille cogna à la porte, tout était prêt.

Exceptionnellement, sa belle-sœur ne chercha pas à monopoliser l'attention et ses filles elles-mêmes, d'ordinaire capricieuses, témoignèrent d'une timidité inhabituelle, si bien que le déjeuner se déroula dans une atmosphère de paix que Marine savoura, tant pour elle que pour tante Lucie.

L'après-midi, sa belle-sœur emmena les gamines prendre l'air et ils demeurèrent, Yves et elle, avec leur tante. La vieille dame était radieuse.

— Je remercie le ciel que nous soyons réunis. Cela me rappelle autrefois, quand votre grand-père vivait encore. Je n'ai jamais eu d'enfants mais je l'ai moins regretté car vous étiez comme mes enfants. Vous êtes mes héritiers. Cette maison vous appartiendra lorsque je ne serai plus. Vous en ferez ce que vous voudrez. Vous la garderez, vous la vendrez. Cela vous concerne. Mais surtout, ne vous disputez pas. Vous aurez aussi chacun un peu d'argent. Tout est en ordre chez le notaire. C'est celui de votre grand-père. Voilà ce que j'avais à vous dire. Maintenant, mes chers petits, venez là que je vous embrasse.

Ils s'étreignirent et, en cette minute, Yves et Marine n'étaient plus que cela, les « petits » de tante Lucie.

Tante Lucie avait attrapé froid à l'église. Elle toussait, grelottait de fièvre. Marine se sentait responsable et était bourrelée de remords.

Ses consultations reprenant, elle sollicita Marijanig pour veiller sur sa tante la journée. La karabassen s'empressa d'accepter. Marine constata, lors de sa visite à Marijanig, que Yann n'était pas venu voir ses parents pour les fêtes de fin d'année. Elle eut le dessein de s'informer de lui auprès de sa mère et puis une pudeur soudaine l'en empêcha.

La fièvre de tante Lucie tomba. Elle allait mieux mais une sorte de langueur s'était emparée d'elle. Marine essayait de la stimuler pour maintenir en elle un peu de souffle. En vain !

Et une nuit de janvier, elle décéda. Marine la découvrit au petit matin. Elle s'assit sur le lit où gisait la vieille dame, fixant le visage familier et tenant dans ses mains, la main aujourd'hui ridée de celle qui, avec son grand-père, avait été son guide, son soutien, son rempart contre les embûches de la vie. Elle s'agrippait à cette main, désormais inerte, anéantie. La mort la privait de tous ses référents et la précipitait dans une détresse sans nom.

Marine avertit Yves qui se montra lui aussi très affligé. Puis vinrent les démarches à la mairie et auprès du curé. Elle s'aperçut, à l'occasion de cette épreuve, que sa tante était très estimée. « Normal, se dit-elle, elle était membre à part entière de la grande famille des insulaires. » Son père aussi, et pourtant la solidarité n'avait pas joué en sa faveur. À croire qu'être îlien n'était pas la condition exclusive pour avoir droit à la considération des autres îliens. Qu'avait-il manqué à son père ?

Toute la population défila devant la dépouille de tante Lucie. Il y eut également foule à l'église et au cimetière. Après la cérémonie, Yves et Marine, avec Marijanig et les plus proches voisins, se retrouvèrent dans la maison de leur tante. Marijanig avait préparé du café et apporté un gâteau destiné à les réconforter.

Yves reprit le bateau dans la soirée. Il était chargé de contacter le notaire et de communiquer à Marine la date du rendez-vous.

Elle était seule cette fois, dépouillée de ses liens affectifs, égarée dans une espèce de vide abyssal, avec pour toute compagne sa peur, une peur qui montait, montait et lui déchirait le ventre.

Un « miaou » doux et prolongé retentit et une boule noire sauta sur ses genoux. En caressant le chat, tandis qu'il ronronnait, elle s'apaisa peu à peu.

Étonnamment, la mort de tante Lucie lui avait attiré la compassion de ses concitoyens. Par une empathie subite, elle était devenue une des leurs. Son cabinet ne désemplissait plus.

Quelques jours après le décès de leur tante, Yves et elle furent convoqués chez le notaire.

Tante Lucie avait dû économiser toute sa vie, sou après sou, car elle leur léguait une somme importante qui, après acquittement des frais de succession, lui permit de solder l'emprunt contracté auprès du notaire pour la maison du continent.

Elle interrogea son frère sur ce qu'il convenait de faire de la maison de tante Lucie.

— Je ne sais pas. Tu veux l'habiter ?

— J'ai mon cabinet. Cependant... Je me disais que ce serait la maison de vacances idéale. Je pourrais y vivre une partie de l'année et te la laisser l'été.

— Je ne crois pas que ma femme apprécierait d'y passer des vacances. Par contre, c'est bien que tu l'occupes.

Elle eut, après ce drame, de nombreux cycles de découragement. Le plus dur était de rentrer le soir dans une maison déserte. Elle hésitait de longues minutes sur le seuil avant de franchir la porte, ravalant ses sanglots, ravagée par la tristesse des lieux. Autre source d'affliction : aucun signe de Yann depuis l'été. Son attitude la déroutait et la blessait. Yann, son ange blond, qui l'avait une première fois épaulée dans l'adversité, en séducteur cynique ? Elle avait du mal à l'admettre.

Heureusement le chat était là, qui se pelotonnait contre elle, confiant et câlin, quand peine et amertume l'assaillaient.

8

Janvier et février, les tempêtes s'enchaînèrent. Les maisons du quai étaient balayées en permanence par des vagues démesurées qui confinaient les habitants dans leurs demeures. Le bateau venant du continent n'assurait plus la liaison avec l'île et les deux épiceries furent bientôt en rupture de stocks.

Durant cet épisode chaotique, Marine, pour son plus grand soulagement, n'eut pas à traiter de cas graves nécessitant un transfert par hélicoptère. Celui-ci, en raison des intempéries, était dans l'incapacité de décoller.

Et puis l'hiver s'éloigna. Il y eut quelques belles journées, un peu froides, à la suite desquelles le printemps s'installa.

Le coup de fil lui parvint un après-midi.

— *Ne gomprenan ket, gwreg ar C'hadiou*[1].

Marine écoutait une patiente lui décrire ses symptômes dans un breton truffé d'expressions locales dont le sens lui échappait, lorsque le téléphone sonna.

— Marine ?

1. Je ne comprends pas, madame Cadiou.

— Yann ? dit-elle après un instant de stupeur.

Elle avait trop longtemps rêvé cet appel pour aujourd'hui s'en réjouir alors qu'il survenait en un moment inapproprié et que sa patience était émoussée.

— Je suis en consultation. Peux-tu me rappeler ?

— Je n'en ai que pour quelques secondes. J'arriverai samedi matin par le bateau. Surtout, pas un mot à mes parents.

Il raccrocha, la laissant perplexe. Que signifiait cette visite impromptue après un si long silence ? Yann avait-il eu besoin de toute cette réflexion pour… pour quoi ? Se persuader qu'il ne l'aimait pas ? Il n'était pas obligé de venir sur l'île pour le lui notifier. Qu'il continuât à l'ignorer et elle aurait fini par en tirer d'elle-même les conclusions. Samedi ! Le début des vacances de Pâques. Elle avait encore quatre jours à se morfondre avant de savoir si Yann était porteur d'une bonne ou d'une mauvaise nouvelle. Et une bonne nouvelle, c'était quoi pour elle ? Rien n'avait changé. Elle était toujours médecin sur une île perdue de Bretagne et aucun conjoint ne pouvait y vivre avec elle, à moins d'être pêcheur… ou rentier. Yann avait un travail bien spécifique qui le rendait dépendant de la société de consommation. Comment exercer sa discipline à distance, sur cette terre de désolation où la notion même de publicité paraissait vide de sens. Si donc il s'apprêtait à lui révéler sa flamme, quel serait leur avenir autre que se fixer des rendez-vous galants au hasard de leurs calendriers respectifs ?

Son grand-père, dans sa sagesse, lui aurait recommandé d'arrêter ses suppositions et d'attendre sans fantasmer les explications de Yann.

— Ça va pas, docteur ?

Sa patiente l'interrogeait.

— Vous parlez français, madame Cadiou ?

— Un petit peu !

— Alors pourquoi vous obstinez-vous à utiliser le breton ?

— J'ai pas les mots en français. Vous allez vous moquer.

— Pourquoi est-ce que je me moquerais de vous ? Madame Cadiou, redites-moi de quoi vous souffrez et en français cette fois. *Mat eo*[1] ?

— *Ya, doktor*[2].

Marine soupira. Dire qu'elle avait cru que parler breton serait un avantage pour faciliter ses relations avec les natifs de l'île. Mais même ses compétences en la matière s'avéraient inopérantes en ce lieu qui se dérobait sans cesse à ses avances.

Le temps s'éternisa jusqu'au samedi. Dès que l'image de Yann l'envahissait, accompagnée de questionnements de toutes sortes, elle s'efforçait de détourner sa pensée vers des sujets de portée immédiate. Ce n'était pas toujours évident, en particulier le soir où elle était plus oisive.

La fin de la semaine fut enfin là. Elle ne consultait pas le samedi mais se rendit néanmoins à son cabinet, tablant que c'était plutôt à cet endroit que Yann essaierait de la joindre.

À l'heure approximative d'arrivée du bateau, elle vit une animation inaccoutumée et les marins de la SNSM[3] embarquer précipitamment sur le canot de

1. D'accord ?
2. Oui, docteur.
3. Société nationale des sauveteurs en mer.

sauvetage. Les gens accouraient des rues avoisinantes et s'agglutinaient sur la cale. Elle comprit qu'un fait suffisamment important, pour attirer autant de curieux, s'était produit.

Elle sortit et se mêla aux îliens.

— Que se passe-t-il ? demanda-t-elle à Jean-Noël qui se tenait au premier rang de la foule.

— Le bateau venant du continent a été renversé par une lame de fond.

— Une lame de fond ! répéta-t-elle abasourdie. Tu n'as pas plus d'informations ?

— Il a pris une déferlante par tribord. Il s'est couché et plusieurs passagers sont tombés à l'eau.

Elle guetta auprès des badauds le retour des sauveteurs, en tentant de combattre l'inquiétude qui se distillait en elle. Ce fut d'abord un bateau de pêche qui accosta, avec deux rescapés à son bord. Marine les examina. Ils étaient choqués mais n'avaient pas subi de traumatismes corporels.

La vedette des sauveteurs aborda à son tour, chargée de blessés. Dans les heures qui suivirent, Marine s'activa à leur prodiguer des soins. Les plus sérieusement atteints furent évacués par hélicoptère sur les hôpitaux du continent. Les autres passagers, dont les blessés légers, furent rapatriés sur le continent par un navire dépêché par la compagnie maritime. Ce n'est qu'ensuite, quand elle put décompresser, que Marine réalisa qu'elle n'avait vu Yann à aucun moment. Au début de son intervention, elle avait essayé de le repérer parmi les rescapés qui descendaient du canot de sauvetage mais ensuite elle avait été trop accaparée pour s'en préoccuper.

Les sauveteurs se réunirent à la mairie pour un

débriefing de l'accident. Elle y fut conviée et en fin de séance, elle se renseigna.

— Vous n'avez pas de personne portée disparue ?

— Non, affirma le capitaine, surpris. Si cela avait été le cas, la famille se serait manifestée.

— Et si cette personne voyageait seule, un ou une touriste par exemple ? N'oubliez pas que ce sont les vacances de Pâques.

D'où lui venait cette anxiété qui lui nouait l'estomac ? Yann devait se terrer à proximité de chez elle ou alors s'être réfugié chez ses parents, le secret n'étant plus de mise compte tenu des circonstances… Sauf que la lame de fond avait brutalement projeté les passagers d'un bord à l'autre du bateau. Certains auraient pu s'assommer avant de basculer par-dessus bord et être entraînés plus au large. Mais pourquoi Yann aurait-il été victime de ce mauvais scénario, pourquoi précisément lui qui avait tenu à se déplacer sans en avertir quiconque, à part elle ?

Elle avait l'air de contester le professionnalisme des sauveteurs. Or elle était consciente de la rigueur et du dévouement avec lesquels ils accomplissaient leur devoir.

Elle revint au domicile de sa tante. En passant devant chez Marijanig, elle ralentit le pas. Si Yann était là, il la remarquerait et dans quelques instants, il frapperait à sa porte.

Elle espéra ce geste toute la soirée. À l'heure de se coucher, elle espérait encore. Il lui fallait être lucide. Soit Yann n'était pas sur ce bateau, soit…

Soit le pire avait eu lieu et quelle légitimité avait-elle pour signaler sa disparition et exiger qu'on poursuivît les recherches ?

Elle s'en voulait de ne pas avoir réclamé en son temps le numéro de téléphone de Yann. Aujourd'hui, elle n'avait d'autre solution que d'obtenir de Marijanig les coordonnées de son fils. Mais cette dernière s'étonnerait de sa démarche. Et comment lui avouer la vérité, à savoir qu'elle soupçonnait Yann d'avoir voyagé sur le bateau sinistré. Elle n'osait imaginer l'angoisse qu'elle allait initier.

Elle réfléchit à la situation une partie de la nuit et, au matin, elle avait réussi à se convaincre que Yann avait annulé son déplacement et qu'il allait la contacter tôt ou tard.

Elle reprit le cours de sa vie. Eileen, avec les beaux jours, était revenue sur l'île. Fréquentait-elle encore Jean Jaouenn ou les kilomètres entre Paris et la Bretagne avaient-ils mis un terme à leur idylle ? Marine ne s'aventura pas à lui en parler.

Les jours défilaient sans qu'elle reçût le moindre signe de Yann. Elle avait croisé ses parents maintes fois depuis l'accident et leur tranquillité apparente la confortait dans l'idée que rien de fâcheux ne lui était advenu.

Et puis, ses doutes resurgirent. Elle revécut ses étreintes passionnées avec Yann et tout son être aspira à ses caresses, à sa peau sur la sienne, à ses bras dans lesquels se blottir. Pour quel motif avait-il renoncé à elle aussi facilement ? Elle aurait trouvé plus cohérent qu'il maintînt leurs liens, même dévoré de culpabilité vis-à-vis de sa copine, mais pas qu'il adoptât d'emblée cette attitude d'indifférence. Cela voulait dire qu'il avait profité d'elle sans vergogne, l'espace d'un été et rendossé sa vie d'avant, une fois rentré à Paris. Mais pourquoi dans ce cas avait-il souhaité la revoir ?

Totalement perturbée, elle se mit à scruter l'océan. Elle errait le long du rivage, inspectant chaque anfractuosité de rocher pour vérifier qu'aucun corps ne s'y était échoué. Cette conviction qui l'avait gagnée devant l'étrange mutisme de Yann ne la quittait pas : il s'était noyé.

Elle ne dormait plus, ne mangeait plus. Eileen, soucieuse de la voir dépérir, s'en émut.

— Qu'y a-t-il ?

— Que veux-tu dire ?

— Ne me prends pas pour une idiote. Quelque chose te tourmente… Est-ce encore Jean Jaouenn ?

— Non, non, réfuta Marine. C'est juste un peu de fatigue.

— Admettons. Mais si tu as besoin de moi, je suis là.

Elle aurait voulu se confier à Eileen. Sa fierté s'y opposait. Elle avait le sentiment de s'être transformée en un personnage tellement irrationnel que son amie n'aurait pas manqué d'ironiser.

À défaut de pouvoir s'épancher, elle devenait taciturne, fuyant la compagnie de ses semblables dès qu'elle avait terminé ses consultations. Elle se forçait encore à inviter Eileen de temps à autre mais elle n'ambitionnait plus que de s'isoler pour mieux tourner et retourner dans sa tête les mêmes sempiternelles questions.

Le soir, avant de s'enfermer dans la maison de sa tante, elle s'asseyait sur la digue, près du phare. Elle s'abrutissait du spectacle des vagues qui cognaient contre la maçonnerie de la jetée, elle écoutait leur bruit répétitif et lancinant et elle déroulait les semaines écoulées par crainte qu'un détail ne lui eût échappé.

Ce soir-là, le temps était gris et une légère brume effaçait le paysage. L'absence de Yann et la douleur physique et morale associées devinrent si fortes, qu'elle aurait tout donné pour que cela cesse.

— Bonsoir, docteur.

Dans son champ de vision, elle aperçut deux jambes maigrelettes qui pendaient à côté des siennes au-dessus du vide.

— Tombez pas. Vous seriez emportée par les courants.

— Jean-Noël ! Tu es dehors à cette heure !

— Mon père est saoul et ma mère l'engueule. Alors j'ai préféré m'en aller.

— Navrée pour toi.

— Oh ! c'est pas grave. Ils se tapent pas dessus.

— Tu me rassures.

— Et vous, ça va ?

— Pourquoi ça n'irait pas ?

— Vous êtes toujours seule. Je veux dire sans copain. Parce que je vous ai vue avec « l'artiste ».

— T'as l'œil, toi. Ta grand-mère déteint sur toi ou quoi ?

— Alors, s'entêta le gamin, vous n'avez pas de copain ?

— Un jour, tu m'as demandé si j'avais des enfants. Tu te rappelles ce que je t'ai répondu ?

— Que j'étais indiscret... De toute façon, ajouta Jean-Noël avec aplomb, ici vous n'aurez jamais de copain.

— Et pourquoi, je te prie ?

— Parce que sur l'île, les garçons ne sont pas comme vous. Personne n'est comme vous, sauf « l'artiste ».

— Explique-toi.

— Ben… vous êtes belle et savante et tout…

— Et les garçons ici ne sont ni beaux ni savants ?

— Quand ils sont beaux et savants, ils restent pas sur l'île.

— Et où vont-ils ?

— Ils vont là où les filles sont belles et savantes : à la ville.

La logique du gosse la sidérait. Mais leur conversation lui avait permis de se ressaisir.

— Tu sais quoi, Jean-Noël ?

— Quoi ? dit-il intéressé.

— Discuter avec toi m'a fait du bien.

— C'est vrai ?

Il exultait.

Pendant deux ou trois jours, Marine se comporta normalement, puis à nouveau ses démons la reprirent.

Le silence de Yann ne pouvait se justifier, selon elle, que par une contrainte majeure, indépendante de sa volonté. Elle n'en démordait pas. Et la noyade entrait dans ce cadre.

Elle devait aller voir Marijanig. C'était l'unique moyen de lever le voile sur le mystère et pourtant elle bloquait à entreprendre cette formalité. La peur d'une révélation déplaisante… ou cruelle selon, et la peur de reconnaître la teneur de ses rapports avec son fils. Elle était déjà la « fille du collabo », elle ne voulait pas, en plus, être traitée de « dévergondée », le jugement le plus humiliant qui pût lui être fait. Elle avait un métier sur cette île qui ne supportait aucun écart de conduite et elle avait déjà failli aux principes de bonne moralité.

L'été fut vite là. Elle avait choisi de demeurer sur

l'île dans l'attente d'un coup de théâtre, celui peut-être de distinguer Yann parmi les touristes débarquant du bateau !

Il n'y eut pas de miracle. Il ne suffit pas de le vouloir ardemment pour que vos vœux s'exaucent ! Et elle replongea dans sa mélancolie.

Jean-Noël était venu lui dire au revoir dans les derniers jours d'août. Il partait en pension sur le continent.

— Tu vas me manquer. Aux prochaines vacances, alors !

Elle s'ennuyait déjà de ce gamin. Sa bouille de gavroche et son cerveau aiguisé embellissaient son quotidien.

Eileen s'apprêtait également à regagner Paris.

— Je t'emmène ?

Marine n'était pas enthousiaste.

— Ça te distraira, insista Eileen.

Elle se laissa fléchir. Le jeune médecin qui l'avait remplacée l'été précédent était disponible. Il consentit en outre à s'occuper du chat. Marine prépara sa valise.

9

Marine n'était jamais venue à Paris. Elle avait effectué ses études de médecine à Rennes et avait très peu voyagé en dehors de la Bretagne.

Tout lui parut monstrueux dans cette mégapole. La multitude de gens pressés dans les rues, les métros bondés, le nombre de magasins. Elle en avait le tournis.

— Ça change de notre île, lui dit Eileen en riant.

La jeune femme habitait avec sa colocataire le dernier étage d'un immeuble avec vue sur la Seine. C'était un genre de loft avec deux emplacements séparés par des rangements en guise de chambres.

— Tu prendras le lit de mon amie. Elle est actuellement à New York.

Avec Eileen, Marine pénétrait dans un univers inconnu et elle réalisait que jusqu'à présent son horizon s'était circonscrit à son proche environnement (familial et géographique) et à ses études, la reléguant dans un espace qui se voulait rassurant mais qui n'avait empêché aucune blessure.

Le soir, au dîner, alors qu'elle se sentait légèrement euphorique d'avoir bu un verre de vin, Eileen l'apostropha :

— Vas-tu enfin me dire ce qui te chiffonne depuis des semaines ?

Elle se défendit de dissimuler quoi que ce fût et Eileen, énervée, lui lança :

— Un jour, Marine, de gré ou de force, il faudra bien que tu t'ouvres aux autres. Ne serait-ce que pour pratiquer ton boulot de médecin avec un peu plus d'humanité.

Qu'Eileen s'attaquât à sa manière d'exercer son métier la meurtrit. Depuis que son grand-père n'était plus là pour la conseiller, elle n'avait pas subi de critiques et la remarque acerbe de son amie la fit fondre en larmes. Déstabilisée, elle retraça à Eileen, dans un grand élan libératoire, sa rencontre avec Yann, leur semaine d'amour, précieuse autant qu'imprévue, puis sa discrétion pour le moins ambiguë jusqu'au fameux accident.

Eileen l'écouta sans l'interrompre et tout à coup explosa :

— Et tu es là, suspendue à un hypothétique signe de ce gars, tout en t'interrogeant sur les conséquences, funestes pour lui, d'un chavirement du bateau sur lequel il était censé être ! J'hallucine. Où sont ton sens de la mesure et ton esprit cartésien ? Et pourquoi ne pas avoir directement interpellé sa mère ?

— Ce n'est pas aussi simple, dit Marine.

Pour appréhender correctement ses réticences, ses indécisions, il aurait fallu qu'Eileen s'imprégnât de la dramaturgie liée à ses parents et de tout ce qui se greffait autour. Elles y passèrent la nuit. C'était la première fois que Marine confiait, qui plus est, à quelqu'un d'extérieur à la famille (mais peut-être était-ce plus facile ainsi), toutes les tragédies qui avaient agité son enfance, son adolescence, et qui l'avaient, consciemment ou pas, construite telle qu'elle était. Au petit matin, sa vie entière n'avait plus de secrets pour Eileen.

— Ma pauvre Marine. Je comprends mieux pourquoi tu es aussi coincée.

Marine protesta.

— Si, tu l'es. Moi j'aurais depuis longtemps secoué les parents de Yann pour qu'ils me confessent où était leur fils…

Elle se tut brusquement comme si une illumination venait de la frapper.

— Qu'y a-t-il ? demanda Marine.

— Tu m'as déclaré que Jean Jaouenn était celui que ton père accusait de l'avoir dénoncé. Ce que tu as omis de mentionner, c'est qu'il t'aimait.

— Tu es folle.

— Non, c'est flagrant. Il parle sans cesse de toi, il s'inquiète pour toi. Il t'aime.

— Il regrette juste ce qu'il a fait !

— Crois ce que tu veux mais tu ne m'ôteras pas de l'idée qu'il éprouve pour toi un attachement sincère et profond. C'est quelqu'un de bien, Marine. Peut-être que ton père s'est trompé ? Et s'il ne s'est pas trompé, Jean n'est plus le même. Il est droit, intègre, je t'assure… Bon, revenons à ce qui nous préoccupe. Quels renseignements as-tu concernant ton Yann ? Nous allons le faire sortir de son trou, qu'il le veuille ou pas. As-tu cherché dans l'annuaire ?

— Il n'y est pas.

— Le nom de sa société ? Non. Eh bien ! ce sera juste un peu plus difficile.

Les jours qui suivirent, Eileen s'improvisa guide touristique pour lui montrer Paris : la tour Eiffel, Notre-Dame, le Sacré-Cœur et aussi les musées, les quais de Seine, les bouquinistes. Marine était prise dans un tourbillon effréné et c'était un mode de vie tellement éloigné du sien qu'elle ne parvenait même pas à déterminer si cela lui plaisait ou non. Tout allait trop vite, il y avait trop de monde, trop de choses à voir qui dispersaient son attention, les gens s'ignoraient ou se dévisageaient toujours à la limite de l'agressivité, il y avait les métros où la foule se hâtait, se bousculait sans s'excuser, les couloirs interminables entre les stations, les queues astronomiques aux caisses des cinémas, des musées, l'affluence dans les restaurants, la circulation invraisemblable. Le soir, elle était épuisée, rêvait de son île, de ses rues étroites, du crépuscule sur le port, de ses haltes sur la jetée pour contempler la mer en rentrant de ses consultations.

Quand elles étaient de retour de leurs virées harassantes, et tandis que Marine se reposait, Eileen téléphonait beaucoup. Et un soir, elle lui glissa dans la main, un morceau de papier plié en quatre. Il y avait une adresse sur le feuillet, à l'intérieur.

— C'est l'adresse de sa société de pub. Appelle.

Marine regarda sa montre et décréta qu'il était un peu tard pour que les bureaux fussent encore ouverts.

— Essaie.

— Essaie, toi.

— Dégonflée, lui assena Eileen en saisissant le combiné.

Elle composa le numéro et lui tendit l'écouteur.

La sonnerie retentit dans le vide. Enfin quelqu'un décrocha. Une voix d'homme. Marine répondit négativement au mouvement de menton d'Eileen. Ce n'était pas Yann.

— Yann, s'il vous plaît.

— Vous êtes ?

— Eileen Murray.

— Yann n'est pas là.

— Je suis artiste-peintre sur l'île où résident ses parents. J'avais un bonjour à lui transmettre de la part de sa maman. Il n'y a pas d'erreur sur la personne ? Yann est bien originaire de l'île…

— Quel nom m'avez-vous donné ?

— Eileen Murray.

— Rappelez demain.

« Méfiant, le mec », constata Eileen en raccrochant. Elle sourit à Marine.

— Rassurée ? Il n'est pas mort. Demain tu vas le voir et vous vous expliquez.

— Je n'oserai pas.

— Oh ! que si, tu oseras. Il faut en finir avec ce feuilleton délirant. D'ailleurs, pour être sûre que tu ne te défileras pas, je t'accompagnerai jusqu'à son bureau.

Eileen tint parole et le lendemain elles se rendirent toutes les deux au siège de la société de Yann qui se situait au premier étage d'un immeuble cossu du 6e arrondissement. Elles venaient à peine d'arriver que Marine reconnut la silhouette qui s'avançait au bout de la rue.

— Le voilà, murmura-t-elle.

— Bonne chance, lui souhaita Eileen. Je serai au café en face.

Yann progressait vers elle et elle se disait « non, il n'est pas mort ». Non seulement il n'était pas mort mais il paraissait en grande forme pour autant qu'elle en jugea. Dire qu'elle s'était fait tant de souci à son sujet. Elle détestait sa sottise, elle détestait le roman qu'elle avait bâti autour de leur aventure, car cela n'avait été qu'une banale aventure, elle en était subitement convaincue, là, en observant Yann évoluer, anonyme, impersonnel, dans ce décor urbain, alors qu'il était déjà dépossédé de son charme et de son mystère. Où était-il le bel adolescent qui avait surgi dans le bruit et la fureur de l'océan, sur une île au milieu de nulle part ? Pourquoi ses yeux qui, soudain la découvraient, n'avaient-ils plus cette flamme qui l'avait embrasée ?

— Marine. Que fais-tu là ?

— Je viens m'assurer de visu que tu es vivant. Car je t'ai cru noyé, figure-toi. Tu m'avais annoncé ta visite à Pâques, non ? Ce jour-là le bateau a été renversé par une lame de fond. Plusieurs personnes sont tombées à l'eau et comme je n'avais plus de nouvelles de toi, j'ai envisagé le pire. Ce que je peux être bête.

— Mais…

— Mais quoi ? coupa-t-elle furibonde.

— Je suis désolé pour ce que tu as imaginé. J'avais chargé ma mère de te prévenir que je renonçais à ce voyage.

— Elle ne m'a pas communiqué ton message. C'était si compliqué de téléphoner toi-même ? Et pourquoi t'es-tu ravisé ? Car tu t'es ravisé, n'est-ce pas ? De quoi voulais-tu *réellement* me parler ?

Yann était mal à l'aise. Ils avaient vécu peau contre

peau des heures durant, leurs souffles et leurs salives s'étaient mêlés, leurs deux cœurs avaient battu au même rythme, scandant chaque seconde de ce qu'elle croyait être un bonheur partagé, et il était devant elle, comme un étranger, reniant leurs instants d'intimité.

— Marine, nos chemins divergent. Ils se sont croisés et ce fut très agréable. Mais il est trop tard. Toi, ton objectif est atteint : être médecin sur l'île. Moi, mon destin est ailleurs, pas sur l'île.

— Nous aurions pu en discuter, surtout si tu avais de l'affection pour moi. Était-ce le cas ?

— Marine, à quoi bon !

— Il n'y a plus de nous deux alors ?

— C'est ce qu'il y a de plus raisonnable.

Elle eut un rire douloureux.

— D'habitude c'est moi que l'on qualifie de raisonnable. Aurais-je trouvé mon maître ?

Oui, apparemment. Rien n'avait plus de valeur pour lui, que ses projets d'avenir et ceux-ci ne l'incluaient pas. Dur de se dire qu'on n'a été qu'un passe-temps dans la vie de quelqu'un dont on a cocooné le souvenir.

— Au revoir, Marine. Prends soin de toi.

Elle persifla :

— Je suis bien placée pour. Ne suis-je pas médecin !

Elle rejoignit Eileen au café.

— Alors ? lui demanda-t-elle.

— Alors ? Notre romance a vécu. Les priorités de Yann sont trop différentes des miennes. Chacun sa route.

— Et pourquoi ne t'a-t-il pas tenue informée ?

— C'est sa mère qui aurait négligé de s'acquitter de cette tâche.

— Sa mère ! Il avait besoin de sa mère pour t'avertir. Allez, tire un trait sur ce type. Il n'en vaut pas la peine.

Marine admirait la légèreté avec laquelle Eileen prenait les événements. Dommage qu'elle ne lui ressemblât pas. Elle n'aurait pas aussi mal en ce moment. Car elle avait mal. Revoir Yann lui avait remis en mémoire ses caresses, l'ardeur de ses baisers, la clarté de ses yeux quand ils se posaient sur elle.

Les deux amies eurent encore quelques journées de pérégrinations à travers Paris, mais l'excitation de la découverte avait déserté Marine. Elle était remplie d'amertume. Comment avait-elle pu s'illusionner au point de croire qu'elle avait enfin trouvé l'homme propre à l'émouvoir et toucher la petite part de sensibilité (ou sensiblerie) enfouie en elle et que, jusqu'alors, elle supposait inexistante ou pour le moins inaccessible ?

Elle regagna son île, libéra son remplaçant.

Il lui restait encore une démarche à accomplir, même si cette démarche semblait inutile et désespérée. La confrontation avec Marijanig. Elle avait toujours considéré que la « karabassen » était une femme plus ouverte, plus généreuse que les autres îliennes, et surtout incapable d'une action malhonnête et elle voulait savoir pour quelle raison elle ne lui avait pas répercuté le message de son fils.

Marijanig était seule chez elle ce soir-là. Marine s'en félicita, leur entretien serait sans ambages.

— J'arrive de Paris. J'y ai rencontré Yann. Qu'avez-vous à m'apprendre sur sa visite avortée à Pâques ?

Marijanig perdit d'un coup son sourire.

— Ma Doue ! Pourquoi vous êtes allée le voir ?

— Pourquoi ? s'emporta Marine. Tout simplement parce que vous avez omis de me dire qu'il ne viendrait pas ce week-end de Pâques où je l'attendais.

— Quand vous vous êtes aperçue que Yann n'était pas sur le bateau, c'était si difficile d'admettre que votre histoire était terminée ?

— Je me suis focalisée sur l'accident sans trop chercher ailleurs. Je suis naïve mais c'est comme ça. J'ai *vraiment* cru que Yann s'était noyé. Faut-il que vous soyez cruelle pour avoir entretenu mon tourment pendant toutes ces semaines !

— Vous n'aviez qu'à m'en parler.

— Et comment révéler à une mère qui ignore la venue de son enfant, car pour moi vous l'ignoriez, qu'il est peut-être mort ? Par ailleurs vous ne manquez pas de culot ! Vous me reprochez de ne pas vous avoir parlé. Si vous l'aviez fait, vous, en temps utile, nous n'en serions pas là.

— Vous ne comprenez pas. J'ai tout sacrifié à mes enfants ! Je n'aurais pas toléré que Yann revienne sur cette île pour être pêcheur et finir alcoolique.

— Vous avez une piètre opinion de votre fils et vous oubliez votre mari qui est un homme sobre et dont le métier de pêcheur vous a permis d'élever vos garçons.

— Au prix de quelles privations ! Quand la copine de Yann m'a téléphoné…

Marijanig s'interrompit, s'avisant qu'elle en avait trop dit.

— Marijanig, que me cachez-vous ?

Marijanig, bouleversée, pleurait en silence. Elle s'essuya les yeux dans un pan de son tablier.

— Je ne suis pas une méchante femme, plaida-t-elle.

Pas au sens où on l'entend généralement, mais Marine commençait à suspecter une autre forme de méchanceté, plus subtile, plus perverse, se manifestant dès que son instinct de mère lui faisait entrevoir un danger pour les siens.

— Mes enfants sont tout pour moi. J'ai trimé pour qu'ils partent loin de cette île de misère où il n'y a pas de débouché pour eux. Yann est le plus doué de mes fils. Il a été un brillant étudiant. Avec un copain de promo, il a créé sa boîte. Il avait une amie gentille. Ils s'aimaient. Et voilà que vous vous immiscez entre eux.

— Yann y est aussi pour quelque chose, non ? s'insurgea Marine. Et d'abord, comment êtes-vous au courant de notre relation ?

— Sa copine s'était confiée à moi. Depuis l'été précédent, Yann avait changé, selon elle. Elle le soupçonnait d'avoir fait la connaissance de quelqu'un sur l'île pendant ses vacances où elle n'avait pu l'accompagner. J'ai tout de suite su que c'était vous. Vous étiez la seule jeune femme ici, susceptible de plaire à mon fils et puis j'avais remarqué votre manège au départ du bateau, une fois où Yann était venu nous voir…

« Votre manège. » Marine faillit s'étouffer. C'était par pur hasard qu'elle se promenait sur le quai lorsque le bateau pour le continent avait levé l'ancre avec Yann à son bord et c'était par pure politesse (mélangée au plaisir, soit) qu'elle avait répondu à son geste amical.

— … Quand sa copine en larmes m'a téléphoné la semaine avant Pâques pour me déclarer que Yann s'absentait le week-end et qu'il avait refusé de lui dire où il allait, je me suis doutée qu'il venait ici. J'ai appelé Yann…

— Pour qu'il se remémore tout ce qu'il vous devait. En bon fils, Yann n'a pas osé bousculer l'ordre établi.

La situation à présent était limpide. Cette mère, au demeurant exemplaire, démontrait la domination et le pouvoir qu'elle exerçait sur ses enfants, comme dans un modèle de société matriarcale souvent prêté à la Bretagne.

— Et vous prétendez ne pas être une mauvaise femme. Si, vous l'êtes. Et égoïste. Vous voulez que vos garçons vous obéissent et ne s'écartent pas du chemin que vous leur avez tracé.

Que Yann répugnât à décevoir sa mère, elle le concevait. Mais il y avait un facteur essentiel qui lui apparaissait à travers cette conspiration avec une netteté effrayante : les îliens avaient influencé la destinée de toute sa famille, celle de son père, celle de sa mère et maintenant la sienne, c'est-à-dire qu'ils avaient dépendu, qu'*elle* dépendait, de leurs machinations, de leurs intrigues.

Eh bien ! Ils allaient être comblés car elle les abandonnait à leur sort. Elle jetait l'éponge. Elle avait cru à son rêve de pratiquer la médecine sur ce coin de terre aride, battue par les flots, qui l'avait vue naître, mais ce rêve était chimérique. À quoi bon s'accrocher à tout prix à cette île ? Elle n'y serait jamais la bienvenue. Quand elle y penserait le moins, quelque chose se produirait qui lui rappellerait irrévocablement qu'elle était un élément rapporté, juste digne de servir les desseins des habitants.

Quelques jours plus tard, elle eut la surprise de découvrir Jean Jaouenn au milieu de ses patients. Elle s'apprêtait à lui donner la primauté, mais il lui dit qu'il attendrait la fin des consultations.

— Qu'y a-t-il ? lui demanda Marine après avoir reconduit son dernier malade. Non, laissez-moi deviner. Eileen. Elle avait peur que je me suicide, c'est ça ? Et vous êtes là pour juger de mon moral.

— Elle a insisté. Je lui ai pourtant assuré que je n'avais pas la faculté de te réconforter.

— Est-ce qu'elle vous a raconté…

— Ton aventure avec Yann, c'est bien son nom ? et le fait que tu l'aies cru noyé, oui.

— Je suis stupide, n'est-ce pas ?

— Plutôt amoureuse.

— Et cela vous étonne ?

Il s'abstint de tout commentaire.

— Vous avez prévu de déjeuner où ? interrogea-t-elle.

— Je n'ai rien prévu.

— Je peux vous emmener chez moi, enfin chez ma tante Lucie. À condition que vous vous contentiez d'un repas frugal.

« C'est quelqu'un de bien », lui avait affirmé Eileen. Le meilleur moyen de le savoir était d'accorder à Jean Jaouenn une chance de lui montrer les bons côtés de sa personnalité. Ils longèrent le quai pour rattraper le chemin du phare. Le temps était clément et la mer immobile. Un pâle soleil éclairait le décor.

Jean Jaouenn s'arrêtait fréquemment pour s'emplir les yeux du paysage.

— C'est magnifique et tellement paisible.

Elle convint, malgré ses récents déboires, qu'il y avait pire endroit pour vivre. L'environnement de l'île était parfait. C'étaient les îliens qui l'étaient moins.

Ils parvinrent près de la plage principale aux galets polis par les effleurements de l'océan. Quelques barques et petits voiliers aux teintes vives étaient ancrés sur leurs corps-morts. Il n'y avait pas un son, hormis les piailleries des mouettes. C'était magique.

— C'est toujours aussi calme ? s'enquit Jean Jaouenn.

— Là, c'est l'heure du repas. Mais il y a des périodes d'« intense » activité. Quand les marins rentrent de la pêche, quand les enfants sortent de l'école, quand le bateau arrive du continent... ou repart, les jours de tempête... et en été, quand les touristes envahissent l'île par centaines.

— Je t'envie presque.

— Surtout pas. Notre village sur le continent n'est pas beaucoup plus bruyant si l'on excepte les voitures qui n'existent pas sur l'île. Sinon les cancans, les critiques, les jalousies... tout est pareil.

Jean Jaouenn devait se demander quels sous-entendus se masquaient derrière ses propos. Ils passèrent devant la maison de Marijanig.

— C'est là que vit la mère qui m'a interdit le cœur de son fils.

— Que veux-tu dire ?

— Je vous expliquerai. Elle a manigancé pour me séparer de Yann et, cependant, elle s'est occupée de ma tante avec dévouement. C'est difficile à croire. Il est vrai que les enjeux n'étaient pas les mêmes !

La maison de sa tante Lucie se dessina, tout aussi pimpante qu'au temps de la vieille dame. Marine fit entrer Jean Jaouenn.

— J'ai des pommes de terre et une salade de mon jardin, des œufs frais offerts par une patiente et un gâteau au chocolat confectionné par mes soins.

Elle confessa à Jean Jaouenn qu'elle avait sué sang (ses mains s'en souvenaient) et eau pour se constituer un potager et que la récompense en était ces quelques légumes qu'il dégustait en sa compagnie. Jean Jaouenn fut très impressionné.

— Sois honnête avec moi, Marine. Tu te plais ici ?

— Le cadre me plaît.

— Le cadre est important, certes. Mais ton boulot ?

— J'ai galéré au début. Aujourd'hui ça va.

— Des amis ?

— Le docteur Le Guen et sa sœur Corentine, le curé.

— Des amis de ton âge ?

— Eileen en été et… ah ! un gamin de douze ans, Jean-Noël.

— Tu ne t'ennuies jamais ?

— Avant, non.

— Avant quoi ?

— Avant Yann. J'avais atteint un certain équilibre. Après lui, j'ai réalisé qu'il me manquait d'aimer. Et maintenant…

— Quoi donc ?

— Je me dis que cette île n'est peut-être pas le paradis que j'avais imaginé. Pour être franche, à mon retour de Paris, j'avais résolu de m'en aller.

— Où ?

Marine haussa les épaules.

— Vers un ailleurs mais lequel ?

— Est-ce que c'est juste une intention ?

Elle haussa une seconde fois les épaules. Tout cela était trop flou dans sa tête pour pouvoir répondre précisément à la question. Elle n'avait qu'une certitude : elle ne voulait plus croiser Marijanig et surtout Yann quand il viendrait chez ses parents. Elle croyait son chemin sur l'île sans embûches et voilà qu'un obstacle surgissait, qui la mettait devant l'alternative de le surmonter ou de capituler.

— Désirez-vous un café ?

— Avec plaisir. Ton repas était divin, Marine.

Elle apprécia le compliment, comme quand son grand-père la félicitait pour ses menus actes accomplis avec cœur.

Le chat, qui s'était caché à l'étage à leur arrivée, descendit l'escalier et vint se frotter à Jean Jaouenn.

— Il vous a adopté. C'est rare. Par exemple, il ne supporte pas Eileen.

— Quel est son nom ?

— « Le chat ».

Jean Jaouenn éclata de rire. Il avait un rire sonore, communicatif. Marine rit avec lui.

— C'est nul, je sais.

Jean Jaouenn reprit son sérieux.

— Marine, te rends-tu compte que c'est la première fois que nous nous parlons sans animosité ?

Elle était embarrassée.

— Et c'est à Yann que je le dois. Quelle dérision ! Mais dis-moi en quoi sa mère a été l'instrument de votre rupture.

Marine n'aurait pas cru cela possible et pourtant ! Elle avait, avec Jean Jaouenn, l'homme qui pendant des années avait été pour elle l'incarnation même de la trahison, une discussion qui se rapprochait davantage de la relation de confiance que de la politesse.

— Les gens ici travaillent durement pour que leurs enfants aient une profession qui ne les condamne pas à vivoter sur l'île. Eux ne s'en iraient pas pour un empire mais ils n'acceptent pas que leurs fils ou filles, fils surtout, les imitent et s'enterrent ici. C'est humain mais en même temps, les mères rappellent sans cesse aux enfants les sacrifices consentis et ceux-ci se sentent redevables à vie. Mon grand-père aussi s'est beaucoup investi dans notre éducation, à Yves et à moi, mais il nous a toujours laissés libres de nos choix.

— Ton grand-père était exceptionnel.

Oui, son grand-père était un être d'exception. Ainsi, connaissant le dénonciateur de son fils, il ne lui avait jamais tourné le dos, de même qu'il avait continué à séjourner sur l'île, malgré les événements tragiques qui s'y étaient déroulés et dont la responsabilité incombait aux habitants.

— Avant de tout plaquer par dépit, promets-moi de réfléchir, Marine.

— Pourquoi cette mise en garde ?

— Parce que exercer sur cette île était ton ambition. En contrepartie, tu dois t'arranger de la population. Des déceptions, tu en auras partout. Les gens sont par essence décevants. Alors si en plus tu rajoutes un lieu qui ne te satisfait pas, une façon de pratiquer ton métier qui ne te sied pas, c'est trop de désappointements à la fois. Je ne te dis pas de demeurer à vie sur cette île, je dis qu'avant de te déterminer, il faut que cela ressorte d'une volonté réelle d'entreprendre de nouvelles expériences et non de fuir un endroit parce qu'une ou deux personnes t'auront abusée.

Elle croyait entendre son grand-père. C'était bizarre d'écouter Jean Jaouenn lui prodiguer des conseils comme lui. Quel vent de pacification avait soufflé sur l'île pour ainsi normaliser ses rapports avec son ennemi d'hier ?

— Je vous promets de prendre ma décision objectivement, sans passion. En attendant, j'ai quelques visites à effectuer. Je suis dans l'obligation de vous abandonner.

— Fais ce que tu dois. J'irai me balader jusqu'à l'heure du bateau. Au revoir, Marine. M'autorises-tu à revenir te voir de temps en temps ?

— Pas trop souvent, alors.

Jean Jaouenn comprit qu'elle le taquinait. Il lui serra la main et ils s'en furent chacun de leur bord.

10

L'hiver fut long et rigoureux. Les marins, en raison d'une mer démontée, étaient bloqués à terre et la solidarité dut jouer pour que certaines familles ne meurent pas de faim. Heureusement la nature offrait à tous un peu de pitance gratuite et on voyait les grèves et les rochers de l'île fourmiller de pêcheurs à pied.

Les gens qui habitaient sur le quai calculaient leurs heures de sortie en fonction de la marée pour ne pas être aspergés par les vagues. Chaque matin Marine s'éveillait, étonnée que l'île n'eût pas été submergée pendant la nuit.

Parfois le soir, après sa consultation, elle était dans l'impossibilité de rentrer chez elle et elle s'était organisée pour vivre à son cabinet, selon le temps. Elle avait fait installer le téléphone au domicile de sa tante de manière à ce que ses changements de résidence inopinés ne perturbent pas le bon déroulement de son activité. Le chat suivait le rythme et l'accompagnait d'une maison à l'autre. Cela n'avait pas l'air de l'émouvoir dans la mesure où il n'était jamais loin d'elle.

Elle fêta Noël avec Louis Le Guen et sa sœur Corentine, auxquels s'était joint monsieur le curé.

Elle revit à l'occasion des vacances, son compère Jean-Noël qui avait bénéficié d'une chance inouïe, c'est-à-dire emprunter le bateau un jour où la mer était à peu près calme. À présent qu'il était là, il invoquait de tous ses vœux la tempête qui le consignerait sur l'île.

— Tu aimes ton île à ce point ? lui demanda Marine.

— Oui.

— Il n'y a pas de travail ici. Un jour tu devras t'en aller. Quel métier voudrais-tu faire ?

— Celui qui me permettra de rester ici.

— Pêcheur ?

— Surtout pas. Je serai soit instituteur, soit gardien du phare ou alors je reprendrai la boutique de ma mémé… ou docteur pour vous remplacer.

Ce gamin avait décidément la tête sur les épaules.

— Et pour te marier ?

— Ben quoi ?

— Si je me souviens bien, tu m'as dit qu'il n'existait pas de filles belles et intelligentes sur l'île.

— J'ai dit ça, moi ?

— Pas exactement mais c'est tout comme. Tu as prétendu que les hommes de l'île, quand ils étaient beaux et intelligents, allaient chercher des épouses belles et intelligentes ailleurs qu'ici. J'en déduis qu'il n'y en a pas sur l'île.

— Il y a vous, déjà…

— Pas de flagornerie, je te prie.

— Ça veut dire quoi ?

— Flagornerie ? C'est de la flatterie.

— C'est pas de la flatterie puisque c'est la vérité.

— Admettons. Alors, ta future femme ?

— Qu'elle soit belle et intelligente, c'est pas ce qui compte le plus.

— Quels sont tes critères alors ?

Jean-Noël s'accorda quelques instants de réflexion avant de déclarer gravement.

— Je voudrais qu'elle crie pas après moi et qu'elle soit pas sans arrêt à cancaner…

C'était du vécu. Elle adorait ce gosse. C'était sa récréation, son rayon de soleil.

Le printemps revint et avec lui le temps des semailles. Elle bêcha et planta ce qui avait déjà produit une première fois dans un contexte peu favorable : pommes de terre, carottes et salades.

Elle y employait ses samedis et dimanches. Le reste de la semaine, elle croulait sous le boulot.

Elle n'avait pas revu Jean Jaouenn depuis son escapade sur l'île. Mais Eileen serait bientôt de retour et il y avait de fortes probabilités qu'il réapparût en cette circonstance.

Son souhait de quitter l'île s'était évanoui ou peut-être n'était-il qu'enfoui en elle, prêt à resurgir à la moindre contrariété.

C'est début juin que le bruit se propagea. Yann se mariait, et sur l'île. Elle éprouva un grand choc en l'apprenant et entreprit une démarche qui la remplit de honte. Elle alla à la mairie consulter les bans. Le projet de mariage était bel et bien affiché. Yann Le Bihan et Suzanne Pichon. Elle observa que Marine Le Guellec sonnait nettement mieux que Suzanne Pichon. Yann Le Bihan et Marine Le Guellec ! Ces deux noms accolés avaient une tout autre distinction que Yann le Bihan et Suzanne Pichon.

— Stop, Marine ! s'admonesta-t-elle. Tu deviens aussi détestable que la pire des commères.

La veille du jour prévu pour le mariage, les invités débarquèrent en nombre du bateau. La famille s'entassa chez Marijanig, tandis que les amis logèrent à l'auberge-restaurant où devait être servi le repas de noces. Le matin de la cérémonie, Eileen cogna à sa porte.

— Amène-toi. On va admirer le cortège nuptial.

— Tu n'y songes pas sérieusement ! s'écria Marine.

— Mais c'est la tradition !

C'est vrai que la tradition voulait que les badauds s'agglutinent à la sortie d'une messe de mariage pour commenter les diverses tenues des participants.

Elle céda à la tentation de contempler la « fameuse » Suzanne Pichon.

— Bof ! Elle est ordinaire, constata Eileen avec un sourire de satisfaction.

— Attends. On croirait que tu t'en réjouis !

— Ben oui. Yann aurait pu avoir une superbe mariée à son bras et vois à quoi celle-ci ressemble.

— Tu es horrible, Eileen.

Elles se mirent à rire.

— Ton avis sur elle ? interrogea Eileen.

— Elle n'est pas aussi moche que ça... mais je lui arracherais volontiers les yeux !

— Saine réaction. Et lui ?

— C'est le cœur que je lui arracherais.

Il était magnifique dans son costume gris clair. Un moment, elle eut l'impression qu'il l'avait repérée parmi les curieux et elle lui adressa un signe de la main.

— Tu es impossible ! s'offusqua Eileen. Tu ne veux pas non plus te jeter dans ses bras ?

— C'était de la provoc, histoire de lui faire passer le message que je me fiche bien de lui.

— Bravo, Marine. Puisque tu plaisantes avec ça, c'est que tu es guérie.

Marine s'assombrit.

— Détrompe-toi Eileen. Je souffre.

— Je sais ma grande… Je te paie un whisky chez moi ? Il n'y a pas de raison que nous ne soyons pas de la fête, nous aussi.

Malgré sa résolution de ne pas boire en journée, Marine avala une gorgée d'alcool, s'étrangla, toussa, pleura.

— C'est ça, pleure un bon coup, lui dit Eileen, pas dupe.

— As-tu remarqué comme il était beau ?

— Ça lui sert à quoi d'être beau s'il est con ?

Marine pouffa au milieu de ses larmes et sut gré à Eileen de dédramatiser avec autant de naturel ses mauvaises fortunes.

Le surlendemain, en se rendant à son cabinet, elle croisa Yann qui prenait l'air sur la digue.

— Où est donc la jeune épousée ? persifla-t-elle d'un ton de harpie.

— Marine, je suis désolé…

— D'être venu te marier sous mon nez ? Tu aurais pu faire preuve de discrétion et célébrer le mariage ailleurs.

— Ma famille vit ici, protesta Yann.

— *Tes parents*, Yann, vivent ici. Le reste de la famille est dispersé aux quatre vents.

— N'empêche, grommela Yann. J'avais le droit de me marier dans ma commune d'origine.

— Le droit, certes. Je te parle juste de pudeur. Quoi qu'il en soit, ta fanfaronnade aura permis que je me détache de toi. Et ne renonce surtout pas à des vacances sur l'île, je ne me vengerai ni de toi ni de ta belle. Mieux ! Je vous soignerai l'un et l'autre si vous êtes malades.

Sa brève liaison se concluait pitoyablement, mais elle avait besoin de se montrer un peu garce pour pouvoir tourner la page.

L'été fut pareil à tous les étés. Chaque jour, le bateau déchargeait sa cargaison de touristes qui envahissaient les ruelles de l'île, gloussant, s'exprimant haut, s'extasiant ou critiquant. Elle avait fort à faire. Il y avait les gamins qui se coupaient sur les rochers, les adultes qui s'exposaient trop au soleil… Et tout ce petit monde disparaissait avec le bateau du soir. L'île replongeait alors dans une paix relative jusqu'au lendemain.

Fin août, Jean-Noël rejoignit sa pension sur le continent. Suivant un cérémonial parfaitement rodé, il vint lui dire au revoir.

— Vous connaissez la nouvelle ?

C'était sa gazette. Il lui rapportait tous les potins de l'île. L'avantage d'avoir une mémé tenancière de bar !

— Quelle nouvelle ?

— Vous savez que l'instituteur est parti à la retraite…

L'événement ne lui avait pas échappé puisqu'elle avait eu le privilège d'être conviée au pot d'adieu.

— … Devinez qui le remplace ?

Elle avoua au gamin qu'elle séchait. Pas un seul nom ne lui venait à l'esprit.

— Loïc, le fils aîné de Marijanig.

L'information n'éveilla en elle aucun intérêt particulier.

— Marijanig doit être heureuse d'avoir son fils près d'elle. Par contre, je suppose qu'il est là pour un bout de temps. Voilà une place fiable qui te file sous le nez.

— Celle-là peut-être, rétorqua le gamin. Mais il y a *deux* instituteurs et madame Moallic, l'institutrice, est déjà âgée.

— Dis donc Jean-Noël, tu me parais avoir bien étudié la situation.

— Dame. Faut ce qu'il faut !

Futé le gosse. Il promettait.

— Tu rentres dans quelle classe ?

— En 5ᵉ.

— Alors travaille bien.

— Au revoir, docteur… Ah ! Loïc…

— Quoi Loïc ?

— Il est célibataire.

Jean-Noël s'éloigna en rigolant.

Septembre effeuilla ses journées ensoleillées. Eileen regagna Paris et la petite vie tranquille de Marine reprit son cours.

Monsieur le curé avait commencé à lui apprendre les échecs et visiblement elle n'était pas douée.

— Vous manquez de concentration. À quoi pensez-vous ?

À rien. Elle ne pensait à rien et surtout plus à Yann. Par ailleurs, grâce à Eileen qu'elle créditait d'un bon jugement, elle avait moins de rancœur envers Jean Jaouenn, moyennant quoi son existence était devenue presque lisse.

— J'organise un loto vendredi soir, lui annonça monsieur le curé. Je compte sur vous ! J'essaie de récolter des fonds pour envoyer des gamins nécessiteux en vacances de neige.

— Je ferai mon possible !

Elle se souvenait du précédent loto auquel elle avait participé. Très peu pour elle de renouveler l'expérience, même si elle était assurée de ne plus avoir à jouer les premiers plans, la curiosité qui avait accompagné son installation s'étant estompée.

Le vendredi soir, elle était décidée. Elle n'irait pas à ce loto. Mais le curé était tellement bienveillant à son égard, qu'elle lui était redevable de ses délicates attentions. Elle se rendit donc à la salle paroissiale. Comme l'autre fois, il y avait foule. Elle s'isola dans un coin de la pièce. Quelques minutes plus tard, un jeune homme, la trentaine, petit, trapu, s'attablait à côté d'elle.

— Bonsoir, dit-il.

— Bonsoir, répondit-elle.

Qui était-il ? Un insulaire, un touriste de passage ? En tout cas, ce n'était pas un de ses patients, elle se le serait rappelé.

Le jeune homme semblait vouloir engager le dialogue. Mais ce soir, elle n'avait aucune envie d'être aimable. Ce soir était un soir où s'être déplacée pour assister à ce loto constituait l'unique démarche positive à laquelle elle consentait.

Le jeu démarra et son voisin fut le plus rapide à compléter sa grille.

— Carton plein ! cria-t-il.

Le curé qui animait le jeu, répéta en y ajoutant la pointe d'enthousiasme :

— Carton plein pour Loïc Le Bihan, notre instituteur.

Il avait gagné trois boîtes de sardines offertes par la mémé de Jean-Noël. Il alla récupérer son lot et quand il revint à sa place, il accrocha le regard de Marine et ne le lâcha plus. Elle en fut gênée. Non parce qu'elle était assise à côté du frère de Yann, mais parce qu'il avait une drôle de façon de la dévisager. Elle devait être parano. Peut-être savait-il qui elle était et souhaitait-il simplement faire sa connaissance. Ils habitaient un village et comme dans tous les villages le maire, le curé, le docteur, l'instituteur étaient les membres importants de la communauté.

Elle quitta la salle paroissiale avant la fin du loto et chemina par les ruelles désertes. Elle n'était pas spécialement froussarde, pourtant tout au long du trajet qui la ramenait à son domicile, elle se retourna fréquemment en ayant le sentiment d'être suivie.

Aussitôt chez elle, elle s'enferma à double tour. Le chat rôdait autour d'elle en miaulant à fendre l'âme. Il devait renifler sa peur. Avant de se coucher, elle scruta les ténèbres par la fenêtre de l'étage et crut apercevoir une ombre accroupie près de la jetée. Mais elle eut beau écarquiller les yeux, patienter des minutes interminables, la masse sombre ne bougea pas.

Cette nuit-là, elle dormit par à-coups, se réveillant au moindre bruit. Le lendemain matin, en se levant, elle examina la digue vers le secteur où elle avait distingué une forme inhabituelle. Il n'y avait rien.

Soit elle avait rêvé, soit l'objet (ou la créature quelle qu'elle fût) s'était évaporé.

N'ayant pas pris de congés durant l'été, elle recourut à un remplaçant et partit pour la maison du continent. Loin de l'île, elle espérait recouvrer le calme et la lucidité que son flirt avec Yann avait mis à mal.

La maison de son grand-père était en ordre, ainsi qu'elle l'avait laissée à sa dernière visite. Elle en fit le tour et n'enregistra aucune odeur spécifique de moisi ou d'humidité. Yves s'en occupait bien.

Marine se demanda quand Jean Jaouenn, qui avait vraisemblablement noté son arrivée, viendrait la voir. Il résista deux jours.

— Bonjour, Marine.

— Bonjour, docteur. Un café ?

— Non merci. Alors ?

Devant son air perplexe, il précisa.

— Comment vas-tu ?

— Si vous voulez savoir si je suis remise de mes peines de cœur, la réponse est oui. Il faut croire que je n'étais pas assez amoureuse, ou que mon idylle a été trop brève pour m'affliger durablement. Eileen vous a raconté que Yann s'était marié sur l'île cet été ?

— Je n'ai plus de contacts avec Eileen, dit Jean Jaouenn, interdit que Marine n'en fût pas avisée.

— Pardon, je l'ignorais.

— Cela témoigne d'une réalité dont je me serais passé : je ne suis pas un sujet de conversation entre toi et Eileen. C'est très vexant !

Il rit.

— Votre séparation n'a pas l'air de vous traumatiser, constata Marine.

— Je suis un trop vieux bonhomme, Marine, pour

prendre au sérieux les quelques aventures que je peux avoir. Je les reçois comme un cadeau, surtout quand c'est une fille sincère et spontanée comme Eileen.

Les deux semaines que Marine s'était octroyées se déroulèrent dans une totale oisiveté. Elle traîna dans le jardin, s'amusa des facéties du chat qui courait après le vent, se balada à bicyclette. Quinze jours de paresse absolue !

La traversée du retour s'effectua sur une mer d'huile. Ce fait était suffisamment rare pour qu'elle l'appréciât à sa juste valeur.

Quand elle ouvrit la porte de la maison de sa tante Lucie, une angoisse la saisit, inexplicable. Elle interrogea son répondeur. Il y avait plusieurs messages dont un qui la surprit.

« Marine, c'est Loïc. Vous êtes absente ? Je rappellerai. »

Pourquoi Loïc Le Bihan, car elle subodorait que c'était lui, téléphonait-il chez elle, comme s'il était de ses amis ou de sa parenté ? Cette question la tracassa toute la journée. Elle vérifia au cabinet qu'il n'était pas venu consulter en son absence. Il n'y avait pas trace d'un dossier le concernant. Son coup de fil était donc bien de nature privée.

Deux jours plus tard, elle terminait ses consultations quand elle reçut un nouvel appel.

— Allô ?

— Marine ?

— Marine Le Guellec, oui.

— C'est Loïc.

— Loïc qui ?

Silence au bout du fil. Son interlocuteur, indubitablement, ne s'était pas préparé à un accueil aussi sec.

— Loïc Le Bihan, l'instituteur.

— Je vous écoute.

La froideur de Marine l'embrouillait. On aurait dit qu'il cherchait ses mots.

— J'avais pensé… Vous et moi sommes sensiblement du même âge… Il n'y a pas tant de jeunesse sur cette île… nous pourrions sortir un soir.

— Pour aller où ? Il n'y a ni cinéma, ni théâtre, ni bibliothèque… Boire un verre au bar du port ?

— Se promener.

— Dans les ruelles du bourg ?

— Pourquoi êtes-vous si agressive ?

— Je ne suis pas agressive. Je vous démontre qu'ici « sortir avec quelqu'un » ne veut pas dire grand-chose. De plus, j'ai des journées chargées et quand je me promène, c'est pour me vider la tête, et seule. Je regrette.

Elle raccrocha brutalement. Elle venait probablement de s'attirer l'animosité de Loïc. Tant pis. Des amis, elle en avait peu et elle les choisissait. Elle ne supportait pas qu'on lui forçât la main. De plus, que Loïc fût le frère de Yann, la confortait dans sa volonté de garder ses distances.

Au fil des jours, son inquiétude s'intensifia. Toujours cette quasi-certitude d'être suivie le soir quand elle rentrait. Pourtant, et alors qu'en chemin elle opérait de brusques volte-face aux moments et aux endroits les plus fortuits, elle ne remarquait rien d'anormal et finissait par croire qu'elle était le jouet de son imagination.

Cela ne l'empêchait pas d'être assidue à ses cours d'échecs avec le curé. De bavarder avec lui en toute amitié lui permettait de se dérober un temps à ses obsessions.

Un jour, alors qu'elle venait prendre sa leçon hebdomadaire, elle trouva l'ecclésiastique en compagnie d'un visiteur.

— Marine, je ne vous présente pas notre instituteur ?

Elle serra la main de Loïc et dut retirer la sienne presque de force car le jeune homme la retenait plus que nécessaire.

— Je m'en voudrais d'être indiscrète, monsieur le curé, dit-elle pressée d'échapper au voisinage oppressant de Loïc.

— Vous n'êtes pas de trop mon enfant, déclara le prêtre. Restez.

Loïc arborait un sourire goguenard qui renforça son malaise. Elle tenta de comprendre les causes de son acrimonie envers lui. Elle ne voulait plus avoir affaire avec la famille Le Bihan, ça au moins c'était clair, et par ailleurs le jeune homme n'avait pas un physique avenant. Ce n'était pas dérangeant si ce n'est que le sachant et croyant compenser ce désavantage par une arrogance démesurée, l'instituteur ne provoquait pas la sympathie.

Elle prétexta une grosse fatigue pour s'éclipser. Sur le trajet du presbytère à son domicile, elle eut à nouveau la sensation d'une présence proche. Était-ce Loïc ? Elle se retourna mais, à part un marin éméché qui titubait, elle ne vit personne.

Les vacances de la Toussaint ramenèrent Jean-Noël sur l'île. Elle le rencontra un après-midi qui folâtrait sur le quai.

— Bonjour, docteur.

— Bonjour. Dis-moi, Jean-Noël, je peux te demander un service ?

Le gamin devint attentif.

— J'ai l'impression que quelqu'un me suit, le soir, quand je quitte mon cabinet. Voudrais-tu essayer de savoir qui c'est ? Surtout, ne te fais pas repérer !

— Docteur ! Je suis pas si bête que ça.

Il ne fallut pas plus de deux jours à Jean-Noël pour venir lui rendre compte de sa mission.

— Je sais qui vous suit.

— Et c'est ?

— L'instituteur.

Ses soupçons se confirmaient. Le côté rassurant, c'est qu'elle n'était pas folle.

— Il vous attend près de la rue du môle…

À mi-parcours de chez sa tante Lucie, donc.

— Et après il se cache et surveille votre maison.

Elle n'avait pas fantasmé lorsqu'elle avait cru discerner une forme suspecte, un soir près de la digue.

— Vous jouez à quoi, interrogea Jean-Noël ?

— À rien. Ne parle de ça à personne. Promis ?

— Promis. Mais faites attention. Quand il était jeune, Loïc se bagarrait avec tout le monde. Même avec son frère Yann. Un jour, ils ont failli se tuer tous les deux pour une fille. C'est ma mémé qui m'a raconté ça.

Maintenant qu'elle connaissait la vérité, comment réagir ? Il lui répugnait d'aller se plaindre à Marijanig. Le mieux était d'éviter Loïc tant qu'il se comporterait de manière aussi étrange.

Elle réussit ce prodige sur une si petite île, de ne pas croiser une seule fois le jeune homme jusqu'à la semaine précédant Noël. Elle avait découvert dans le fond du jardin attenant à son cabinet, une porte condamnée. Elle réclama la clé au docteur Le Guen en alléguant que cette issue lui épargnerait les projections d'embruns les jours de tempête. Pour rentrer chez elle, elle utilisait donc cette porte qui donnait sur une ruelle. Cela la dispensait de revenir par les quais et d'emprunter la rue du môle où Loïc était en faction. Elle se doutait que son stratagème ferait long feu. En attendant, il lui procurait un peu de répit.

Décembre fut doux et humide. Le brouillard maintenait l'île dans un isolement effrayant et la balise signalant le danger emplissait l'air de son mugissement entêtant. On se serait cru dans une autre dimension.

Un soir, alors qu'elle se faufilait par la porte du jardin comme à l'accoutumée, elle se heurta à Loïc. Son sursis avait été de courte durée.

— Bonsoir, Marine.

— Bonsoir.

— Vous me fuyez ?

— Mais non. Quelle idée !

— Vous avez des projets pour Noël ?

Son instinct lui commanda de mentir.

— Je fête Noël sur le continent.

— Dommage, répondit Loïc.

— Pourquoi dommage ? demanda-t-elle, intriguée malgré tout.

— Je vous aurais invitée chez nous. Il y aura mes frères.

Que signifiait cette invitation ? Voulait-il prouver à sa famille qu'ils étaient intimes ? Cela l'aurait-il flatté, valorisé ?

— C'est gentil. Je vous en remercie.

— Je vous raccompagne ?

Elle fut sur le point de hurler « fichez-moi la paix ! » et puis ayant mémorisé que Jean-Noël avait insisté sur sa violence, elle se domina.

— J'ai encore un malade à voir.

— Au revoir, Marine.

Elle eut envie de le prier instamment de ne plus l'appeler par son prénom. Cela la choquait qu'il pût se croire autorisé à une pareille familiarité.

Prévoyant qu'il allait mettre discrètement ses pas dans les siens, elle fit des tours et des détours par les ruelles pour finalement se réfugier dans une encoignure de porte. Loïc n'avait pas eu le temps de la voir bifurquer dans une venelle et il piétinait, indécis, au carrefour de la rue principale. Elle patienta encore de longues minutes après son départ, le cœur battant, avant de s'extraire de son repaire.

Elle se dirigea vers la route du phare. Autant elle aimait le coin où était bâtie la maison de sa tante Lucie avant, autant ce lieu lui apparaissait désormais très à l'écart. Dans l'éventualité où Loïc, agissant sous le coup d'une brusque colère, l'agresserait près de chez elle, personne ne l'entendrait crier, et ce « personne » englobait Marijanig qui était pourtant sa voisine immédiate.

Elle réalisa qu'elle ne pouvait plus vivre ainsi, en se dissimulant et en ayant peur. Soit elle avait une explication franche avec Loïc, soit avec Marijanig, mais elle aspirait à disposer de nouveau de sa liberté à aller où elle le désirait, sans être traquée comme du vulgaire gibier.

Pour ne pas se parjurer, elle engagea un suppléant et regagna le continent la semaine entre Noël et le nouvel an. Sa situation sur l'île lui était devenue un tel poids qu'elle aurait voulu partager ce fardeau. Yves n'était pas le bon confident. Trop impliqué en tant que frère, il était capable de venir sur l'île et de se colleter avec Loïc. Elle se dit que si Jean Jaouenn passait la saluer, peut-être aurait-elle la possibilité de solliciter son avis.

Comme elle l'avait pressenti, dès qu'il aperçut la maison ouverte, il se montra.

— Bonjour, Marine.

— Bonjour, docteur.

— Appelle-moi Jean, sauf si tu tiens à plus de solennité entre nous.

Ce n'était pas une question de solennité. Dans sa tête, ils n'étaient pas encore amis.

Elle lui servit un café et échangea quelques nouvelles. Elle ne se décidait pas à aborder le chapitre de ses mésaventures avec le frère de Yann. En fait, ce fut Jean Jaouenn qui lui offrit l'opportunité de lancer le débat en l'interrogeant sur le dessein qu'elle avait eu, un temps, d'abandonner ses activités sur l'île.

— Je n'y songeais plus, mais des faits récents m'incitent à réviser ma position.

Elle l'informa du harcèlement dont elle était victime de la part de Loïc. Jean Jaouenn, très embêté pour elle, ne savait comment la conseiller. Il était partisan qu'elle s'en ouvrît à Marijanig. Elle était plutôt pour traiter avec l'intéressé lui-même.

— Et si tu en discutais avec le docteur Le Guen ?

La suggestion était loin d'être mauvaise, cependant Marine était réticente. Elle aurait préféré que personne sur l'île ne fût au courant de ses démêlés avec Loïc. Ainsi elle était sûre qu'aucun propos dénaturé, susceptible d'envenimer un contexte déjà difficile, n'arriverait à ses oreilles ou à celles de Marijanig.

Marine n'aurait pas pris en considération l'opinion de Jean Jaouenn s'il ne s'était agi du docteur Le Guen, en qui elle avait une confiance aveugle.

Après les fêtes, elle se rendit donc chez lui. Corentine l'accueillit avec cette bonhomie dont elle semblait ne jamais se départir.

— Bonjour, Marine. Entrez. Il ne fait pas chaud.

Marine rejoignit Louis Le Guen près de la cheminée.

— Je vous souhaite une bonne année, mon enfant, lui dit-il. Pas de fiancé en vue ?

— Louis ! s'indigna Corentine. De quoi te mêles-tu ?

— Va donc nous chercher un porto au lieu de grogner.

Elle profita de l'absence de Corentine pour narrer à Louis Le Guen l'attitude curieuse de Loïc à son égard.

— Je ne suis guère surpris de ce que vous m'apprenez là. Loïc a, toute son adolescence, été un garçon perturbé. Autant ses frères sont affables, séduisants, autant Loïc qui est l'aîné, est disgracieux, mal dans sa peau. Il jalousait ses frères, notamment Yann qu'il accusait de lui voler ses petites amies. *Or Loïc n'avait pas de petites amies*. Son caractère possessif éloignait de lui les jeunes filles de l'île. Il s'inventait des histoires de cœur qui n'existaient que dans son imagination et ensuite s'en prenait à ses frères si la jeune fille élue fréquentait l'un d'eux. Il avait comme cela des difficultés à faire le tri entre ce qui relevait de ses fantasmes et la réalité. J'avais préconisé à Marijanig de consulter un spécialiste avec lui. Elle ne m'a pas écouté. Pour elle, Loïc n'était ni plus ni

363

moins compliqué que la plupart des adolescents. Et puis chacun des frères a suivi sa route et je les ai perdus de vue jusqu'à ce que Loïc revienne sur l'île.

— Justement, objecta-t-elle. Il est instituteur. Il s'occupe d'enfants. Devons-nous craindre…

— Il n'y a pas à s'inquiéter. Les enfants l'adorent et il est, avec eux, exemplaire. Ce sont les femmes qui le complexent et qui génèrent en lui des réactions assez véhémentes, surtout s'il se croit rejeté.

— Je ne peux pourtant pas accepter ses avances pour qu'il se calme ! Et si vous lui parliez ? À moins qu'après, Loïc ne m'en veuille et ne m'importune encore plus ! Il n'y a pas sur cette île une jeune fille qui le trouverait à son goût ?

— Ce n'est pas si simple. Faut-il encore que la jeune fille lui plaise. Et dans le cas de Loïc, celles qui lui plaisent sont surtout celles qui ne veulent pas de lui.

Marine se sentait impuissante. Elle ne savait comment ménager ses intérêts et ceux de Loïc. Car il lui venait pour le jeune homme une grande pitié. Mais consentir à le côtoyer plus étroitement, équivalait à nourrir ses espérances, et de cela, pas question.

Il fut convenu avec le docteur Le Guen que si la plus petite chance de s'entretenir avec Loïc se présentait, il ne la laisserait pas échapper. Elle lui recommanda la prudence. Cette affaire ne lui disait rien qui vaille.

Elle reprit donc ses habitudes. Elle renonça à sortir par la porte du jardin puisque Loïc avait déjoué sa ruse, cessa de trembler le soir lorsque retentissaient derrière elle des bruits de pas. En un mot, elle s'efforça de ne plus céder à la panique. Elle se félicita en outre que le jeune homme fût doté d'une santé de fer car il ne venait jamais la consulter.

En janvier, elle n'eut pas l'occasion de le rencontrer. Monsieur le curé avait organisé un loto mais elle n'y assista pas.

Février. Les tempêtes se succédèrent. Elle ne mettait le nez dehors, dans la journée, que pour assurer ses visites à domicile et aussitôt les permanences de l'après-midi terminées, elle s'enfermait dans la maison du quai avec le chat.

Un jour de mars, elle se rendit chez sa voisine, l'épicière, pour effectuer quelques emplettes. Elle était absorbée par ses achats quand un « Je vous offre un verre, docteur » tonna.

C'était Loïc. Il était accoudé au bar.

— Non merci. Je suis pressée.

— Allez. Ne vous faites pas prier ou je vais me vexer.

Elle n'avait pas le choix.

— Un thé, alors.

— Un thé ! C'est une boisson de douairière. Vous ne voulez pas plutôt un alcool ?

— Je ne bois pas d'alcool dans la journée.

— Quelle jeune femme vertueuse ! s'exclama Loïc prenant les clients à témoin.

Les marins présents détournèrent la tête, refusant d'être associés à la scène.

— Loïc, tu te tais ! gronda l'épicière.

— Pourquoi je me tairais ? Je ne dis que des amabilités à mademoiselle la doctoresse. N'est-ce pas, mademoiselle ?

Marine ignora l'apostrophe et quitta l'établissement. Loïc courut après elle. Il l'attrapa par le bras, la contraignant à s'arrêter.

— Lâchez-moi, vous me faites mal !

— Pardon. Mais aussi pourquoi m'évitez-vous ?

— Ce sont vos façons qui me dérangent. Êtes-vous ivre ?

— Qu'est-ce que vous croyez ? Vous ne buvez pas d'alcool mais moi non plus.

Exact pour cette fois. Elle revoyait la tasse de café posée sur le comptoir, devant lui.

— Alors pourquoi êtes-vous si désagréable ?

— Je ne veux pas vous heurter. Ce que je veux, c'est votre amitié.

— Ce n'est pas ainsi que vous l'aurez.

— C'est de votre faute. Vous êtes tellement mordante ! Je parie que si un de mes frères était ici à ma place, vous ne seriez pas autant sur la défensive.

— Cessez de vous comparer à vos frères.

— Je suis pourtant obligé de constater que mes frères n'ont jamais eu de problèmes relationnels avec les filles. Yann surtout. Vous le connaissez ?

Elle sursauta. La question l'avait prise de court. Loïc, dont la sensibilité était exacerbée, devina sa gêne.

— Vous le connaissez, entérina Loïc. Vous avez peut-être même déjà succombé à son charme. C'est ça ?

— Je crois inutile de poursuivre cette conversation. Bonsoir, Loïc.

Elle rentra chez elle et, précaution ultime qui attestait de sa frayeur, verrouilla la porte. Longtemps après cet épisode, elle jeta un coup d'œil par la fenêtre du premier étage. Loïc était toujours sur le quai, immobile, groggy. Elle s'en voulait d'avoir été aussi maladroite. Elle aurait dû prévoir les réflexes du jeune homme face à sa profonde déception. Le docteur Le Guen l'avait suffisamment alertée.

Le jour où résonna « bonjour, docteur » prononcé par une voix de garçonnet, elle sut que les vacances de Pâques avaient débuté.

— Comment ça va l'école, Jean-Noël ?

— Bien, docteur. Et vous, vous allez bien ?

— Ça va.

Avec les beaux jours, elle avait réintégré la maison de sa tante Lucie et comme elle n'avait plus d'échos de ce qu'il advenait de Loïc, elle avait repris ses promenades en fin de journée, après ses consultations.

Ce soir-là, elle était assise sur la digue. Elle regardait la mer. Il faisait doux. Elle n'entendait que la clameur des flots et le cri des cormorans. Elle raffolait de ces instants de solitude. Ils la dopaient. Une silhouette se glissa à ses côtés. Elle crut à une malice de Jean-Noël. Mais c'était Loïc. Ils restèrent de longs moments silencieux. Le jeune homme était plongé dans la contemplation de l'océan et ne lui prêtait aucune attention.

Elle commença à s'affoler, suspendue à ce silence indécent et anormal. Sous leurs pieds, c'était le vide. La hauteur n'était pas considérable. Le risque venait plutôt des gros rochers qui renforçaient la base de la jetée. Elle calcula que si Loïc la poussait à l'eau (l'idée ne lui parut pas si absurde !), elle n'avait qu'un moyen de s'en tirer : en tombant dans une zone précise, très restreinte, où la succession des blocs de pierre était interrompue. Elle serait ensuite emportée par le courant mais au moins elle ne se fracasserait pas sur les rochers. Elle n'était pas tout à fait en face de la trouée et avec le plus de naturel possible, elle se décala. Elle en profita pour tenter de fuir, mais Loïc, devançant son geste, lui saisit le poignet, la bloquant irrémédiablement.

— Ne partez pas !

Cela sonnait comme une menace.

— Que me voulez-vous ? Je croyais que vous aviez compris qu'il ne servait à rien de me brusquer.

— Avez-vous couché avec mon frère Yann ? lui demanda Loïc brutalement.

— C'est quoi ce délire ?

— J'ai remarqué votre embarras l'autre jour. Je gage que vous avez couché avec lui. Ma vie durant, Yann s'est mis en travers de ma route. Chacun louait son charisme et son intelligence. J'ai vécu dans son ombre. Et aujourd'hui encore, alors qu'il est marié, il se pose en rival.

— Yann n'est pas un rival pour vous. Ôtez-vous cela de la tête. Je n'ai pas plus de sentiments pour lui que je n'en ai pour vous.

— Oui, mais moi je vous aime.

— C'est ridicule.

— Ridicule qu'un homme comme moi aime une femme comme vous ?

— Ce n'est pas ce que j'ai voulu dire.

— Mais vous l'avez dit ! Vous vous croyez à ce point supérieure que je ne devrais pas lever les yeux sur vous. C'est bien ça ?

Une sorte de rictus, de fureur, de cruauté, altéra ses traits. Marine eut dès lors la certitude que tout pouvait basculer en une fraction de seconde. Elle n'eut pas le temps de réfléchir à une parade que déjà Loïc la précipitait à l'eau. Elle battit l'air de ses bras pour se rattraper à quelque chose. À quoi ? Il n'y avait rien. Elle s'appliqua alors, avec une lucidité surprenante, à se couler dans l'espace réduit qu'elle avait repéré. Au passage, elle se déchira le flanc sur les aspérités du granit. La douleur l'étourdit. Quand elle rouvrit les yeux, Loïc n'était plus sur la digue.

La mer était gelée et le courant l'éloignait du rivage. Elle essaya de nager et de revenir vers l'île. En vain. Elle analysa la situation. Sa trajectoire l'emmenait vers la pointe de l'île, près du phare. À cet endroit, un môle composé de gabions formait un épi perpendiculaire à la côte. Si elle réussissait à se maintenir au niveau de cet épi, elle éviterait d'être entraînée au large.

Elle cessa de lutter contre la houle, s'astreignant à exécuter les mouvements juste nécessaires pour ne pas dépasser l'extrémité du brise-lames. Elle claquait des dents et ses membres se paralysaient. Drôle de fin. Elle avait bossé comme une malade pour réaliser son rêve et à peine installée sur l'île, elle allait y périr, sinon sur l'île, du moins dans ses eaux.

Une dernière vague, plus forte que les autres, la projeta sur les énormes blocs. Elle gémit. « Fracture du poignet », diagnostiqua-t-elle. De toute manière, cela n'avait plus d'importance. Elle ne parviendrait jamais à se hisser à terre. Les prises étaient bien trop hautes. Elle était épuisée, elle avait froid et mal et ne résistait plus que difficilement aux rouleaux qui la rejetaient sans cesse sur l'amoncellement de roches.

Elle eut une pensée pour son grand-père, pour ses parents. Finalement, elle était bien près de les rejoindre.

L'océan, en son cœur, générait un bruit d'enfer qui lui vrillait les tympans. Au milieu de ce vacarme, elle perçut le ahanement d'un moteur. Mais quelle embarcation braverait un secteur aussi dangereux ! Sa fatigue était telle que sa raison s'égarait.

Et en effet, il n'y eut plus que la cacophonie du ressac et elle se laissa emporter.

11

Les gens qui sont entre la vie et la mort évoquent souvent un tunnel, avec au bout une grande lumière. Elle était *dans* la lumière, elle flottait dans cette lumière, légère, soutenue par un élément qui annihilait jusqu'au poids de son corps. Elle n'avait plus froid, plus mal, plus peur. Peut-être était-elle dans le ventre de sa mère et baignait-elle dans le liquide amniotique ? ce qui lui valait cet état de grâce... d'où elle ne sut qui l'extirpa sans ménagements. C'en était fini de son bien-être, elle avait à nouveau mal. « Pitié ! Qui que vous soyez, ne me touchez pas. » Elle implorait, se débattait. Et ce ronronnement, cette vibration qui se répercutait dans sa chair, qu'était-ce ? Elle était aspirée dans les airs, tournoyait, se déplaçait à une vitesse qui lui soulevait l'estomac.

Marine reprit conscience à l'hôpital. Yves était auprès d'elle. Il lui sourit.

— Alors, petite sœur ?

— Hello ! (Elle embrassa le décor autour d'elle...) Je suis à l'hôpital ?

— Oui. Tu as failli te noyer. Tu t'en souviens ?

C'était encore flou mais le puzzle se reconstituait lentement.

— Qui m'a sortie de l'eau ?

— Les secours en mer de l'île.

— Et qui les a alertés ?

— Je l'ignore. Une personne qui a assisté à l'accident, j'imagine.

— J'ai quoi ? questionna Marine en avisant son poignet gauche plâtré.

— Une fracture du poignet, une grosse bosse sur le front mais pas de traumatisme crânien, et tout le côté gauche de ton corps qui a râpé sur la roche. Tu auras des cicatrices. C'est rien si l'on songe au drame que tu as frôlé.

— Yves, peux-tu demander au docteur Jaouenn de venir me voir ?

Elle était en vie. Elle ne concevait pas par quel miracle les marins de la SNSM étaient intervenus juste à point pour la sauver. Était-ce Loïc qui les avait avertis, submergé par les remords ? Et lui, qu'était-il devenu ?

Aussitôt instruit de son accident, Jean Jaouenn accourut à l'hôpital. Dès qu'il pénétra dans sa chambre, elle éclata en sanglots.

Jean Jaouenn crut que c'était le choc subi qui la faisait craquer après coup.

— Loïc Le Bihan a voulu me tuer, hoqueta-t-elle. J'étais sur la digue. Il m'a poussée. J'ai manqué m'écraser sur les rochers.

Jean Jaouenn pâlit.

— Il faut prévenir la police.

— Avant, j'aimerais savoir qui a appelé les secours

et aussi, si Loïc s'est dénoncé ou s'il affecte d'être étranger à l'affaire.

— Pourquoi ne pas tout dire à la police et immédiatement, que l'on arrête cet individu ?

— Je vous en prie. Faites ce que je vous demande.

— Comme tu voudras.

Elle dormit une partie de la journée avec l'aide de calmants que lui apporta l'infirmière et qu'elle avala sans protester.

Jean Jaouenn revint le soir. Il était grave.

— Est-ce que tu as vu Loïc après ta chute ?

— J'ai perdu connaissance quelques secondes, répondit-elle. Quand j'ai à nouveau ouvert les yeux, Loïc n'était plus sur la jetée. Pourquoi ?

— Il est tombé lui aussi. Mais il a eu moins de chance que toi. Il est mort. Son corps a été découvert peu après ton sauvetage.

— Mon Dieu ! Et vous savez qui a donné l'alerte ?

— Un jeune garçon.

Jean-Noël. Ce ne pouvait être que lui. Il avait dû continuer à surveiller Loïc comme elle le lui avait demandé une première fois. Par désœuvrement ou par crainte que le jeune homme ne lui fît du mal. Elle décida de lui téléphoner pour apprendre de sa bouche le déroulement des événements.

Elle attendit le départ de Jean Jaouenn et se traîna jusqu'à l'accueil. Elle réclama un annuaire et chercha dans la liste des abonnés de l'île le numéro de la grand-mère de Jean-Noël. Elle avait toujours omis de se renseigner sur le nom de famille du jeune garçon et regrettait aujourd'hui sa discrétion ou négligence.

— Allô ! Ici la principale du collège. Je souhaiterais parler à Jean-Noël.

— Il n'a pas fait de bêtises ? s'émut la mémé.

— Non, pas du tout. J'ai simplement besoin d'une copie de ses vaccins pour son dossier médical.

— Ne quittez pas.

Marine entendit en fond sonore la voix étouffée de la mémé qui hélait son petit-fils, puis des bruits de pas sur le carrelage du magasin et enfin le gamin saisit le combiné. Il était essoufflé.

— Jean-Noël ? C'est le docteur Le Guellec. Est-ce que ta mémé écoute ?

— Elle sert à boire à un marin, chuchota-t-il.

— Jean-Noël, C'est toi qui as prévenu les secours ?

Il confirma ses présomptions.

— Raconte.

— J'ai croisé Loïc par hasard et quand je l'ai vu prendre la direction de chez vous, je l'ai suivi. Il s'est assis près de vous sur la digue. Je me suis caché pas loin. Quand il vous a poussée, j'ai hurlé. Il a été surpris. Il s'est retourné brusquement vers moi et est tombé en arrière. J'ai regardé par-dessus la jetée. Loïc était sur un rocher. Il ne bougeait plus. Et puis il y a eu une grosse vague et son corps a été emporté. C'est ma faute, docteur.

— C'est un accident, Jean-Noël, un accident. Est-ce que tu as parlé de ça à quelqu'un ?

— Non, à personne.

— Qu'as-tu dit exactement aux sauveteurs quand tu as été les chercher ? As-tu mentionné la présence de Loïc ?

— Non. J'ai juste crié que la doctoresse était en train de se noyer.

— Bon alors, ne dévie pas de cette version. Tu n'es pas censé avoir vu Loïc. C'est compris ?

— Docteur, je vais aller en prison ?

— Pourquoi irais-tu en prison ? Tu es un brave petit gars. Grâce à toi, je suis en vie. Un grand merci.

— Grâce à moi et aux sauveteurs !

— Tu as raison, et aux sauveteurs.

— Docteur ?

— Oui, Jean-Noël ?

— Pourquoi vous protégez Loïc ?

— Ce n'est pas lui que je protège mais sa mère. La vérité la tuerait. Ah ! Jean-Noël. Si ta grand-mère t'interroge, je lui ai dit que j'étais la principale de ton collège et que j'avais besoin d'une copie de tes vaccins.

— Vous alors ! s'exclama le gamin.

— Encore une chose. Veux-tu t'occuper du chat ? Il est enfermé chez ma tante Lucie. La clé est sous le paillasson de la porte d'entrée.

Elle resta deux jours à l'hôpital, puis Yves la ramena dans la maison de son grand-père. Elle avait bénéficié d'une semaine d'arrêt de travail et comptait en profiter pour se reposer.

La gendarmerie était venue prendre sa déposition. Elle s'en tint à ces quelques mots : « Je suis tombée et je ne me souviens de rien d'autre. »

Louis Le Guen lui téléphona un soir, pour s'enquérir de son état.

— Comment allez-vous, mon enfant ?

— Comme une miraculée.

— Et vous l'êtes, miraculée ! Vous auriez pu vous tuer, à l'instar de ce pauvre Loïc.

— Est-ce que mon accident alimente les conversations sur l'île ?

— Pourquoi le nier : on ne parle que de ça.

— Et que dit-on ?

— Que Loïc vous a vue tomber et qu'il aurait tenté de vous porter secours. Malheureusement, les rochers au pied de la jetée lui auront été fatals.

— Les gens se demandent pourquoi je me suis jetée à l'eau ?

— Ils se posent des questions.

— Ils en ont déduit que j'ai voulu me suicider, comme ma mère ?

— Il y a de ça.

— Et donc ils me reprochent d'être vivante alors que Loïc n'est plus.

— Une petite minorité. Lorsque vous reviendrez sur l'île, on ne vous chassera pas à coups de pierre.

Référence à ceux qui avaient contraint sa famille à fuir l'île à la fin de la guerre ? En dépit des affirmations de Louis Le Guen, Marine n'était pas rassurée. Si les îliens se mettaient à colporter des mensonges sur elle, la relation de confiance qu'elle avait commencé à bâtir avec eux serait réduite à néant.

— Et Marijanig ?

— Elle est effondrée, vous vous en doutez.

— Elle m'en veut ?

— Pour le moment, elle pleure son fils.

Sa semaine de repos forcé s'écoula rapidement, trop rapidement à son gré. Elle était de plus en plus nerveuse en songeant qu'elle allait devoir reprendre ses activités sur l'île. Elle se confia à Jean Jaouenn.

— J'ai appris par le docteur Le Guen qu'une poignée d'îliens est convaincue que je suis responsable de la mort de Loïc.

— Comment ça ?

— J'aurais essayé de me suicider et il serait décédé

en me venant en aide. Mon retour risque d'être mouvementé.

Jean Jaouenn proposa alors à Marine de l'accompagner sur l'île et d'y demeurer le temps nécessaire à évaluer l'atmosphère ambiante. Marine lui en fut obligée. Elle nota que, grâce à Eileen et aux nombreuses années passées qui avaient fini par atténuer sa rancune, elle n'était plus aussi virulente à son endroit.

Marine et Jean Jaouenn prirent le bateau un dimanche. Il n'y avait que quelques gosses sur le quai, qui jouaient indifférents à ce qui les entourait, lorsqu'ils débarquèrent sur l'île. Le cabinet de la jeune femme se situant à deux pas, ils furent très vite à l'abri des regards.

— Je n'ai pas envie d'aller chez ma tante Lucie. Je m'expose à rencontrer Marijanig qui habite à proximité. Mais ici, il n'y a qu'un lit.

— J'irai à l'hôtel. Ce n'est pas un souci.

— Je serais plus tranquille de vous savoir dans la maison. Nous pouvons partager le même lit. Mais n'en profitez pas.

— Je tâcherai, promit Jean Jaouenn avec un sérieux feint.

Ils éclatèrent de rire et elle lui fut reconnaissante de ses efforts pour lui faire oublier ses angoisses.

Le soir, ils se couchèrent dans le lit de mariage du docteur Le Guen, chacun de son bord, un grand espace entre eux.

— Racontez-moi mon père.

— Que te raconter ?

— Tout. Quel petit garçon il était, ce qu'il aimait, tout.

Jean Jaouenn rassembla ses souvenirs et s'appliqua à satisfaire la curiosité de Marine. C'était bon d'évoquer son père avec quelqu'un qui l'avait côtoyé, surtout de n'échanger que sur les jours heureux, ceux de l'adolescence, avant l'engagement politique et le dérapage final. Elle s'endormit et ne se réveilla qu'au matin en entendant Jean Jaouenn l'appeler depuis le rez-de-chaussée.

— Marine, le café est prêt !

Elle s'habilla et descendit prendre son petit déjeuner (après avoir dormi près de lui) avec l'homme qui était toujours dans son esprit, mais d'une manière plus incertaine, directement lié à la disparition de son père. Elle était si fébrile à l'idée d'ouvrir son cabinet et d'être confrontée au jugement des uns, à la condamnation des autres, que l'inconvenance de la situation ne lui apparut pas. Tout ce qui lui importait vraiment en cette minute était de constater à quel point elle était devenue réceptive à l'opinion d'autrui. Elle se voyait faible et vulnérable et s'en voulait de cette fragilité qui ne cadrait pas avec sa détermination coutumière.

— Je suis dans la cuisine si tu as un patient mal intentionné, dit Jean Jaouenn.

La cuisine était contiguë au cabinet de consultation, autrefois la salle à manger.

Les premiers malades arrivèrent assez tard dans la matinée. Il avait fallu du temps pour que l'information qu'elle était de retour se propageât. Pas un d'entre eux ne se permit la moindre allusion à son accident. Elle reprenait courage.

Le midi, elle déjeuna avec Jean Jaouenn qui avait été s'approvisionner au magasin d'alimentation près de chez elle.

— L'épicière doit se demander qui j'héberge. Elle va encore spéculer sur mon genre de vie.

— Cela te gêne ?

— Un peu, mais moins que de me retrouver seule dans mon cabinet, face à une personne qui me cracherait son dégoût au visage.

— Jusqu'à présent, avoue que le climat est plutôt serein.

— Je me réjouirai si cela dure !

L'après-midi fut morne. Son planning de visites à domicile était vierge. Jean Jaouenn lui suggéra une promenade. Elle refusa.

— Te cloîtrer n'est pas la meilleure solution. Il faut sortir, au contraire, et te montrer. Plus vite tu affronteras les îliens, plus vite tu seras débarrassée des quelques mauvaises réactions qui peuvent survenir.

— Évitons le côté de l'île où habite Marijanig, alors.

Ils partirent du côté opposé. Elle avait en tête d'aller chez le docteur Le Guen s'assurer que le chat y était. Les vacances de Pâques étant terminées, elle supposait que Jean-Noël lui avait transmis la garde de l'animal.

Après un détour par les extérieurs de l'île, Marine et Jean Jaouenn rejoignirent le bourg. Dans une des ruelles, ils croisèrent un marin d'une cinquantaine d'années qui bouscula Marine de façon délibérée, en lui murmurant « salope ». Salope ! Elle avait un tas de défauts mais aucun ne justifiait qu'on la traitât ainsi. La colère remplaça immédiatement l'inquiétude en elle. Elle courut après le marin et le força à s'arrêter.

— Qu'avez-vous dit ?

— Moi ? Rien, répondit l'homme d'un air angélique.

Marine s'emporta.

— Espèce de lâche ! Ainsi je suis une salope. Et pour quelle raison ? Allez, soulagez-vous. Pourquoi suis-je une salope ?

Elle criait. Un attroupement s'était formé et le marin affichait un embarras grandissant.

— À cause de vous, l'un des nôtres est mort.

— L'un des vôtres ! fulmina-t-elle. Ne suis-je pas moi aussi l'une des vôtres ? Je suis née sur cette île, au même titre que Loïc Le Bihan, car je présume que c'est de lui dont il s'agit. Ainsi il est mort par ma faute. Expliquez-vous !

— Si vous n'aviez pas voulu vous suicider comme votre mère, Loïc serait toujours vivant.

— Tout d'abord, j'interdis à qui que ce soit sur cette île de parler de ma mère. Je vous rappelle que si elle a mis fin à ses jours, c'est parce que vous, îliens, lui aviez rendu la vie impossible. Qui venait proférer des insultes devant notre maison ? Qui lançait des pierres dans les vitres ? C'est peut-être vous, le marin, qui aujourd'hui me qualifiez de salope.

L'homme était de plus en plus déconfit. Il avait cru l'intimider et voilà que les rôles s'inversaient.

— C'est quoi ces bobards ? J'ai rien fait, dit-il penaud.

— Hier, et encore, je n'en suis pas sûre. Mais ce jour, vous êtes coupable. Coupable de m'injurier et coupable de me diffamer. Je ne laisserai personne prétendre que j'ai essayé de me suicider. C'était un accident. Quant à Loïc, je n'étais pas en position d'appeler à l'aide, alors s'il a voulu me secourir, cela ressort de sa propre initiative. Et je vous garantis que je porterai plainte contre tous ceux, quels qu'ils soient, qui me discréditeront. Est-ce assez clair ?

Le marin dodelina de la tête en signe d'assentiment et fila, pressé d'échapper au courroux de Marine et au désaveu des gens de la rue. Une femme qui avait assisté à l'incident, se fit l'interprète des pensées de chacun.

— Bravo, docteur. Il faut les moucher ces personnes qui ne savent que salir les autres. Les calomniateurs sont la plaie de notre île. Et pour une fois, ce n'est pas une femme !

Les badauds s'esclaffèrent puis s'égaillèrent, ravis de cet intermède.

— Eh bien, Marine ! dit Jean Jaouenn. Je vois que tu es apte à te défendre seule.

— C'est le terme de salope qui m'a blessée. Je ne crois pas mériter une telle épithète. Et je ne pouvais pas non plus cautionner des rumeurs de suicide. C'est ma crédibilité de médecin qui est en jeu.

Ils parvinrent chez Louis Le Guen. Marine lui présenta Jean Jaouenn. Soudain, un miaulement retentit et une boule de poils se frotta contre ses jambes.

— Le chat ! Tu m'as manqué.

Elle lui gratta le dos. Le chat s'arc-bouta, queue en panache, ronronnant de plaisir.

Le docteur Le Guen les invita à s'asseoir.

— Nous avons eu si peur pour vous, mon enfant, confia-t-il à Marine.

— Grâce au ciel…

— Et à un petit garçon… Vous sentez-vous la force de nous relater les faits ? questionna gravement Louis Le Guen.

Jusqu'où pouvait-elle s'épancher sans trahir Jean-Noël ?

— Si cela doit vous rassurer : Jean-Noël s'est d'abord confessé au curé puis à moi.

Brave gamin ! Il avait choisi les deux seules personnes capables de garder le silence sur ses déclarations.

— Je déplore de ne pas avoir eu l'opportunité de m'entretenir avec lui avant son départ en pension. Dans quel état d'esprit était-il ? Je me tracasse pour lui. Il n'a que treize ans.

— Il était bouleversé que son intervention ait provoqué la mort d'un homme et d'être, pour cet acte, jeté en prison. Mais c'est un garçon équilibré. J'ai longuement discuté avec lui. De s'être confié à nous l'a déjà grandement apaisé.

Jean Jaouenn, qui observait Marine et Louis le Guen avec une perplexité de plus en plus visible, leur coupa la parole.

— Excusez-moi. L'un de vous aurait-il l'obligeance de m'éclairer ?

Le docteur Le Guen interrogea Marine du regard.

— Nous pouvons nous exprimer devant Jean, dit-elle.

Elle rapporta aux deux hommes son face-à-face avec Loïc sur la digue, le soir du geste criminel de celui-ci, l'immixtion de Jean-Noël et ses conséquences inattendues.

— Tu avais omis de me révéler cet aspect de l'affaire, lui reprocha Jean Jaouenn.

— Je voulais préserver Jean-Noël. De toute manière, l'enquête aurait conclu à un accident. Alors ça changeait quoi d'occulter sa participation ? Et aujourd'hui, au lieu de pleurer sur son fils, Marijanig pleurerait sur un fils meurtrier.

Elle fit jurer à Louis Le Guen de ne divulguer à quiconque la part tenue par Jean-Noël dans le décès de Loïc. Le curé, lui, était lié par le secret de la confession.

Marine regagna son cabinet en compagnie de Jean Jaouenn et du chat. Elle avait également récupéré les clés de la maison de sa tante que Jean-Noël n'avait pas souhaité abandonner sous le paillasson en son absence et décida de s'y rendre pour la nuit.

— Je croyais que tu préférais rester loin de Marijanig ? s'étonna Jean Jaouenn.

— C'est vrai, quoique sur cette île on n'est jamais loin les uns des autres. Mais il y a plus de place là-bas. Vous pourrez coucher dans ma chambre et moi dans le lit clos.

Elle lut comme un regret dans ses yeux. Si Eileen ne s'était pas trompée, c'est-à-dire s'il l'aimait, elle soupçonnait qu'avoir dormi à ses côtés la nuit dernière avait suscité en lui quelque espoir. Mais la nuit dernière était une exception et avec moins de pression sur les épaules, elle n'était pas disposée à la reconduire.

En approchant du domicile de Marijanig, Marine, involontairement, accéléra le pas, s'attendant à ce que la karabassen sortît de chez elle pour l'invectiver. Il n'en fut rien.

Elle signala au passage à Jean Jaouenn, l'endroit où s'était produit sa chute. Il examina les rochers, le courant violent qui agitait les lieux et admit :

— Tu as eu beaucoup de chance.

Le lendemain Marine et Jean Jaouenn firent ensemble le trajet jusqu'à la maison du quai. Si la matinée se déroulait sans accroc, Jean Jaouenn avait prévu de rentrer sur le continent par le bateau du soir.

— Le plus dur est derrière toi. Tu as eu le gros des réactions.

— Pas tout à fait. Je n'ai pas encore vu Marijanig.

— Tu crois qu'elle pourrait se montrer agressive ?

— Avant qu'elle perde son fils, je vous aurais répondu non.

Le bruit que Marine avait repris ses consultations avaient dû faire le tour de l'île car la salle d'attente était bondée. Jean Jaouenn se tint dans la cuisine avec le chat, prêt à toute éventualité.

Peu avant midi, elle eut un sursaut en venant quérir un patient dans la salle d'attente. Marijanig était assise au fond de la pièce, droite et fermée. Marine se consacra à son patient et avant de prendre le suivant, se faufila dans la cuisine.

— Elle est dans la salle d'attente, annonça-t-elle affolée à Jean Jaouenn.

— Qui ça ?

— Marijanig.

— Elle a peut-être besoin d'un médecin. Ce ne serait pas surprenant après le choc qu'elle vient de subir.

Quand ce fut son tour, Marijanig pénétra dans le bureau de Marine et s'installa en face d'elle. La jeune femme se devait d'évoquer avec la karabassen la mort de son fils et cette discussion, nécessaire elle le comprenait, l'effrayait au point qu'elle ne parvenait pas à réguler les battements de son cœur.

— Marijanig…

— Non, ne dites rien.

Marijanig ferma les yeux et se recueillit un temps infini.

— Le destin vous joue parfois de ces tours, commença-t-elle. Quand j'ai appris que vous étiez notre nouveau docteur, j'ai su que mon châtiment était en route.

— Votre châtiment ?

Marijanig ignora l'interpellation de Marine.

— J'ai connu votre père. Il était différent des autres garçons de l'île, si beau, si doux, si plein de charme. Je l'ai aimé, passionnément… à la folie. Oui, à la folie. Je le voulais, au-delà de tout. Mais lui ne s'est jamais intéressé à moi. Il est parti étudier à Rennes et un jour il est revenu avec votre mère qu'il avait épousée. À ce moment, je l'ai haï. Cette haine me dévorait. Je n'avais plus qu'un objectif : le faire souffrir, faire souffrir votre mère, autant que je souffrais. Votre frère est né, puis la guerre est arrivée et ma haine ne s'éteignait pas. L'île a été occupée par les Allemands et ce fut une époque de chaos. Votre père ne venait plus ici qu'épisodiquement et militait, disait-on, dans un mouvement nationaliste. Si cela avait été le chaos pendant la guerre, à la fin de la guerre ce fut pire. J'étais toujours envahie par la même haine et j'ai commis l'irréparable. J'ai dénoncé votre père. C'était d'autant plus facile que tous les journaux disaient que c'était un devoir de justice. J'ai poussé la bassesse jusqu'à inciter des amis, des voisins à confier aux autorités leurs craintes au sujet de personnes de leur entourage dont ils étaient sans nouvelles, suggérant ainsi le lien entre des disparitions non résolues et la présence sur notre île d'un nationaliste, votre père… Non, ne m'interrompez pas, répéta-t-elle, voyant que Marine allait réagir, sinon je n'aurai plus la force de continuer. Que pourrais-je invoquer pour ma défense ? Rien. J'étais aveuglée par mon acharnement à nuire à votre père. Sans doute aussi, ai-je cru que les nationalistes bénéficieraient de l'indulgence des tribunaux. Je me leurrais. Votre père a été condamné à mort et fusillé trois mois seulement après son arrestation. L'histoire aurait pu s'arrêter là, mais un groupe d'hommes et de femmes, estimant que votre famille avait sali la réputation de l'île, se réunissait chaque jour devant votre maison pour crier des horreurs et lancer des pierres dans vos fenêtres. Votre grand-père leur tenait tête, mais votre mère n'a pas supporté toute cette méchanceté. Elle s'est noyée. Ce jour-là, je me suis détestée. Comment pouvais-je me racheter ? En me livrant ? À qui ? Les autorités m'auraient rétorqué que j'avais accompli mon devoir de patriote. Et puis votre grand-père a quitté l'île, vous emmenant, votre frère et vous. Le calme est revenu. Je m'étais mariée, je mettais des enfants au monde et j'ai fini par oublier. Non pas oublier, ne plus y penser, en tout cas de moins en moins souvent. C'était sans compter votre retour sur l'île. Yann s'est alors amouraché de vous. Je n'acceptais pas l'idée que vous soyez ma bru, de vous voir tous les jours comme un rappel vivant de mon forfait. Dieu merci, Yann est un bon fils et il a écouté mes arguments. Mais j'avais eu très peur. Lorsqu'à son tour Loïc s'est attaché à vous, j'ai réalisé que cette fois ce serait plus délicat de le séparer de vous. Loïc est un bon garçon, lui aussi, mais fragile et complexé. Ses relations avec les filles ont toujours été très compliquées. Je ne sais pas ce qu'il y a eu entre vous ce soir-là et mon instinct de mère me conseille de ne pas chercher à le savoir. Si Loïc vous a fait du mal, je vous demande pardon en son nom, comme je vous demande pardon d'avoir détruit votre famille.

Marine était pétrifiée. Elle mit de longues minutes avant de se ressaisir et d'intégrer l'incroyable confession de l'îlienne. Quelle douleur et quelle culpabilité étaient les siennes depuis la mort de son fils pour se punir en dévoilant ainsi des faits méconnus ! Elle ne pouvait s'empêcher d'admirer son courage.

Elle rejoignit Jean Jaouenn dans la cuisine. Il était très pâle.

— Vous avez entendu ?

Il lui fit signe que oui.

— Tout ? J'ai honte… Pardon, pardon… C'est à mon tour de vous supplier : me pardonnerez-vous ?

Août 1988

Le temps était radieux. Les touristes avaient débar-
qué en nombre et s'étaient égaillés aux quatre coins
de l'île comme une volée de moineaux. On frappa à
la porte de ce qui était son cabinet de consultation
pour encore quelques instants. Elle alla ouvrir.

— Entre.

Le nouvel arrivant prit Marine dans ses bras et
l'étreignit longuement.

— Tu m'étouffes, protesta-t-elle.

Elle observa le grand gaillard qui était devant elle.
À son image se superposa celle d'un gamin déluré, à
la langue bien pendue. Le temps avait passé si vite.

— Te souviens-tu ? Tu m'avais assuré que tu aurais
un emploi qui te permette de vivre sur l'île. Gardien
de phare, instituteur, cafetier… ou docteur. Te voilà
docteur et je suis très fière de toi. Je te cède ma place
avec joie. Si j'ai eu des problèmes d'intégration au
début de mon installation ici, toi tu n'en auras pas.
Tu es un enfant du pays, apprécié de tous…

— Assez, assez, implora Jean-Noël.

— C'est l'heure du bateau. Tu n'as pas une dernière requête ?

— Je ne vois pas. J'ai les clés de la maison de votre tante Lucie, j'ai les clés du cabinet...

— Crois-tu que ta femme va se plaire ici ?

— J'en suis certain.

Ils se regardèrent en souriant, complices.

— Alors, est-elle comme tu la voulais ?

— Que vous avais-je dit déjà ? « Qu'elle ne me crie pas dessus et surtout qu'elle ne cancane pas. »

— Et c'est le cas ?

— Elle a toutes ces vertus plus celles que je ne mettais pas en avant à l'époque : belle et intelligente.

— Je suis heureuse pour toi.

Elle avait rencontré l'épouse de Jean-Noël quand ils étaient venus visiter la maison de sa tante dans le but de la louer. Elle avait aimé la retenue de la jeune femme, sa simplicité, sa beauté lumineuse, l'amour immense qu'elle semblait porter à Jean-Noël. Elle était infirmière et n'aurait aucun mal à se faire une clientèle sur l'île où c'était le médecin lui-même, parfois le pharmacien, qui effectuait les soins. Ces deux-là s'étaient vraiment trouvés ! Ils avaient la même conception de leur métier qu'ils envisageaient plutôt comme un sacerdoce (elle se situait très loin de cette doctrine !) et l'envie de le pratiquer dans un cadre proche de la nature, y compris (elle allait dire « et surtout ») une nature rude et exigeante.

Et tout s'enchaînait à merveille pour faciliter leur démarrage dans cette existence qu'ils avaient choisie. Elle cessait ses activités sur l'île au moment où le jeune homme terminait ses études de médecine, Yves avait approuvé sa proposition de leur louer la maison de tante Lucie, le docteur Le Guen n'était plus de ce monde mais sa sœur Corentine avait consenti à renouveler le bail de la maison du quai à Jean-Noël pour y maintenir son cabinet. Pouvait-on rêver meilleur scénario !

— Embrasse ta femme pour moi et quand vous aurez un petit, préviens-moi.

— Je vous solliciterai comme marraine !

— Je ne dis pas non. Au revoir, Jean-Noël. Merci d'avoir été mon ange gardien sur cette île.

— Vous partez quand ?

— Dans deux semaines.

— Alors bon voyage. Et ne vous inquiétez pas pour le chat. Je vais le choyer. Je vous l'avais déjà promis une fois et j'ai tenu parole, non ?

Son brave chat, trop vieux dorénavant pour être arraché à son environnement habituel et rassurant.

Jean-Noël l'accompagna jusqu'au bateau. Elle resta sur le pont, dans l'air vif de l'océan, accrochée à sa haute silhouette jusqu'à ce que celle-ci ne fût plus qu'un point minuscule à l'horizon. Son mari l'accueillit sur le continent, au débarcadère.

— Tout est réglé ?

Il s'abstint de demander « pas de regrets ? ». Ils avaient beaucoup discuté de l'orientation qu'elle voulait donner à sa carrière et ils étaient tombés d'accord. Son ambition d'adolescente, être médecin sur l'île, étant réalisée, maintenant qu'elle était une quadragénaire (épanouie, selon la formule consacrée), elle avait le désir de réussir autre chose.

Elle avait épousé Jean Jaouenn un an après l'aveu de Marijanig d'être celle qui avait dénoncé son père en 1944. Son comportement rigide et partial à l'égard de Jean l'avait alors tellement remplie de remords qu'elle s'était appliquée à lui rendre justice, en apprenant à lui faire confiance, puis en admettant sans les railler ou les rejeter, les sentiments qu'il avait pour elle. Rapidement les qualités de Jean, qu'Eileen avait détectées bien avant elle, réelles, la séduisirent et elle s'abandonna à l'attirance profonde qu'il lui inspirait depuis toujours, attirance qu'elle avait enfouie en elle pendant des années. Elle avait ensuite dû batailler contre l'hostilité de Maëlle qui déniait à son père le droit de convoler avec une femme qui aurait pu être sa fille. Davantage que la notion de droit, c'était le côté grotesque du projet que l'ancienne camarade de classe de Marine avait développé. En définitive, Jean et elle s'étaient mariés sans plus se soucier de Maëlle.

Après ses noces, Marine avait continué à exercer sur l'île où son mari la rejoignait chaque fin de semaine. Cette solution leur avait paru être la mieux adaptée au contexte particulier de l'île où les habitants n'avaient pas la latitude de recourir à un autre médecin qu'elle, alors que les patients de Jean bénéficiaient, eux, de l'assistance de nombreux confrères sur le continent.

Depuis, son mari avait pris sa retraite. L'avantage d'avoir un conjoint plus âgé (outre la sérénité et l'équilibre que cela lui apportait) : il était disponible pour la suivre dans ses prochaines fonctions. Le week-end suivant, ils firent leurs adieux à la famille. Yves travaillait toujours à la ferme des Jaouenn. Seul changement, depuis le décès du patriarche, il résidait désormais dans l'habitation principale et la longère, rénovée en son temps pour lui, avait été transformée en gîte. Les nièces de Marine étaient mariées et sa belle-sœur, bientôt quinquagénaire, s'était résignée à ne plus être une gravure de mode, uniquement préoccupée de son apparence. Elle lui était ainsi devenue presque sympathique. En leur absence, Yves s'était engagé à entretenir la maison de son grand-père. Elle n'avait pas voulu y mettre des locataires ne sachant encore si Jean et elle se plairaient en Guyane.

Car ils s'exilaient en Guyane. Elle avait lu dans une revue spécialisée qu'on recherchait un médecin pour diriger un centre de santé dans un village perdu sur le fleuve Oyapock, face au Brésil. Elle s'était documentée sur ce département français d'Amérique du Sud qu'elle pouvait tout juste localiser sur une carte. Elle occulta les éléments à charge : les bêtes (serpents, moustiques, mygales…), la chaleur, l'humidité, l'insécurité, pour ne retenir que ce que lui en avait dit un des cadres de l'hôpital de Cayenne, au cours de divers entretiens qu'elle avait eu à Paris avec lui. Un pays fascinant, à la biodiversité sans pareille, une population multiraciale, en bref une terre où tout était encore possible. La même personne ne lui avait cependant pas caché les aléas du poste : une région isolée, avec des difficultés de transport, d'alimentation en eau potable, d'assainissement… La gageure lui avait plu. Ils étaient plusieurs candidats à postuler et rien n'indiquait qu'elle serait l'élue. Quand l'avis favorable lui parvint, elle se sentit terriblement excitée. Elle croyait qu'avoir géré sur une île des situations d'évacuation sanitaire, et de venir avec son mari (pour des questions évidentes de solitude et d'éloignement), médecin de surcroît, l'avait favorisée.

Elle ignorait toujours où ils logeraient. L'administration hospitalière avait évoqué la pénurie d'hébergements répondant à leurs critères métropolitains, dans le village où elle était nommée. Ils seraient probablement obligés, dans un premier temps, de se contenter d'un carbet, ce qui signifiait couchage en hamac et confort sommaire. Elle craignait ces dispositions spartiates pour Jean qui lui affirma, au contraire, que cette expérience avait le don de le dynamiser. Ils se firent vacciner contre la fièvre jaune et prirent l'avion pour Cayenne début septembre.

Les neuf heures de vol défilèrent en un éclair. Elle avait balayé, durant le trajet et tandis que Jean dormait, tous les événements qui avaient jalonné sa vie jusqu'à cet instant. Une sorte d'état des lieux qui lui servirait de référence pour la suite de son parcours.

Quand le pilote annonça l'atterrissage et qu'ils survolèrent une forêt inextricable dans laquelle se déroulaient les méandres d'un fleuve, elle serra la main de son mari et elle gagea qu'une formidable aventure les attendait dans cette contrée prometteuse.

Une formidable aventure et aussi, elle y aspirait de toute son âme, l'oubli et le pardon pour les souffrances endurées par sa famille mais également par Jean sur lequel elle avait fait peser une injuste suspicion pendant si longtemps. Elle y croyait dur comme fer à cette rédemption. Il y avait pourtant une inconnue. Était-il concevable d'oublier son histoire et surtout, était-ce souhaitable ? Elle était *elle* à cause de cette histoire et des blessures qu'elle lui avait infligées, des douleurs qu'elle lui avait imposées. Oublier c'était renier les raisons qui lui avaient permis de grandir, de s'aguerrir, de se façonner dans les deuils, les chagrins, pour finalement renaître, reconstruite, fortifiée, apaisée.

Et ce lent cheminement l'amenait aujourd'hui à se confronter à un nouveau challenge qui, d'avance, lui procurait le frisson du plaisir, des embûches surmontées, des victoires remportées, des rencontres partagées : accomplir son métier de médecin dans des conditions qu'on lui avait décrites difficiles sans doute, enrichissantes sûrement. Elle était prête à relever le défi.

POCKET N°16177

Quel secret de famille a forcé Lili à se forger une telle carapace ?

Annick KIEFER

LE CARNET DE LILI

Trentenaire blessée par la vie, Clémentine se lance sur la route de Compostelle, simplement accompagnée de sa chienne Morvane. En chemin, elle fait halte dans le petit village de Marcilhac, où elle tombe sous le charme d'un vieil hôtel abandonné. Clémentine y découvre le journal de l'ancienne propriétaire, Liliane. Celle-ci y dévoile les secrets et blessures de son existence... Grâce au chemin qu'elle va parcourir dans les souvenirs de Lili, et avec le soutien de Patrick – un homme séduisant et mystérieux rencontré par hasard –, Clémentine pourrait bien réapprendre à vivre...

Faites de nouvelles rencontres sur pocket.fr

- Toute l'actualité des auteurs : rencontres, dédicaces, conférences...
- Les dernières parutions
- Des 1ers chapitres à télécharger
- Des jeux-concours sur les différentes collections du catalogue pour gagner des livres et des places de cinéma

Composé par Nord Compo à Villeneuve-d'Ascq

Imprimé en France par

MAURY IMPRIMEUR
à Malesherbes (Loiret)
en juillet 2016

POCKET – 12, avenue d'Italie – 75627 Paris Cedex 13

N° d'impression : 210188
Dépôt légal : janvier 2016
Suite du premier tirage : juillet 2016
S26569/07